BLITZ
SCALING

BLITZ SCALING

O CAMINHO MAIS RÁPIDO
PARA CONSTRUIR NEGÓCIOS
EXTREMAMENTE VALIOSOS

Reid Hoffman
e Chris Yeh

ALTA BOOKS
GRUPO EDITORIAL
Rio de Janeiro, 2019

Blitzscaling: O caminho mais rápido para construir negócios extremamente valiosos
Copyright © 2019 da Starlin Alta Editora e Consultoria Eireli. ISBN: 978-85-508-0758-4

Translated from original Blitzscaling. Copyright © 2018 by Reid Hoffman and Chris Yeh. All rights reserved. ISBN 978-1-5247-6141-7. This translation is published and sold by permission of Currency, an imprint of the Crown Publishing Group, a division of Penguin Random House LLC, the owner of all rights to publish and sell the same. PORTUGUESE language edition published by Starlin Alta Editora e Consultoria Eireli, Copyright © 2019 by Starlin Alta Editora e Consultoria Eireli.

Todos os direitos estão reservados e protegidos por Lei. Nenhuma parte deste livro, sem autorização prévia por escrito da editora, poderá ser reproduzida ou transmitida. A violação dos Direitos Autorais é crime estabelecido na Lei nº 9.610/98 e com punição de acordo com o artigo 184 do Código Penal.

A editora não se responsabiliza pelo conteúdo da obra, formulada exclusivamente pelo(s) autor(es).

Marcas Registradas: Todos os termos mencionados e reconhecidos como Marca Registrada e/ou Comercial são de responsabilidade de seus proprietários. A editora informa não estar associada a nenhum produto e/ou fornecedor apresentado no livro.

Impresso no Brasil — 2019 — Edição revisada conforme o Acordo Ortográfico da Língua Portuguesa de 2009.

Publique seu livro com a Alta Books. Para mais informações envie um e-mail para autoria@altabooks.com.br

Obra disponível para venda corporativa e/ou personalizada. Para mais informações, fale com projetos@altabooks.com.br

Produção Editorial Editora Alta Books Gerência Editorial Anderson Vieira	Produtor Editorial Juliana de Oliveira Thiê Alves Assistente Editorial Viviane Rodrigues	Marketing Editorial marketing@altabooks.com.br Editor de Aquisição José Rugeri j.rugeri@altabooks.com.br	Vendas Atacado e Varejo Daniele Fonseca Viviane Paiva comercial@altabooks.com.br	Ouvidoria ouvidoria@altabooks.com.br
Equipe Editorial	Adriano Barros Bianca Teodoro Ian Verçosa	Illysabelle Trajano Kelry Oliveira Keyciane Botelho	Maria de Lourdes Borges Paulo Gomes Thales Silva	Thauan Gomes
Tradução Carolina Gaio	**Copidesque** Wendy Campos	**Revisão Gramatical** Thamiris Leiroza Thais Pol	**Revisão Técnica** Luciana Ferraz Bacharel em Administração e Comércio Exterior pela Universidade Presbiteriana Mackenzie	**Diagramação** Luisa Maria Gomes

Erratas e arquivos de apoio: No site da editora relatamos, com a devida correção, qualquer erro encontrado em nossos livros, bem como disponibilizamos arquivos de apoio se aplicáveis à obra em questão.
Acesse o site www.altabooks.com.br e procure pelo título do livro desejado para ter acesso às erratas, aos arquivos de apoio e/ou a outros conteúdos aplicáveis à obra.

Suporte Técnico: A obra é comercializada na forma em que está, sem direito a suporte técnico ou orientação pessoal/exclusiva ao leitor.
A editora não se responsabiliza pela manutenção, atualização e idioma dos sites referidos pelos autores nesta obra.

Dados Internacionais de Catalogação na Publicação (CIP) de acordo com ISBD

H699b Hoffman, Reid
Blitzscaling: o caminho mais rápido para construir negócios extremamente valiosos / Reid Hoffman, Chris Yeh ; traduzido por Carolina Gaio. - Rio de Janeiro : Alta Books, 2019.
336 p. ; 14cm x 21cm.

Tradução de: Blitzscaling
Inclui índice e anexo.
ISBN: 978-85-508-0758-4

1. Administração. 2. Negócios. I. Yeh, Chris. II. Gaio, Carolina. III. Título.

2019-414
CDD 658.4012
CDU 65.011.4

Elaborado por Vagner Rodolfo da Silva - CRB-8/9410

Rua Viúva Cláudio, 291 — Bairro Industrial do Jacaré
CEP: 20970-031 — Rio de Janeiro - RJ
Tels.: (21) 3278-8069 / 3278-8419
www.altabooks.com.br — altabooks@altabooks.com.br
www.facebook.com/altabooks

Sumário

Prefácio, por Bill Gates ... ix

Introdução ... 1

Parte I: O Que é Blitzscaling? ... 23

O software está dominando (e salvando) o mundo ... 26
Os tipos de escalabilidade ... 27
Os três princípios do blitzscaling ... 32
Os cinco estágios do blitzscaling ... 38
As três principais técnicas do blitzscaling ... 40

PARTE II: Inovação do Modelo de Negócios ... 51

Projetando o desenvolvimento: os quatro fatores de crescimento ... 55
Maximizando o desenvolvimento: os dois limitadores de crescimento ... 74
Padrões comprovados de modelos de negócios ... 81
Princípios subjacentes da inovação do modelo de negócios ... 92
Analisando alguns modelos bilionários ... 100
O que sucede um modelo de negócios substancial e comprovado? ... 119

PARTE III: Inovação Estratégica — 121

Quando devo começar o blitzscaling? — 121
Quando devo parar o blitzscaling? — 133
Posso não implementar o blitzscaling? — 136
O blitzscaling é iterativo — 138
Como a estratégia do blitzscaling muda a cada estágio — 140
Como o papel do fundador muda a cada estágio — 142

PARTE IV: Gestão de Inovação — 147

As oito transições decisivas — 147
As nove regras controversas do blitzscaling — 198
A necessidade perene de mudanças — 238

PARTE V: O Amplo Alcance do Blitzscaling — 241

O blitzscaling além da alta tecnologia — 241
O blitzscaling em empresas de grande porte — 247
O blitzscaling além do mundo dos negócios — 255
A zona de influência do Vale Do Silício — 263
Outras boas regiões para o blitzscaling — 265
China: a terra do blitzscaling — 269
Como se defender do blitzscaling — 276

PARTE VI: Blitzscaling Responsável — 281

Blitzscaling na sociedade — 285
Estrutura do blitzscaling responsável — 286
O espectro de resposta — 291
Adéque responsabilidade e velocidade às fases da empresa — 293

Conclusão 297

Agradecimentos 303
Apêndice A: Transparência 305
Apêndice B: Os Blitzscalers 307
Apêndice C: Artigos do Cs183c 317
Índice 321

PREFÁCIO, POR BILL GATES

Conheço Reid Hoffman há anos. Nossa amizade começou com minhas visitas ao Vale do Silício para as reuniões com a Greylock Partners, a empresa de capital de risco da qual Reid é sócio, para que eu aprendesse sobre as empresas nas quais eles investiam. Sempre fui fascinado por sua mente sagaz e seu tino brilhante para os negócios. Reid é famoso por oferecer longos jantares, em que as conversas adentram as madrugadas, e, durante muitas refeições, esmiuçamos a indústria de tecnologia, analisamos a promessa da IA e muito mais. Quando o CEO da Microsoft, Satya Nadella, começou a falar sobre a aquisição do LinkedIn, eu soube que a ideia era incrível.

De tudo o que discuti com Reid, o mais instigante foi o blitzscaling. É uma ideia que se aplica a muitos setores distintos, como ele e Chris explicam na última seção deste livro. Porém, priorizar a agilidade em detrimento da eficácia — mesmo em meio à incerteza —, é especialmente importante quando seu modelo de negócios depende de muitos membros e da obtenção de seu feedback. Se começar logo e conseguir esse feedback, e seus concorrentes não, você está no caminho do sucesso. Em qualquer negócio em que a escalabilidade realmente importe, começar cedo e agir rápido faz a diferença.

Isso é especialmente válido para modelos de negócios multilaterais, em que você tem dois grupos de usuários que dialogam de forma produtiva. O LinkedIn intenta atrair pessoas que estão procurando trabalho e empregadores que as desejam contratar. O Airbnb quer hóspedes que procuram um lugar para ficar, bem como anfitriões com um espaço a ser alugado. A Uber precisa de motoristas e passageiros. E uma empresa de software, com um sistema operacional à venda, busca desenvolvedores de aplicativos e usuários finais. A Microsoft definitivamente passou por uma fase de blitzscaling (embora não a tenhamos chamado assim na época). Entramos cedo na curva de aprendizagem e conseguimos construir uma reputação como uma empresa séria. Formamos uma cultura extrema ao trabalhar intensamente e agir de forma rápida.

O arcabouço do blitzscaling não se aplica somente a startups e scale-ups. Ele também é crucial para as grandes empresas, já bem estabelecidas. A janela para a ação pode ser pequena e se fechar rapidamente. Apenas alguns meses de hesitação podem significar a diferença entre dominar e se sujeitar.

As ideias de Reid e Chris são mais funcionais do que nunca, porque agora é possível crescer bruscamente, de uma forma que simplesmente não era viável algumas décadas atrás. Há um rico ecossistema de prestadores de serviços e empresas de terceirização que apoia o crescimento rápido. Muitas empresas passaram pelos próprios grandes surtos de desenvolvimento, por isso há muitos exemplos com os quais aprender. O feedback do usuário surge em um fluxo constante de dados. Os ciclos de produto, de anuais, tornaram-se semanais ou até diários. E boas críticas se espalham online de forma instantânea, o que faz um produto forte atrair rapidamente um grande público-alvo.

Em outras palavras, os estudos de caso que você está prestes a explorar e as ferramentas que está prestes a receber nunca foram tão relevantes. O momento perfeito para ler este livro é agora. Fico feliz por Reid e Chris compartilharem seu conhecimento.

Introdução

2011: SÃO FRANCISCO, SEDE DO AIRBNB

"Eles vão acabar com você."

O ano foi 2011, e, nos escritórios do Airbnb, então uma caótica e pequena startup de 40 pessoas, seu cofundador e CEO, Brian Chesky, acabara de receber uma notícia muito ruim.

Brian ponderava as implicações da previsão fatalista que ouvira de Andrew Mason, o cofundador e CEO do Groupon. E ele não gostou disso.

Brian e seus cofundadores, Joe Gebbia e Nathan Blecharcyzk, já tinham superado muitos obstáculos para construir o Airbnb, um site que possibilita às pessoas alugarem seus quartos ou casas como hospedagem. No começo, todos os investidores de que os fundadores se aproximavam os recusavam ou, pior, os ignoravam. A empresa agora estava em ascensão, mas seu lancinante começo ainda estava fresco em suas mentes, e eles não queriam travar novas batalhas.

Quando os precursores do Airbnb se conheceram, Paul Graham, conceituado fundador da aceleradora de startups Y Combinator (YC), disse-lhes que sua ideia era péssima. "As pessoas realmente fazem isso?", perguntou incrédulo. Quando Brian disse a ele que, sim, as pessoas, de fato, alugavam seus espaços como hospedagem, sua resposta foi: "O que há de *errado* com elas?"

Ainda assim, Graham aceitou os caras do Airbnb no programa de três meses da YC. Não porque sua atividade o tivesse inspirado, mas porque ele ficou impressionado com a empolgação dos fundadores. Ele adorou a (agora famosa) história de como Chesky e seus cofundadores conseguiram pagar as contas enquanto tentavam erguer o Airbnb. Era 2008, ano de eleições presidenciais nos EUA, então eles aproveitaram a associação que a empresa faz a hospedagem e café da manhã (*Airbed & Breakfast*), e criaram e venderam edições especiais de cereais chamadas de "Obama O's" e "Cap'n McCains" — uma paródia açucarada (ou um tributo, dependendo do ponto de vista) dos candidatos Barack Obama e John McCain. A criatividade e a persistência exibidas pelos fundadores do Airbnb como "empresários do cereal" os levaram às portas da YC; uma vez no programa, refinaram seus negócios e conseguiram persuadir duas empresas líderes de capital de risco, Sequoia Capital e Greylock Partners (da qual eu mesmo sou sócio geral), a investir neles.

Então, quase quatro anos depois, parecia que todo o trabalho árduo finalmente começara a valer a pena. Tendo celebrado sua milionésima reserva, o Airbnb tinha muito capital de giro, e estava claro que seu conceito era valioso.

No entanto, quando você é bem-sucedido, atrai a concorrência, e, de vez em quando, ela representa uma ameaça fatal.

No caso do Airbnb, essa ameaça eram três irmãos de Colônia, Alemanha: Oliver, Marc e Alexander Samwer. Eles se tornaram bilionários ao analisar empresas norte-americanas de sucesso e rapidamente criar réplicas na Europa e, em muitas situações, vendiam essas empresas "clonadas" às originais que as haviam inspirado. Em outras, os Samwers simplesmente mantinham e ampliavam seus clones; a Zalando, a "Zappos da Europa", tinha mais de dez mil funcionários e valia mais de US$10 bilhões em 2017.

Seu primeiro sucesso foi o Alando, uma cópia do eBay, que eles conseguiram vender para a empresa original por US$43 milhões, apenas cem dias depois de o lançarem. Os irmãos Samwer então investiram nas versões alemãs do YouTube (MyVideo), Twitter (Frazr) e Facebook (StudiVZ), antes de fundar o próprio estúdio de startups, Rocket Internet.

No início de 2011, Brian e sua equipe começaram a perceber que os usuários do Airbnb se tornavam vítimas de spam de uma nova empresa, chamada Wimdu. A Wimdu aparentemente tinha acabado de receber US$90 milhões — o maior investimento em uma startup europeia até então — de ninguém menos que Rocket Internet e Kinnevik, uma importante empresa de investimentos sueca que se associara aos irmãos Samwer.

O problema? O modelo de negócios e o site da Wimdu pareciam uma imitação malfeita do Airbnb.

A Wimdu foi fundada em março de 2011 e, em poucas semanas, a empresa sediada em Berlim contratou impressionantes 400 colaboradores e abriu 20 escritórios por toda a Europa. Enquanto isso, o original, mas muito menor, Airbnb havia levantado apenas US$7 milhões, contava com somente 40 funcionários e operava em um único escritório, em São Francisco. Como CEO de primeira viagem, Brian não estava seguro do que a abertura de um *segundo* escritório envolveria, e muito menos a de dezenas em outro continente.

Brian sabia que se a Wimdu conseguisse captar e dominar o mercado europeu, o Airbnb não sobreviveria. "Se você é um site de viagens e não cobre a Europa, está liquidado", disse-nos ele em 2015, quando frequentou o curso de tecnologia blitzscaling que ministramos na Universidade de Stanford.

Os irmãos Samwer anunciaram seu preço: o Airbnb poderia incorporar a Wimdu em troca de uma participação de 25%. Agora Brian enfrentava uma decisão difícil, com consequências dolorosas, independentemente de qual opção escolhesse.

Em resposta, Brian recorreu a uma de suas técnicas favoritas de tomada de decisões: procurou os principais especialistas do mundo. Sua primeira ligação foi para Andrew Mason, então CEO do Groupon. A principal empresa de compras coletivas tivera uma experiência semelhante no ano anterior: em dezembro de 2009, os irmãos Samwer lançaram o CityDeal, mímese do Groupon. Seis meses depois, o Groupon pagou um valor de nove dígitos, cerca de 10% de seu valor estimado à época, para adquirir o concorrente.

Era esta a questão que pesava sobre Brian e sua equipe: o Airbnb deve seguir a estratégia do Groupon e simplesmente comprar a empresa que o imitara? O instinto de Brian era dizer não. Integrar o foco em finanças e a equipe voltada às métricas da Wimdu prejudicaria a cultura do Airbnb, orientada pelo design. Ele também estava relutante em recompensar o que entendia como uma extorsão legalizada em vez de uma tentativa sincera de criar valor no mercado.

No entanto, Brian se sentiu compelido a considerar a oferta. Mason disse-lhe que, apesar dos muitos problemas que a aquisição da CityDeal acarretara, também acelerou o progresso do Groupon no mercado europeu, que acabou representando quase 30% de suas vendas globais. Isso se tornou um argumento fácil de que abrir mão de 10% do Groupon para a CityDeal foi de fato um bom negócio. Mas, talvez encorajados por sua jogada bem-sucedida com a CityDeal, os Samwers estavam pedindo uma parte muito maior do Airbnb — um total de 25%.

Por outro lado, o Airbnb poderia rejeitar a oferta e enfrentar os agressivos irmãos Samwer em uma competição de igual para igual. Mas a Wimdu tinha a vantagem de estar em casa, para não mencionar dez vezes o número de empregados e mais de dez vezes a quantidade de capital investido. Competir com eles seria uma luta vertiginosamente complexa.

Cansado da angariação de fundos, especialmente do impacto emocional, Brian se perguntava se tinha chances de enfrentar essa nova e, provavelmente, lancinante batalha. Porém, ele e sua equipe tinham passado 18 meses aparentemente infrutíferos trabalhando no Airbnb antes de ingressar na Y Combinator, acumulando dezenas de milhares de dólares em dívidas de cartão de crédito. Depois de todo o sangue, suor e lágrimas, eles estavam realmente dispostos a desistir de um quarto de sua empresa?

Por fim, Brian decidiu não comprar a Wimdu, influenciado, em parte, pelos argumentos de seus principais assessores. O fundador do Facebook, Mark Zuckerberg, aconselhou-o a lutar. "Não os compre", falou. "O melhor produto vai vencer."

Paul Graham, da YC, deu um feedback similar. "Eles são mercenários. Vocês, missionários", disse a Brian. "Eles são como pessoas criando um bebê que não querem."

Quando Brian me procurou para o aconselhar sobre a situação, também o orientei a não comprar a Wimdu. O cerne não eram o preço e a diluição, mas a forma como uma fusão reduz a aceleração e o sucesso. "Comprar [a Wimdu] gera um risco substancial de integração, o mesmo em que o Groupon incorreu após comprar a CityDeal", falei a ele. "Mesclar as culturas e gestões das empresas cria riscos potencialmente fatais, em especial se nos impedem de avançar. O Airbnb é um negócio que já se beneficia do efeito de rede. Nós podemos vencer." Ainda considero esse conselho hoje.

Por fim, os fundadores do Airbnb perceberam que queriam enfrentar os Samwers — e que os queriam vencer. Mas como?

O segredo era um agressivo programa de crescimento, que chamamos de *blitzscaling*. Ele impulsiona o crescimento "relâmpago" ao priorizar a velocidade em detrimento da eficácia, mesmo em ambientes de incertezas. O blitzscaling é o conjunto de estratégias e táticas específicas que fizeram com que o Airbnb derrubasse os irmãos Samwer no seu próprio jogo.

Poucos meses depois, determinado a adquirir os recursos necessários para superar os Samwers, Brian arrecadou US$112 milhões em capital de risco adicional. O Airbnb então embarcou em um plano de expansão internacional agressivo, incluindo a aquisição da Accoleo, uma réplica alemã, menor e mais acessível, do Airbnb, que lhe permitia competir diretamente com a Wimdu em seu mercado local. Na primavera de 2012, o Airbnb abriu nove escritórios internacionais, instalando-se em Londres, Hamburgo, Berlim, Paris, Milão, Barcelona, Copenhague, Moscou e São Paulo. As reservas haviam crescido dez vezes desde fevereiro e, em junho do mesmo ano, o Airbnb anunciou ter atingido dez milhões de reservas.

"Os Samwers nos deram um presente", confessou Brian muitos anos depois em nosso curso de blitzscaling. "Eles nos forçaram a escalar mais rápido do que nunca." Ao escolher crescer em um ritmo alucinante, o Airbnb alcançou uma posição dominante em seu mercado. Apesar das vantagens iniciais que a Wimdu, sediada em Berlim, tinha de capital humano e financeiro, e de seu conhecimento do mercado europeu, as técnicas que Brian e seus cofundadores implementaram permitiram que o Airbnb se equiparasse e finalmente derrotasse seu concorrente.

2010: SHENZHEN, CHINA, SEDE DA TENCENT

Cerca de um ano antes, o Airbnb embarcara em sua jornada de blitzscaling; em um escritório central diferente, do outro lado do mundo, a mensagem que mudaria tudo chegava no meio da noite.

Foi no outono de 2010, e Pony Ma (nome chinês: Ma Huateng) tentava descobrir o que se seguiria à Tencent, empresa que havia administrado desde a fundação, em 1998, com quatro colegas da Universidade de Shenzhen. Graças a seu principal produto, o serviço de mensagens instantâneas QQ, que tinha 650 milhões de usuários ativos mensais, a Tencent tornara-se uma das empresas chinesas de internet mais valiosas, com receita de quase US$2 bilhões, uma capitalização de mercado de mais de US$33 bilhões e mais de 10 mil colaboradores. No entanto, o QQ era agora um produto de desktop maduro, com base na tecnologia do final da década de 1990, e sua base de usuários havia parado de crescer. Seu concorrente norte-americano, o AOL Instant Messenger, já estava em um declínio impiedoso.

Ma estava convencido de que a Tencent precisava desenvolver um produto inovador para a emergente plataforma de smartphones — ou estaria acabada. "As empresas de internet que reagirem sobreviverão", disse ele, "e as pessoas que não conseguirem, sucumbirão."

A mensagem que Pony Ma leu naquela noite era de um dos colaboradores da Tencent, Allen Zhang (nome chinês: Zhang Xiaolong), um colega empresário cuja empresa, Foxmail, a Tencent adquirira cinco anos antes. Zhang agora administrava o setor de P&D da Guangzhou, que ficava a duas horas de carro da sede da Tencent, em Shenzhen. Ele vinha monitorando o rápido crescimento de um novo produto de troca de mensagens chamado Kik, especialmente popular entre os jovens. Ele percebeu que a Tencent precisava criar um produto análogo para smartphones — e rápido.

A proposta de Zhang não representava apenas uma grande oportunidade, mas também um enorme risco, com a incerteza sobre os resultados proporcionalmente grande. Embora um novo serviço de mensagens fosse atrair os jovens consumidores, provavelmente engoliria o QQ, que era, antes tudo, o coração da Tencent. Além disso, a Tencent fez uma parceria com as principais operadoras, como a China Mobile, para receber 40% das taxas de SMS que os usuários do QQ acumulavam ao enviar mensagens para celulares. Um novo serviço prejudicaria o faturamento da Tencent e, ao mesmo tempo, arriscaria seu relacionamento com algumas das empresas mais poderosas da China.

Esse é o tipo de decisão que as empresas de capital aberto de grande porte comumente delegam a um comitê para um estudo mais aprofundado. Mas Ma não era um executivo corporativo típico. Naquela mesma noite, deu a Zhang o incentivo para pôr sua ideia em prática. Zhang montou uma equipe de dez pessoas, incluindo sete engenheiros, para produzir e lançar o novo produto.

Em apenas dois meses, a pequena equipe de Zhang construiu a primeira rede de mensagens com um design limpo e minimalista, que era o oposto do QQ. Ma nomeou o serviço de Weixin, que significa "pequenas mensagens" em mandarim. Fora da China, o serviço tornou-se conhecido como WeChat.

O que veio em seguida foi surpreendente. Apenas 16 meses após a fatídica mensagem tardia de Zhang para Ma, o WeChat comemorou a conquista de 100 milhões de usuários. Seis meses depois, cresceu para 200 milhões de usuários. Quatro meses depois, para 300 milhões.

A aposta tardia de Pony Ma gerou uma excelente recompensa. Em 2016, a Tencent relatou receitas de US$22 bilhões, 48% a mais que no ano anterior, e quase 700% a mais desde 2010, o ano antes do lançamento do WeChat. No início de 2018, a Tencent atingiu uma capitalização de mercado de mais de US$500 bilhões, o que a tornou uma das empresas mais valiosas do mundo, e o WeChat, um dos serviços mais amplamente utilizados no mundo.

A *Fast Company* chamou o WeChat de "App da China para tudo", e o *Financial Times* informou que mais da metade de seus usuários gasta mais de 90 minutos por dia usando o aplicativo. Para ambientar o WeChat na realidade norte-americana, da qual a brasileira não se distancia, é como se um único serviço combinasse as funções do Facebook, WhatsApp, Messenger do Facebook, Venmo, Grubhub, Amazon, Uber, Apple Pay, Gmail e até mesmo do Slack em um único megasserviço. Você o utiliza para ações básicas, como enviar mensagens de texto e ligar para as pessoas, participar das mídias sociais e ler artigos, além de solicitar táxis, comprar ingressos para o cinema, marcar consultas médicas, enviar dinheiro para amigos, jogar, pagar o aluguel, pedir o jantar, e muito mais. Tudo a partir de um único aplicativo em seu smartphone.

O próprio Ma reconheceu a importância da decisão que tomou, dizendo em uma entrevista: "Olhando para trás, esses dois meses foram uma questão de vida ou morte."

Essas histórias de crescimento extremo, seja na Califórnia ou no outro lado do mundo, na China, são exemplos perfeitos da importância de se estudar o que é o blitzscaling e como ele funciona.

BLITZSCALING: A ARMA SECRETA PARA CONSTRUIR SCALE-UPS

Quando uma startup se desenvolve até o ponto em que tem um produto arrebatador, um mercado considerável e definido, e um canal de distribuição robusto, torna-se uma "scale-up", uma empresa que muda o mundo e atinge milhões ou até bilhões de vidas. Muitas vezes, o caminho mais rápido e direto de uma startup até uma scale-up é o hipercrescimento produzido pelo blitzscaling.

A empresa de software corporativo Slack chegou a essa fase crítica, uma vez que foi capaz de demonstrar a adoção rápida e ascendente de seus aplicativos de mensagens para equipe em seu mercado inicial de equipes de desenvolvimento de software. Quase cinco anos se passaram entre o momento em que a Slack foi fundada e o lançamento de seu produto. Mas, uma vez lançado, os próprios usuários da Slack impulsionaram o crescimento do público ao adicionar muitos colegas por vez, auxiliados por um processo direto que permitia aos novos usuários utilizar um aplicativo web simples ou baixar sua versão móvel no iTunes ou Google Play. Depois que a empresa chegou a esse ponto, começou a escalar rapidamente, adicionando colaboradores, capital e clientes em um ritmo alucinante. A Slack levantou US$17 milhões durante os primeiros cinco anos; dentro de oito meses após o lançamento, havia arrecadado mais US$163 milhões e um total de US$800 milhões até o final de 2017.

Qualquer empresa, uma gigante global ou uma startup na garagem do cofundador, adoraria lançar e expandir atividades arrebatadoras, como o Airbnb, o WeChat e a Slack. No entanto, aquelas que realmente o conseguem fazer, especialmente da mesma forma que Brian Chesky e Pony Ma, ainda são extremamente raras. Por quê? O que diferencia essas empresas das outras?

Neste livro, argumentamos que o segredo para construir rapidamente empresas substanciais no cenário atual é a estratégia agressiva de crescimento do blitzscaling: um conjunto de técnicas que permite às startups e às empresas bem estabelecidas produzir negócios dominantes, que se tornam líderes globais, em tempo recorde.

ENTRANDO NA ERA DO BLITZSCALING

Nas últimas duas décadas, a internet reformulou completamente nosso cotidiano e o mundo dos negócios. A oferta pública inicial (IPO) devastadora da Netscape, em 9 de agosto de 1995, marcou o início da ascensão das pontocom e do que chamo de a Era das Redes. Na época, o aumento dos preços das ações, no boom das empresas pontocom, atraiu muita atenção, mas, em retrospectiva, vemos que a maior mudança foi que a internet começava a conectar todos nós a pessoas, informações, recursos e outras redes. Houve outras revoluções no passado — energia a vapor, eletricidade e rádio vêm à mente —, mas o que torna o impacto da internet tão único e abrangente é o fato de ter acelerado absolutamente tudo. Hoje, todo indivíduo pode se conectar a qualquer outro imediatamente; esse aumento da velocidade é o que torna o blitzscaling possível e tão poderoso.

A velocidade da internet gerou uma série de efeitos de segunda ordem que mudaram a maneira como as empresas podem se desenvolver. A internet tornou possível acessar os mercados globais e explorar canais de distribuição massivamente escaláveis de uma forma que não era viável anteriormente. Mas talvez o principal impacto para as empresas tenha sido a crescente importância e prevalência dos chamados efeitos de rede, que ocorrem quando a reincidência do uso de produtos e serviços aumenta seu valor para outros usuários. Cada novo anfitrião do Airbnb torna o serviço um pouco mais valioso para todos os outros hóspedes e vice-versa. Cada novo usuário do WeChat torna o serviço um pouco mais valioso para todos os outros, e assim por diante.

Os efeitos de rede geram um feedback positivo, que permite que o primeiro produto ou serviço que os incorpore crie uma vantagem competitiva inalcançável. O eBay foi fundado em 1995, mas os efeitos de rede o mantêm como um participante dominante no comércio peer-to-peer duas décadas depois. O Airbnb oferece mais de três milhões de listagens em 65 mil cidades em todo o mundo; pense em como seria difícil para um novo participante oferecer algo próximo da mesma amplitude e relevância.

Somos lembrados da famosa cena do filme *Sucesso a qualquer preço*, no qual o personagem de Alec Baldwin, Blake, fala para um grupo de vendedores:

> O primeiro prêmio, já sabem, é um Cadillac Eldorado. O segundo prêmio? Seis facas para churrasco. Terceiro prêmio: rua. Entenderam?

O primeiro prêmio na primeira onda de redes sociais foi para o Facebook; o segundo, para o MySpace; o terceiro, para o Friendster. Você se lembra do Friendster? Você precisa ganhar o primeiro prêmio para sobreviver na Era das Redes.

O nível de concorrência às vezes parece opressor, mas a Era das Redes também permite que as empresas colham recompensas incríveis muito mais rapidamente do que em qualquer outro ponto da história. A estratégia e a mentalidade que elas podem usar para chegar lá chamamos de "blitzscaling".

O blitzscaling é uma estratégia e um conjunto de técnicas para conduzir e gerenciar um crescimento extremamente rápido, que prioriza a velocidade sobre a eficiência em meio à incerteza. Em outras palavras, é um acelerador que permite que sua empresa cresça em um ritmo furioso, que extirpa a concorrência de seu caminho.

Essa estratégia demanda um hipercrescimento, mas transcende a tática grosseira de se "chegar rápido", porque envolve agir objetiva e intencionalmente de um modo que não se coaduna com o pensamento corporativo tradicional. Na Era do Blitzscaling, você tem que fazer uma escolha difícil:

- Assuma o risco adicional e o desconforto ao implementar o blitzscaling em sua empresa;

- Ou aceite o risco ainda maior da *perda*, se seu concorrente adotar o blitzscaling antes de você.

A decisão do Airbnb de se expandir para os mercados europeus — uma medida que o poderia ter diluído a ponto de destruir sua atividade principal — era eficiente e certeira? De forma alguma. O Airbnb poderia facilmente ter falhado, queimando todo seu capital e, em consequência, cedendo o mercado europeu à concorrente Wimdu. No entanto, a decisão arriscada provou ser a correta.

O blitzscaling chacoalha setores inteiros, como música, videogames e telefonia, com novas tecnologias e modelos de negócios... e esses são exemplos de apenas uma única empresa. (Você sabe, a que produziu o iPod, o iTunes, o iPhone e o iPad, para citar apenas algumas de suas criações.) Essas ondas de inovação afetam todos os aspectos de nossos cotidianos, desde os trabalhos que fazemos e os produtos que usamos, até a maneira como nos conectamos uns com os outros. Essa reviravolta por si só não é boa nem ruim, mas sempre envolve mudança. Substituir um produto de US$10 por um de US$1 de qualidade igual ou superior parece um desastre para os agentes tradicionais; mas, para a sociedade como um todo, significa maior produtividade. O comprador recebe o produto desejado e sobram US$9. A Netflix é uma má notícia para as redes de TV a cabo e análogas, mas é uma notícia maravilhosa para os fãs e produtores de filmes e séries. Sim, essa transformação produz perdedores e vencedores; mas, como um todo, é uma fonte vital de crescimento e oportunidade que não se pode ignorar.

É bom ter em mente que aqueles que exaltam as virtudes dessa transformação tendem a ser — coincidentemente — os que integram o time dos vencedores. Mas a reviravolta, que espalha seus benefícios e novas oportunidades em geral, é também melhor para a sociedade. Felizmente, a maioria das mudanças se enquadra nessa categoria. Em um artigo de 2004, "Schumpeterian Profits in the American Economy: Theory and Measurement" ["Lucros schumpeterianos na economia norte-americana: Teoria e avaliação", em tradução livre], William Nordhaus, economista de Yale, examinou a economia dos EUA de 1948 a 2001. Com base nos dados que coletou, concluiu que apenas 2,2% dos "lucros que surgem quando as empresas são capazes de se apropriar dos retornos de atividades inovadoras" foram para os respectivos visionários. "A maioria dos benefícios de mudança tecnológica é repassada aos consumidores, em vez de captada pelos produtores", concluiu. Goste ou não, a mudança é inevitável — mas não precisa ser totalmente inesperada.

Em seu livro *O Choque do Futuro*, os visionários Alvin e Heidi Toffler escreveram que "a mudança é a única constante" e "para sobreviver, para evitar o que chamamos de 'choque do futuro', o indivíduo deve se tornar infinitamente mais adaptável e capaz do que nunca." Essas palavras foram originalmente publicadas em 1970. O ritmo da mudança só se acelerou desde então.

Todos devem ter a oportunidade de aprender como o blitzscaling funciona, porque isso já afeta suas vidas. E, uma vez que saibam como funciona, podem usá-lo para reestruturar o mundo. As pessoas deveriam fazer parte da *construção do futuro* em vez de sentir que são compelidas a ele.

O blitzscaling separa as startups que encontram obstáculos e desaparecem à medida que o mundo se transforma, das que se expandem para se tornar líderes de mercado e prospectar o futuro.

Este livro nasceu de um curso que ministramos em Stanford, no qual esmiuçamos o processo que possibilitou o crescimento das maiores empresas de tecnologia do mundo e definiu uma série de táticas e escolhas que as fizeram dar certo. O resultado foi um conjunto específico de princípios que descreve como tornar as empresas multibilionárias em poucos anos.

Enquanto escrevíamos este livro, conversamos com centenas de empreendedores e CEOs, incluindo aqueles das empresas mais valorizadas do mundo, como Facebook, Alphabet (Google), Netflix, Dropbox, Twitter e Airbnb. (Você ouve várias dessas conversas no meu podcast, *Masters of Scale* [Mestres da Escalabilidade, em tradução livre].) Embora as histórias de ascensão de suas empresas sejam muito diferentes em inúmeros aspectos, todas tinham em comum uma abordagem de crescimento extrema, truncada, arriscada, ineficiente e categórica.

Neste livro, extraímos lições desses líderes mundiais para explicar os aspectos práticos do blitzscaling, quando e por que usá-lo, e o impacto global das empresas que o praticam em todo canto do mundo neste exato momento.

Esta missão nos levará a todo o mundo, mas um lugar em particular se destaca.

VALE DO SILÍCIO: O LUGAR PERFEITO PARA SE DECODIFICAR O BLITZSCALING

Embora as empresas tenham aplicado o blitzscaling com sucesso em todos os continentes, exceto na Antártida, os exemplos mais proeminentes e concentrados estão no Vale do Silício, na Califórnia. E, como não podemos simplesmente copiar e colar as técnicas que funcionaram no Vale do Silício e esperar que surtam os mesmos efeitos em Xangai, nem cortar e colar as de Xangai para Estocolmo, nem de Estocolmo para São Paulo, em vez disso, extraímos lições universais e investigamos como se aplicam em todo o mundo.

No final de 2017, havia apenas 14 empresas de tecnologia de capital aberto no mundo com uma capitalização de mercado de mais de US$100 bilhões. Adivinha quantas delas estão no Vale do Silício? Sete — isso é *metade* das empresas de tecnologia mais valiosas do mundo.

Juntas, as 150 empresas de tecnologia, de capital aberto, mais valiosas do Vale do Silício valem US$3,5 *trilhões*. Esse número é tão grande que não significa nada para a maioria de nós. Então, considere isto: essas 150 empresas sozinhas representam 50% do valor do NASDAQ e mais de 5% de toda a capitalização de mercado. Isso é valor demais criado por uma região com cerca de 3,5 a 4 milhões de habitantes, ou cerca de 0,05% da população mundial.

Embora aceitemos plenamente que isso vá mudar no futuro, o sucesso diacrônico e atual do Vale do Silício o torna perfeito para examinar esta questão: qual é a maneira mais eficaz de construir rapidamente empresas de grande valor?

Quando pessoas alheias ao Vale do Silício o observam, geralmente pensam que seu segredo é a tecnologia inovadora. Mas, como você vai ler, a inovação tecnológica sozinha não produz uma empresa próspera.

As pessoas de dentro do Vale do Silício e as de fora, mas entendidas, acreditam que a combinação de talento, capital e cultura empreendedora é a fórmula que facilita a abertura de novas empresas. Elas também estão equivocadas.

Claro, o Vale do Silício é o principal centro de talentos de alta tecnologia e capital de risco, mas ele não começou assim. Sim, ele foi brindado com grandes universidades, como Stanford e Berkeley, mas há muitas outras regiões nas mesmas condições. A resposta não pode ser simplesmente a combinação de capital de risco, universidades voltadas à pesquisa e pessoas inteligentes. Essa junção de ingredientes está *longe* de ser exclusiva. De fato, esses mesmos ingredientes básicos são facilmente encontrados em inúmeros núcleos de startups nos Estados Unidos e em todo o mundo: Austin, Boston, Nova York, Seattle, Xangai, Bangalore, Istambul, Estocolmo, Tel Aviv e Dubai.

Para descobrir o segredo do sucesso do Vale do Silício, você precisa olhar além da história de origem padrão. Quando as pessoas pensam no Vale do Silício, as primeiras imagens que têm — depois do programa de televisão da HBO, é claro — são os nomes de startups famosas e de seus fundadores igualmente glamourizados: Apple, Google, Facebook, Jobs/Wozniak, Page/Brin, Zuckerberg.

A história de sucesso desses nomes consagrados tornou-se tão universal e familiar que pessoas em todo o mundo os conhecem tão bem quanto os capitalistas de risco da Sand Hill Road. É mais ou menos assim: um empreendedor brilhante descobre uma oportunidade incrível. Depois de abandonar a faculdade, reúne uma pequena equipe que está feliz em trabalhar por equidade, instala-se em uma garagem humilde, joga pebolim, arrecada dinheiro de capitalistas de risco e passa a transformar o mundo — depois disso, é claro, os fundadores e os primeiros colaboradores vivem felizes para sempre, usando a riqueza que acumularam para financiar uma nova geração de empreendedores e um conjunto de prédios homônimos para o Departamento de Ciência da Computação da Universidade de Stanford.

É uma história emocionante e inspiradora. Nós entendemos seu apelo. Há apenas um problema. Ela é incompleta e enganosa de várias maneiras críticas.

Primeiro, enquanto "Vale do Silício" e "startups" são quase sinônimos hoje em dia, apenas uma pequena fração das startups mundiais se originaram no Vale do Silício, e essa fração tem diminuído à medida que o conhecimento sobre esse tipo de empresa se espalha pelo mundo. Graças à internet, os empresários de todos os lugares têm acesso às mesmas informações. Além disso, à medida que outros mercados amadureceram, fundadores perspicazes de todo o globo têm optado por construir empresas em centros de startups em seus países de origem, em vez de migrar para o Vale do Silício.

Em segundo lugar, apenas começar uma empresa é obviamente insuficiente. As startups que alcançam um valor substancial são as que encontram maneiras de se tornar scale-ups em um ritmo exponencialmente mais rápido do que suas concorrentes.

Então, qual alquimia secreta está em ação no Vale do Silício para alimentar esse rápido crescimento de muitas das empresas de tecnologia mais valiosas do mundo? E, se houver um segredo, pode ser identificado, analisado, entendido e, o mais importante, aplicado em outro contexto?

O blitzscaling é esse segredo. E a razão que o torna tão relevante é que *nada* a respeito dele é intrínseco ao Vale do Silício.

É um equívoco comum pensar que o Vale do Silício é o acelerador do mundo. A história real permanece se acelerando — e o Vale do Silício foi apenas o primeiro lugar a descobrir como acompanhar o ritmo. Mesmo que o Vale do Silício certamente tenha muitos recursos e redes importantes que facilitam a aplicação das técnicas que definiremos para você, os princípios que estruturam o blitzscaling não se prendem a geografia. Vamos lhe mostrar exemplos advindos de locais negligenciados dos Estados Unidos, como Detroit (Rocket Mortgage) e Connecticut (Priceline), e de empresas internacionais, como WeChat e Spotify. No processo, você verá como as lições do blitzscaling são adaptáveis para ajudar a construir grandes empresas em praticamente qualquer ecossistema, embora com diferentes graus de dificuldade.

Essa é a missão deste livro. Queremos compartilhar a arma secreta que permitiu ao Vale do Silício ultrapassar (mais de cem vezes) seu índice populacional, para que essas lições sejam aplicadas muito além do trecho de 100 quilômetros entre a ponte Golden Gate e San Jose.

Isso é extremamente necessário.

Eis um fato surpreendente: a economia global precisará criar *600 milhões de novos empregos* até 2030 para cumprir as metas de desenvolvimento sustentável das Nações Unidas. Não temos nem 15 anos até lá. O mundo precisa de mais do que apenas novas empresas e novos empregos; precisa de setores completamente novos.

Esses setores vão gerar melhores scale-ups e startups. Parece-nos que será muito mais fácil gerar 600 milhões de novos postos de trabalho em todo o mundo criando 60 mil novas empresas com 10 mil pessoas cada, em vez de 60 milhões de empresas com dez pessoas.

O grande Andy Grove, já falecido, lendário CEO da Intel, compreendeu e explicou isso quando escreveu em um artigo para a Bloomberg, em 2010:

> As startups são incríveis, mas não podem, por si só, aumentar os empregos em tecnologia. Igualmente importante é o que vem depois daquele momento mítico de criação no fundo do quintal, à medida que a tecnologia vai do protótipo à produção em massa. Essa é a fase em que as empresas se escalam. Elas elaboram detalhes de design, descobrem como agir de maneira acessível, constroem fábricas e contratam pessoas aos milhares. A escalabilidade é um trabalho árduo, mas necessário para dar sentido à inovação.

Reconhecer o que possibilita o rápido crescimento de startups a scale-ups e compreender os princípios por trás de seu funcionamento ajuda os empreendedores e as empresas a aplicar esses princípios não apenas em pequenos locais dos Estados Unidos e da China, mas em todo o mundo.

QUEM DEVE LER ESTE LIVRO?

Este livro é para todos que querem entender as técnicas que fazem uma empresa partir do zero e se tornar líder multibilionária do mercado em poucos anos.

Essas técnicas interessam aos empreendedores que desejam construir empresas de grande porte, capitalistas de risco que querem investir nelas, colaboradores que intencionam trabalhar para elas e governos e comunidades, que estimulam o crescimento dessas empresas nas próprias regiões. E mesmo se você não pretender construir, investir ou trabalhar para qualquer uma dessas empresas, ainda integrará o mundo que elas projetarão.

Se você é um gerente ou líder que tenta escalar rapidamente um projeto ou uma unidade de negócios dentro de uma empresa, o blitzscaling também o auxilia. E mesmo que essas lições sejam extraídas, principalmente, do mundo da alta tecnologia, muitos dos princípios e estruturas que o livro estabelece (especialmente em relação à gestão de pessoas) se aplicam a empresas de ampla expansão na maioria dos setores em todo o mundo, de varejistas de fast-fashion europeus a empresas texanas de xisto betuminoso.

Até mesmo organizações de fora do mundo dos negócios podem usar o blitzscaling para seu benefício. Upstarts de campanhas presidenciais e empresas sem fins lucrativos que servem aos desfavorecidos têm usado o gatilho do blitzscaling para destituir a sabedoria convencional e alcançar resultados massivos. Você lerá todas essas histórias e muito mais nas páginas deste livro.

Seja você fundador, gerente, colaborador em potencial ou investidor, acreditamos que o entendimento de blitzscaling lhe permitirá tomar melhores decisões em um mundo em que a velocidade é a vantagem competitiva essencial.

Com o poder do blitzscaling, o filho adotivo de um imigrante sírio (Steve Jobs), o de um cubano (Jeff Bezos) e um ex-professor de inglês e guia de turismo voluntário (Jack Ma) conseguiram construir empresas que mudaram — e ainda mudam — o mundo.

A estratégia e as técnicas que descrevemos neste livro baseiam-se em minhas experiências como membro da equipe fundadora do PayPal; como cofundador, CEO e agora presidente executivo do LinkedIn; como um dos principais investidores do Facebook e do Airbnb; e como investidor da Greylock Partners, em que trabalhei com muitas outras empresas de bilhões de dólares, como Workday, Pandora, Cloudera e Pure Storage. Meus parceiros da Greylock e eu ajudamos essas empresas a passar do fundo de quintal para o domínio global e, neste livro, compartilhamos com você o que acreditamos ser estruturas importantes para entender e enfrentar o desafio do blitzscaling nos diferentes elementos de sua organização.

No entanto, muitos bons livros de negócios saem pela tangente, mas, embora este seja um livro de táticas e guia estratégico, não contém fórmulas precisas. Independentemente de como a imprensa retrate os fatos, cada fórmula para construir uma grande empresa é única e depende da oportunidade do mercado, dos fundadores e da rede em que atua. A verdade é que não há absolutamente nada garantido, como um tamanho único, um livro de *regras* a ser igualmente seguido por todos. Porém, *há* padrões. Então, além de dicas e truques isolados, este livro oferece um conjunto de estruturas e estratégias para líderes, empreendedores e intraempreendedores, adaptáveis às próprias necessidades e circunstâncias.

UMA BREVE NOTA SOBRE O TERMO "BLITZSCALING"

O termo "blitzscaling" deriva da forma como a palavra "blitz" era usada no século XX, para descrever um esforço súbito e integral. O primeiro uso de blitz nesse sentido indicava a estratégia "blitzkrieg" ("guerra relâmpago"), cunhado pelo general Heinz Guderian para as primeiras campanhas da Alemanha nazista durante a Segunda Guerra Mundial. Ironicamente, Guderian foi fortemente influenciado por pensadores militares britânicos, como Basil Liddell Hart e J. F. C. Fuller, e o termo "blitzkrieg" realmente se popularizou pela imprensa britânica; os militares alemães nunca o adotaram formalmente.

Os exércitos que seguiam nessas campanhas abandonaram a abordagem tradicional de avançar lentamente, de maneira que poderiam assegurar linhas de suprimento e recuar. Em vez disso, comprometeram-se integralmente com uma estratégia ofensiva, que admitia a possibilidade de ficar sem combustível, provisões e munição, arriscando uma derrota potencialmente desastrosa para potencializar a velocidade e surpresa de ataque. A rapidez do avanço desses exércitos chocou e oprimiu seus oponentes, permitindo que os blitzkriegers confundissem e derrotassem suas forças de defesa.

O sucesso inicial do exército alemão ajudou a espalhar as ideias do blitzkrieg a todas as forças de guerra. O general norte-americano George S. Patton posteriormente aplicou essas lições de bom uso na condução do avanço do Terceiro Exército dos EUA, das praias da Normandia até Berlim. Desde então, o termo "blitz" tem sido usado para descrever tudo, de uma partida de futebol americano à maneira como as grandes corporações lançam novos produtos. Para a defesa irrestrita, orientada pela ideia de blitz, no futebol americano — que envolve o movimento arriscado de enviar todos os defensores disponíveis para perseguir o quarterback — ou para a tradicional campanha de marketing de publicidade televisiva, impressa e online que acompanha o lançamento de um novo filme campeão de bilheteria, o blitzscaling busca uma velocidade implacável e vertiginosa que domine o mercado.

Apesar de termos certo cuidado com essas conotações negativas da "blitz", especialmente naquelas nações que sentiram os efeitos da blitzkrieg na Segunda Guerra Mundial, acreditamos que a força da metáfora e o uso difundido e coloquial do termo em contextos não militares o tornam ideal para os conceitos discutidos neste livro.

PARTE I
O Que é Blitzscaling?

Blitzscaling é como chamamos a estrutura e as técnicas específicas que proporcionam um amplo crescimento às empresas em uma velocidade incrível. Se você está crescendo muito mais rápido do que seus concorrentes a ponto de se sentir desconfortável, segure-se firme: você deve estar fazendo o blitzscaling!

O assombroso crescimento da Amazon no final dos anos 1990 (e até hoje) é um excelente exemplo de blitzscaling. Em 1996, prestes a abrir seu capital, a Amazon Books contava com 151 funcionários e gerava uma receita de US$5,1 milhões. Em 1999, com seu capital já aberto, a Amazon.com havia crescido para 7.600 funcionários e gerado uma receita de US$1,64 bilhão. Isso significa uma equipe 50 vezes maior e um aumento na receita de 322 vezes em apenas 3 anos. Em 2017, a Amazon registrava 541.900 funcionários e previa receitas de US$177 bilhões (superando os US$136 bilhões do ano anterior).

O fundador do Dropbox, Drew Houston, descreveu o sentimento gerado por esse tipo de crescimento quando me disse: "É como arpoar uma baleia. A boa notícia é que você arpoou uma baleia. E a má notícia é que você arpoou uma baleia!"

Embora o blitzscaling pareça desejável, é também repleto de desafios. Ele é tão contraintuitivo quanto parece. A abordagem clássica à estratégia de negócios envolve a coleta de informações e a tomada de decisões quando você está razoavelmente seguro dos resultados. "Assuma riscos", diz o senso comum, mas assuma apenas os calculados, que você pode medir e lidar. Implicitamente, essa técnica prioriza a correção e a eficiência em detrimento da velocidade.

Infelizmente, essa abordagem mensurada e cautelosa se desfaz quando novas tecnologias promovem um novo mercado ou modificam um já existente.

Chris concluiu um MBA na Harvard Business School no final dos anos 1990, durante o alvorecer da Era das Redes. Naquela época, o programa de MBA era focado em técnicas tradicionais, como a análise de fluxo de caixa descontado para tomar decisões financeiras mais certeiras. Chris aprendeu também sobre técnicas tradicionais de fabricação, como maximizar o rendimento de uma linha de montagem. Esses métodos se concentraram em alcançar eficiência e segurança, e a mesma ênfase se refletiu no mundo dos negócios. A empresa mais valiosa do mundo durante esse período, a General Electric, foi adorada pelos analistas de Wall Street por sua capacidade de fornecer um crescimento consistente e previsível dos lucros. Mas a eficiência e a certeza, embora naturalmente atraentes e muito importantes no contexto de um mercado estável, propiciam pouca orientação aos visionários, inventores e inovadores.

Quando um mercado está aquecido, o risco não é ineficiente — é a opção mais segura. Se você ganhar, a eficiência não é tão importante; se perder, é completamente irrelevante. Ao longo dos anos, muitos criticaram a Amazon por sua estratégia arriscada de consumir capital sem gerar lucros consistentes, mas a Amazon provavelmente está satisfeita com essa "ineficiência", que a ajudou a conquistar vários mercados-alvo — varejo online, ebooks e computação em nuvem, para citar apenas alguns.

Quando você implementa o blitzscaling, toma decisões e se compromete com elas, mesmo que seu nível de confiança não seja de 100%. Aceita o risco de errar e paga, de bom grado, o custo de ineficiências operacionais significativas em troca de maior mobilidade.

Esses riscos e custos são aceitáveis porque os da lentidão são ainda maiores.

No entanto, o blitzscaling é mais do que apenas mergulhar às cegas em um esforço para "crescer rapidamente" e conquistar o mercado. Para mitigar a desvantagem dos riscos, você deve focá-los — alinhe-os com um pequeno número de hipóteses sobre como seu negócio se desenvolverá para que possa entender e monitorar mais facilmente o que ocasiona seu sucesso ou fracasso. Você deve também estar preparado para se esforçar além de seus limites para compensar as apostas que não saírem da maneira esperada.

Quem conhece Jeff Bezos sabe que ele não apenas pisa fundo no acelerador; a Amazon investiu de forma agressiva no futuro intencionalmente e, apesar de suas perdas contábeis, gera muito capital. O fluxo de caixa operacional da Amazon, em 2016, foi superior a US$16 bilhões; porém, os gastos foram de US$10 bilhões em investimentos e US$4 bilhões em dívidas. Os lucros aparentemente escassos são uma característica de sua estratégia agressiva, não um equívoco.

O blitzscaling requer mais do que coragem e habilidade do empreendedor. Requer também um ambiente que esteja disposto a financiar riscos inteligentes com capital financeiro e humano, que são seus ingredientes essenciais. Pense neles como combustível e oxigênio; você precisa de ambos para impulsionar o foguete para o céu. Enquanto isso, a infraestrutura da sua organização é a verdadeira estrutura do foguete, que você reconstrói rapidamente ao mesmo tempo em que sobe. Seu trabalho como líder e empreendedor é se certificar de que o combustível é suficiente para impulsionar o crescimento enquanto faz os ajustes mecânicos necessários ao foguete para evitar problemas na fase de aceleração.

Felizmente, isso é mais possível hoje do que no passado.

O SOFTWARE ESTÁ DOMINANDO (E SALVANDO) O MUNDO

Historicamente, os casos de crescimento vertiginoso envolvem um software, que proporciona uma escalabilidade quase ilimitada em termos de distribuição; ou hardware habilitado por software, como o marca-passo Fitbit ou o carro elétrico da Tesla, cujo software permite à empresa inovar em escalas de tempo de software (dias ou semanas) em vez de escalas de tempo de hardware (anos). Além disso, a velocidade e a flexibilidade de seu desenvolvimento fazem as empresas se iterarem e recuperarem dos inevitáveis erros da pressa.

O que é especialmente empolgante nos dias de hoje é que as empresas de software e as habilitadas por eles estão começando a dominar setores fora da alta tecnologia tradicional. Meu amigo Marc Andreessen argumenta que "o software está dominando o mundo". O que ele quer dizer é que mesmo os setores que se concentram em produtos físicos (átomos) estão se integrando ao software (bits). A Tesla fabrica carros (átomos), mas uma atualização de software (bits) melhora sua aceleração e adiciona pilotos automáticos do dia para a noite.

A disseminação do software e da computação em todos os setores, junto à densa rede que nos conecta, significa que as lições de blitzscaling estão se tornando mais relevantes e fáceis de implementar, mesmo em setores mais maduros e low-tech. Para usar uma metáfora de computação, a tecnologia está acelerando a "velocidade de clock" do mundo (a taxa em que as Unidades de Processamento Central [CPUs] operam), fazendo com que a mudança ocorra mais rapidamente do que se pôde imaginar. Não só o mundo está se movendo mais rápido, mas a velocidade com que novas plataformas de tecnologia estão sendo criadas está reduzindo o tempo de inatividade entre as chegadas de cada onda de inovação. Antes, as ondas individuais varriam a economia, uma de cada vez — tecnologias como computadores pessoais, unidades de disco e CD-ROMs.

Hoje, várias ondas principais parecem chegar ao mesmo tempo — tecnologias como a nuvem, IA, RA/RV, para não mencionar projetos mais exóticos, como aviões e trens supersônicos. Além disso, em vez de se concentrar especificamente em um setor de computadores pessoais, que era essencialmente um nicho de mercado, as novas tecnologias de hoje afetam quase todas as partes da economia, criando muitas novas oportunidades.

Essa tendência é uma grande promessa. A medicina de precisão usará o poder da computação para revolucionar a saúde. As redes inteligentes usam software para melhorar drasticamente a eficiência da energia e proporcionar a disseminação de fontes de energia renováveis, como placas solares. E a biologia computacional nos permite melhorar a própria vida. O blitzscaling dissemina esses avanços e amplia seu impacto extremamente necessário.

OS TIPOS DE ESCALABILIDADE

O blitzscaling não é simplesmente uma questão de crescimento rápido. Toda empresa é obcecada pelo crescimento. Em qualquer setor, você vive e morre pelos números — aquisição de usuário, margens, taxa de crescimento etc. Porém, o crescimento sozinho não é blitzscaling. Em vez disso, ele *prioriza a velocidade sobre a eficiência em face da incerteza*. Entendemos melhor o blitzscaling comparando-o com outras formas de crescimento rápido.

	Eficiência	Velocidade
Incerteza	Crescimento Clássico de Startup	Blitzscaling
Certeza	Crescimento Clássico de Scale-up	Fastscaling

O **crescimento clássico de startup** prioriza a eficiência diante da incerteza. Começar uma empresa é como pular de um penhasco e montar um avião na descida; ser eficiente em função dos recursos permite que você "plane" para minimizar a queda, o que lhe proporciona tempo para conhecer o mercado, a tecnologia e a equipe antes de chegar ao solo. Esse tipo de crescimento eficiente e controlado reduz a incerteza e é uma boa estratégia a seguir, enquanto você tenta esclarecer o que os autores Eric Ries e Steve Blank chamam de product/market fit (ajuste de produto/mercado): seu produto satisfaz a uma forte demanda do mercado com a solução de um problema ou necessidade específica.

O **crescimento clássico de scale-up** concentra-se no desenvolvimento eficiente, uma vez que a empresa esteja segura em relação ao ambiente. Essa abordagem reflete as técnicas clássicas de gerenciamento corporativo, como a aplicação de "taxas mínimas", de modo que o retorno sobre o investimento (ROI) de projetos corporativos exceda consistentemente o custo de capital. Esse tipo de otimização é uma boa estratégia a seguir quando se deseja maximizar os retornos em um mercado estável.

Fastscaling significa estar disposto a sacrificar a eficiência para aumentar a taxa de crescimento. No entanto, como acontece em um ambiente de certeza, seus custos são conhecidos e previsíveis. O fastscaling é uma boa estratégia para adquirir participação no mercado ou atingir metas de receita. De fato, a indústria de serviços financeiros está sempre satisfeita em financiá-lo, seja comprando ações e títulos ou emprestando dinheiro. Os analistas e banqueiros sentem-se confiantes de poder criar modelos financeiros elaborados que resultem no provável ROI de um investimento de fastscaling.

Blitzscaling significa que você está disposto a sacrificar a eficiência pela velocidade, mas sem esperar para ter certeza de que o sacrifício será recompensado. Se o crescimento clássico de startup consiste em reduzir a queda enquanto tenta montar o avião, o blitzscaling consiste em montar esse avião mais rapidamente, acoplar e acionar um conjunto de motores a jato (e possivelmente seus pós-combustores) enquanto ainda constrói as asas. É "faça ou morra", resultando em sucesso ou morte em um período notavelmente curto.

Dadas essas definições, você pode se perguntar por que alguém seguiria o blitzscaling. Afinal, combina a incerteza angustiante do crescimento das startups com um potencial fracasso muito maior e mais embaraçoso. O blitzscaling é também difícil de implementar.

A menos que você seja como a Microsoft ou o Google e possa financiar seu desenvolvimento a partir de um fluxo de receita em crescimento exponencial, precisará convencer os investidores a lhe dar dinheiro, e é muito mais difícil levantar dinheiro de investidores para uma aposta calculada (blitzscaling) do que para algo certeiro (fastscaling). Para piorar tudo, geralmente é necessário de *mais* dinheiro para o blitzscaling do que para o fastscaling, pois você deve ter capital suficiente de reserva para se recuperar dos muitos erros que provavelmente cometerá ao longo do caminho.

No entanto, apesar de todas essas possíveis armadilhas, o blitzscaling continua sendo uma ferramenta poderosa para empreendedores e outros líderes empresariais. Se estiver disposto a aceitar seus riscos enquanto seus concorrentes não ousam, você crescerá mais rapidamente do que eles. Se o prêmio a ser recebido for grande o suficiente, e a competição para conquistá-lo, intensa, o blitzscaling se torna uma estratégia lógica e ideal.

Uma vez que você convença o mercado de capital e o de talentos — que incluem clientes, parceiros e funcionários — a investir em sua scale-up, você tem o combustível necessário para iniciar o blitzscaling. Nesse momento, seu objetivo muda em ir do zero ao um para ir de um a um bilhão em um período incrivelmente concentrado.

Uma companhia emprega diversos tipos de escalabilidade em vários momentos do seu ciclo de existência. A ordem canônica que empresas como o Google e o Facebook têm seguido começa no crescimento clássico de startups, enquanto estabelecem o product/market fit e, em seguida, aderem ao blitzscaling para atingir um grande público e/ou domínio de mercado à frente dos concorrentes, então diminui o ritmo com o fastscaling à medida que o empreendimento amadurece, e, finalmente, reduzem a velocidade com o crescimento clássico de scale-ups quando a empresa se estabelece como líder do setor. Juntas, essas sequências de escalabilidade formam a clássica "curva S" de crescimento, com o desenvolvimento inicial mais lento seguido por uma rápida aceleração, geralmente alcançando um patamar estável.

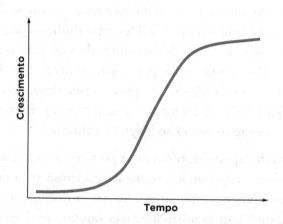

Obviamente, essa ordem canônica está simplificada. O ciclo de escalabilidade aplica-se não apenas a empreendimentos inteiros, mas também a produtos isolados e nichos específicos; as curvas agregadas desses ciclos de escalabilidade resultam em sua curva final.

O Facebook começou como um caso clássico de blitzscaling. O crescimento da receita anual durante os primeiros anos foi de 2.150%, 433% e 219%, indo de zero a US$153 milhões de arrecadação em 2007. Então a empresa passou por uma mudança importante, e o crescimento caiu para dois dígitos enquanto o Facebook batalhava com a monetização e a adaptação de sua versão desktop para dispositivos móveis.

Felizmente, seu fundador, Mark Zuckerberg, tomou duas importantes decisões: ele mesmo liderou a adaptação da versão desktop para mobile e contratou Sheryl Sandberg como COO da companhia, que, por sua vez, transformou o Facebook em um gigante de vendas publicitárias. O desenvolvimento subiu novamente para três dígitos, e, em 2010, essas decisões impulsionaram a receita da empresa para mais de US$2 bilhões. Examinamos essas duas decisões mais detalhadamente mais à frente neste livro, destacando a adaptação para celular em nossa análise do modelo de negócios do Facebook, e a contratação de Sheryl Sandberg na seção sobre a importante transição de colaboradores para gerentes e executivos.

A Apple mostra como essa sobreposição aparece por várias décadas. Em sua rica história, a empresa passou por ciclos de escalabilidade completos para o Apple II, o Macintosh, o iMac e o iPod (com o ciclo do iPhone ainda em curso).

Vale ressaltar que a Apple não conseguiu lançar outro produto com o blitzscaling depois do Apple II e do Mac até Steve Jobs retornar e lançar o iMac, o iPod e o iPhone. Era parte da rara genialidade de Steve ser capaz de, de tempos em tempos, selecionar o produto certo para que a Apple pudesse efetuar o blitzscaling, mesmo sem desacelerar por um período de crescimento clássico de startups para obter feedback do mercado.

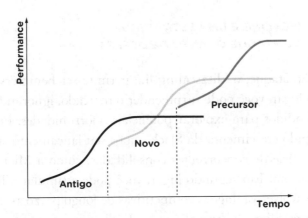

A curva de escalabilidade se aplica a todo tipo de blitzscaling, independentemente do setor ou localização. O mesmo gráfico de múltiplas "curvas S", que descreve o Facebook e a Apple, também descreve a Tencent, que lançou o QQ e, em seguida, adicionou uma segunda curva ao WeChat depois de o QQ ter alcançado a maturidade, em 2010. Assim que terminar o blitzscaling em um segmento de negócios, você precisa aplicá-lo ao próximo para prosseguir com a trajetória de sua companhia rumo ao sucesso. E, enquanto o blitzscaling se propaga, empresas maduras em segmentos estabelecidos devem considerar a transformação em intraempreendedores para implementá-lo em novas unidades de negócios.

OS TRÊS PRINCÍPIOS DO BLITZSCALING

O blitzscaling exige que você avance em um ritmo que, certamente, é desconfortável para a equipe. Com certeza, você cometerá muitos erros ao navegar por um ambiente cheio de incerteza; a sacada consiste em desenvolver a habilidade de aprender rapidamente com esses erros e retornar ao avanço rápido e implacável. Porém, antes, é necessário entender seus três princípios básicos.

1. O BLITZSCALING É UMA ESTRATÉGIA TANTO DE ATAQUE QUANTO DE DEFESA.

Quanto ao ataque, o blitzscaling lhe permite ser bem versátil. Em primeiro lugar, você pode surpreender o mercado, ignorando nichos bem defendidos para explorar potenciais oportunidades. Por exemplo, o rápido crescimento da Slack's após seu lançamento surpreendeu uma série de concorrentes consolidadas, como a Microsoft e a Salesforce.com. Em segundo lugar, você pode estimular a liderança para desenvolver vantagens competitivas de longo prazo antes que os concorrentes sejam capazes de reagir. Exploramos esse conceito mais à frente. Em terceiro lugar, o blitzscaling facilita o acesso ao capital, pois os investidores geralmente preferem apoiar líderes de mercado. Você recebe esse manto quando usa o blitzscaling e, com ele, levanta fundos com mais facilidade e rapidez do que seus concorrentes atrasados.

Quanto à defesa, o blitzscaling configura um ritmo que deixa os concorrentes ofegantes e com pouco tempo e espaço para contra-atacar. Como estão focados em reagir aos seus movimentos, que, com frequência, os surpreendem e obrigam a alcançá-lo, eles não têm muito tempo disponível para desenvolver e executar estratégias diferenciadas que ameacem sua posição. O blitzscaling o ajuda a estabelecer o campo de batalha de maneira vantajosa.

2. O BLITZSCALING BASEIA-SE EM CICLOS DE FEEDBACK POSITIVOS, POR MEIO DOS QUAIS A COMPANHIA QUE CRESCE PRIMEIRO COLHE AS PRINCIPAIS VANTAGENS COMPETITIVAS.

Em abril de 2014, a McKinsey & Company publicou um relatório intitulado "Grow fast or die slow" ["Cresça rápido ou morra devagar", em tradução livre], que analisou os ciclos de duração de 300 empresas de software e internet, e concluiu que os ciclos de feedback positivos tornaram o desenvolvimento rápido o principal fator do sucesso financeiro:

> Primeiro, o crescimento produz maiores retornos. As empresas de alto crescimento oferecem um retorno aos acionistas cinco vezes maior do que as empresas de médio crescimento. Em segundo lugar, o crescimento prevê sucesso em longo prazo. "Supergrowers" — empresas cujo crescimento foi superior a 60% quando atingiram US$100 milhões em receita — tiveram oito vezes mais chances de atingir US$1 bilhão do que as que cresceram menos de 20%.

Acreditamos que o mecanismo por trás do poder do blitzscaling seja a "vantagem do precursor". Uma vez que uma scale-up atinja o patamar máximo de seu ecossistema, sua rede de contatos reconhece sua liderança, e tanto o talento quanto o capital transbordam.

Por um lado, os melhores profissionais entendem que têm um impacto maior trabalhando para o líder de mercado. Enquanto isso, unir-se a uma scale-up que é claramente um "foguete" oferece muitas das recompensas financeiras de trabalhar para uma startup em estágio inicial, com muito mais certeza e muito menos risco. Funcionários de scale-ups são remunerados de acordo com o mercado, recebem participação nos lucros e têm uma boa chance de se tornarem ricos, se não absurdamente ricos. Ao atrair as melhores pessoas, as scale-ups aumentam sua capacidade de construir e levar ao mercado ótimos produtos, o que, por sua vez, aumenta sua capacidade de crescer rapidamente.

Um cálculo paralelo aplica-se aos investidores. Os capitalistas de risco investem com base no intervalo de confiança que têm em sua tese de investimento. A obtenção de escala diminui esses intervalos e facilita a decisão de investir. E como a rede de contatos que conecta os investidores — especialmente dentro de um ecossistema restrito, como o Vale do Silício — pode disseminar essa informação rápida e amplamente, uma empresa de blitzscaling pode levantar capital em grande escala. Essa infusão de capital pode estimular o crescimento explosivo, o que reduz ainda mais os intervalos de confiança.

Paradoxalmente, a globalização nivelou o campo de atuação para empreendedores em todo o mundo e aumentou o valor de estar em um centro de expansão como o Vale do Silício ou a China. Como o resto do mundo acredita que esses ecossistemas têm uma vantagem na ampliação de startups, as mesmas e seus investidores atraem capital (humano e financeiro) de todo o mundo, reforçando ainda mais sua capacidade de continuar crescendo. Esse é um dos principais motivos pelos quais as scale-ups, como a Uber e o Pinterest, alcançaram uma escala e uma avaliação que superam as da maioria das empresas de capital aberto.

Devido ao meu papel na Greylock Partners, não posso comentar as avaliações do Dropbox e do Airbnb, mas afirmo que ocupam uma posição semelhante no ecossistema.

Considere o caso de duas empresas muito semelhantes, Twitter e Tumblr. Ambas tinham fundadores brilhantes e orientados a produtos: Evan "Ev" Williams e David Karp. Ambas eram startups de mídia social. Ambas cresceram a um ritmo notável depois de estabelecer o product/market fit. Ambas tiveram um grande impacto na cultura popular. No entanto, o Twitter tornou-se público e alcançou uma capitalização de mercado de quase US$37 bilhões, enquanto o Tumblr foi adquirido pelo Yahoo! — outra startup que usou o blitzscaling para se tornar uma scale-up, apenas para diminuir e desaparecer — por "apenas" US$1 bilhão.

Estaria a sorte ao lado do Twitter? Possivelmente. A sorte sempre desempenha um papel maior do que os fundadores, investidores e a mídia gostariam de admitir. Porém, uma grande diferença era que o Twitter poderia recorrer a inúmeras redes de contatos para buscar o aconselhamento e a ajuda que o Tumblr não poderia. Por exemplo, o Twitter conseguiu recrutar Dick Costolo, um habilidoso executivo com experiência anterior em escalabilidade no Google. Em contraste, mesmo que o Tumblr fosse, sem dúvida, a startup mais proeminente no ecossistema de Nova York, não poderia recorrer facilmente a um grupo de talentos locais que tivesse experiência em lidar com o crescimento rápido.

Segundo John Lilly, da Greylock, para cada papel executivo que o Tumblr precisava preencher, havia menos de um punhado de candidatos em toda a cidade de Nova York. Essa escassez de talentos dificultava a contratação; a empresa relutou em substituir os funcionários devido à falta de alternativas melhores. Sem a capacidade de contratar uma equipe executiva que aplicasse o blitzscaling, o Tumblr decidiu vender a empresa.

É claro que, embora a geografia apresente desafios para o blitzscaling, eles se tornam muito mais administráveis se você estiver ciente deles. Durante a última década, a Priceline — a empresa online de viagens mais bem-sucedida do mundo — conseguiu aplicar o blitzscaling de sua sede em Connecticut. O CEO que liderou a Priceline durante sua fase de crescimento, Jeffery Boyd, viu vantagens para esse isolamento geográfico, observando que a localização da empresa significava menos disputas para aquisição dos principais engenheiros de software e designers, necessários para suportar o rápido crescimento do empreendimento.

É extremamente difícil para os participantes mais recentes competir diretamente com uma empresa que tenha a vantagem do precursor no blitzscaling. A menos que esses participantes encontrem um jogo diferente para captar essa vantagem, se tornarão simplesmente irrelevantes.

3. APESAR DE SUAS VANTAGENS INCRÍVEIS E POTENCIAIS RETORNOS, O BLITZSCALING TAMBÉM ACARRETA RISCOS GIGANTESCOS.

Até recentemente, "Mova-se rápido e quebre coisas" era o famoso lema do Facebook. No entanto, o crescimento rápido causa quase tantos problemas quanto soluciona. Como contou Mark Zuckerberg em uma entrevista para o *Masters of Scale*: "Chegamos a um ponto em que levava mais tempo para consertar os erros e problemas que estávamos criando do que ganhávamos velocidade avançando." Em um incidente famoso, um estagiário introduziu um bug que derrubou todo o site do Facebook por 30 minutos.

Existe um termo científico para o crescimento fora de controle no corpo humano, "câncer". Nesse contexto, o crescimento descontrolado é claramente indesejável. O mesmo se aplica a um empreendimento. O blitzscaling bem-sucedido requer que você mantenha ao menos algum nível de controle ao consertar rapidamente o que inevitavelmente será destruído, para que a empresa mantenha o ritmo furioso sem sair do ar ou entrar em colapso. Como um jogador de futebol americano correndo pelo campo para realizar um touchdown decisivo, até mesmo uma empresa que alcançou a vantagem do precursor pode perder a bola antes de cruzar a linha do gol se assumir um risco maior do que pode suportar.

O blitzscaling também é arriscado do ponto de vista gerencial. Reinventar o estilo de liderança, o produto e a organização a cada nova escalabilidade não é fácil, mas necessário. Nas palavras do guru da liderança Marshall Goldsmith: "O que o trouxe até aqui não o levará até lá."

A participação no mercado e o crescimento da receita propiciam o destaque, mas não é possível maximizar clientes e receita sem escalar a organização em termos de tamanho e escopo da equipe, bem como da estratégia de finanças, produto e tecnologia. Se a organização não crescer em sincronia com as receitas e o cliente base, ela pode sair do controle.

Durante um período de blitzscaling, no final dos anos 1980 e início dos anos 1990, a Oracle Corporation se concentrou tão exclusivamente no crescimento das vendas que ficou atrasada em relação à tecnologia (atrás de sua arquirrival Sybase) e às finanças, e quase faliu como resultado. Foram necessários os esforços de recuperação de Ray Lane e Jeff Henley para evitar o desastre e reposicionar a Oracle para que conseguisse atingir o sucesso posterior.

Implementar o blitzscaling em sua organização implica escolhas difíceis e sacrifícios; por exemplo, as pessoas que são adeptas do lançamento de uma empresa não são necessariamente as certas para escalá-la, como mostra o exemplo da Oracle. Mais à frente no livro discutimos como os blitzscalers bem-sucedidos administram o crescimento, em vez de serem administrados por ele.

OS CINCO ESTÁGIOS DO BLITZSCALING

Realizar o blitzscaling em uma startup não é um processo linear; um gigante global não é simplesmente uma startup que foi multiplicada por mil, oriunda de um laboratório impecável em vez de uma garagem imunda. Cada grande incremento de desenvolvimento representa uma mudança tanto qualitativa quanto quantitativa. Drew Houston, do Dropbox, expressou bem isso quando me disse: "O tabuleiro de xadrez continua adicionando novas peças e dimensões ao longo do tempo."

Na física, os materiais geralmente mudam de estado de acordo com as circunstâncias (como temperatura e pressão). O gelo se derrete e vira água; a água ferve e vira vapor. À medida que uma startup passa de um estágio a outro, passa também por mudanças fundamentais. E, da mesma maneira que patins para gelo são inúteis na água, e você não pode criar ondas jogando pedras no vapor, as abordagens e processos que funcionaram em um estágio se deterioram quando a scale-up atinge o próximo.

Este livro foi criado para ajudá-lo a navegar com sucesso pelos diferentes estágios que enfrentará rumo ao domínio global.

Ao longo deste livro, vamos nos referir aos cinco principais estágios do blitzscaling com a metáfora de uma comunidade. Como a mudança mais óbvia, visível e impactante em uma startup é o número de pessoas que emprega, os definiremos nos baseando no número de funcionários da empresa ou em sua escala organizacional.

OS CINCO ESTÁGIOS DO BLITZSCALING

Estágio 1 (Família)	1-9 funcionários
Estágio 2 (Tribo)	10+ funcionários
Estágio 3 (Aldeia)	100+ funcionários
Estágio 4 (Cidade)	1.000+ funcionários
Estágio 5 (Nação)	10 mil+ funcionários

Cada etapa tem diferenças críticas quando se trata de gerenciamento e liderança. Quando você é chefe de uma Família, tem um relacionamento próximo com todos os membros. Quando você é o chefe de uma Nação inteira, é responsável pela vida de uma multidão, e nem sequer conhecerá a maioria. (Posteriormente no livro, falaremos sobre como otimizar a estratégia de gerenciamento de pessoas à medida que sua empresa cresce.)

É importante lembrar que, embora essas potências de dez forneçam um conjunto de categorias claro e consistente, a vida real é muito mais confusa. Uma startup com uma equipe unida pode sentir-se e agir como uma Família, ainda que tenha 20 funcionários. Assim, essas definições são destinadas apenas a oferecer diretrizes funcionais.

Reconhecemos também que o número de funcionários é apenas uma das medidas de escala. Algumas das outras medidas incluem o número de usuários (escala do usuário), o de clientes (escala do cliente) e a receita anual total (escala de negócios). Essas medidas geralmente, mas nem sempre, caminham em sintonia. Embora seja quase impossível atingir a escala do cliente ou a de negócios sem a escala organizacional — clientes exigem representantes de atendimento ao cliente, e receitas normalmente exigem vendedores —, é possível alcançar a escala do usuário sem a organizacional. Considere o exemplo do Instagram: quando essa empresa foi adquirida pelo Facebook, por US$1 bilhão, possuía mais de 100 milhões de usuários, mas apenas 13 funcionários e nenhuma receita significativa.

O fato de que os estágios nem sempre estão em sincronia é um *aspecto* do blitzscaling, não um bug. Como discutiremos, a escalabilidade operacional é um dos principais limitadores de crescimento com que as scale-ups precisam lidar. Quando uma empresa tem a possibilidade de expandir sua receita, o número de usuários e clientes mais rápido do que o de funcionários, sem entrar em colapso sob o peso do próprio crescimento, o empreendimento pode alcançar maior rentabilidade e continuar crescendo sem ser tão rigorosamente influenciado pela necessidade de capital financeiro ou humano. Em contraste, quando o número de funcionários cresce mais rapidamente do que a receita, o de usuários e clientes, uma grande bandeira vermelha indica problemas com o modelo de negócio fundamental.

No entanto, para simplificar, este livro normalmente define o estágio em que uma empresa está pela escala organizacional. Uma empresa Família terá de 1 a 9 funcionários; uma Tribo, de 10 a 99 funcionários, e assim por diante. Quando ocorrerem exceções, as comentaremos exclusivamente a fim de evitar confusões.

AS TRÊS PRINCIPAIS TÉCNICAS DO BLITZSCALING

Através de muito estudo, acesso direto e conversas com a liderança de empresas como Google, Amazon e Facebook — e através de minhas experiências como empreendedor e investidor — conseguimos identificar as três principais técnicas aplicadas por empresários e investidores para construir empresas dominantes. Esses princípios básicos não são localizados e podem ser adaptados para construir grandes empresas em qualquer ecossistema, embora com graus variados de dificuldade.

1ª TÉCNICA: INOVAÇÃO DO MODELO DE NEGÓCIOS

A primeira técnica do blitzscaling é projetar um modelo de negócios inovador, que possa realmente crescer. Isso parece um insight do nível de startups iniciantes, mas é surpreendente o número de fundadores que negligenciaram esse elemento crucial. Um grande erro cometido por muitas empresas em todo o mundo é focar tecnologia, software, produto e design, mas se esquecer da compreensão do empreendimento. E, por "empreendimento", referimo-nos simplesmente a como a empresa ganha dinheiro ao adquirir e atender a clientes. Em contraste, apesar da popular ideia de que "engenheiros são deuses", prevalecente no Vale do Silício, as empresas e seus fundadores que são universalmente chamamos de gênios não são apenas nerds da tecnologia — são quase sempre nerds da gestão também.

No Google, Larry Page e Sergey Brin criaram algoritmos de busca assombrosos, mas foram as inovações no *modelo de negócios* desses mecanismos — especialmente considerando a relevância e o desempenho ao exibir anúncios em vez de alugar espaço para o maior lance — que impulsionaram seu enorme sucesso.

À medida que o mundo se tornou digital, as inovações dos modelos de negócios ganharam ainda mais importância. Hoje, tantas tecnologias estão disponíveis como serviços, que são sob demanda e passíveis de integração, que a tecnologia em si não é mais um grande diferenciador. Descobrir as combinações certas de serviços para colocar em um produto inovador tornou-se o grande diferencial. Atualmente, a maioria das empresas de sucesso é mais parecida com a Tesla, que combinou tecnologias existentes, do que com a SpaceX, que precisou ser pioneira em novas tecnologias.

É inovando o modelo de negócios que as startups superam concorrentes já estabelecidos, que geralmente possuem uma série de vantagens sobre elas. Como startup, o Dropbox concorre com gigantes como Microsoft e Google, que possuem grandes vantagens em tecnologia, finanças e poder de mercado. O fundador e CEO do Dropbox, Drew Houston, sabe que sua empresa não pode simplesmente depender de uma tecnologia melhor ou de eliminar a concorrência: "Se o seu roteiro é o mesmo do concorrente, você está em apuros, porque é bem provável que ele use sua estratégia com muito mais recursos!"

Drew teve que projetar um modelo de negócios melhor, cujo foco no compartilhamento de arquivos significa que o número de arquivos que o Dropbox precisa armazenar (ou pagar à Amazon para fazê-lo) aumenta muito mais devagar do que o valor criado para o cliente e as receitas que coleta dos mesmos. A Uber e o Airbnb também construíram grandes empresas a uma velocidade incrível, baseadas em novos modelos de negócios, e não em tecnologias sem precedentes. Se bastasse a inovação tecnológica, os laboratórios federais de pesquisa produziriam US$100 bilhões em empresas regularmente. Alerta de spoiler: eles não produzem.

Isso não quer dizer que a inovação tecnológica não seja importante. Ela é o gatilho mais comum para a aniquilação de um mercado ou surgimento de um novo. A Uber não foi a primeira empresa a tentar melhorar a experiência de chamar um táxi. Mas antes da inovação tecnológica do smartphone, complementada por conexão sem fio à internet e serviços baseados em localização com GPS, o modelo de negócios da Uber simplesmente não teria funcionado. Essas inovações reduziram o atrito tanto para o motorista quanto para o passageiro, tornando o modelo Uber de viagem compartilhada acessível ao mercado de massa pela primeira vez.

As empresas também não podem se dar ao luxo de ignorar as inovações tecnológicas depois que conseguem, com sucesso, abrir caminho para o estágio Cidade ou Nação. Cada uma das empresas de tecnologia que valem mais de US$100 bilhões usou a liderança para reforçar suas vantagens competitivas. A Amazon pode ter começado como uma simples varejista online sem tecnologia exclusiva, porém hoje sua capacidade tecnológica de computação em nuvem, sua logística automatizada e seu reconhecimento de voz mantêm seu domínio. Na verdade, as megacompanhias construídas pelo blitzscaling são muitas vezes as que compram os inovadores da tecnologia, assim como o Google comprou a DeepMind, e o Facebook, a Oculus.

A inovação tecnológica é um fator crítico para reter os ganhos produzidos pela inovação do modelo de negócios. Afinal, se uma inovação tecnológica pode criar um novo mercado, outra inovação pode torná-la obsoleta da noite para o dia. Embora a Uber tenha atingido uma escala maciça, a maior ameaça ao seu futuro não vinha sob a forma de concorrentes diretos, como Didi Chuxing, embora essas sejam ameaças formidáveis. A maior ameaça aos negócios da Uber é a inovação tecnológica dos veículos autônomos, o que tornaria obsoleta, basicamente da noite para o dia, uma de suas maiores vantagens competitivas — sua rede cuidadosamente cultivada de motoristas.

O segredo é combinar novas tecnologias com distribuição eficaz para os clientes em potencial, um modelo de receita escalável e de alta margem e uma abordagem que permita atender a esses clientes, dadas as possíveis limitações de recursos.

O ideal é projetar a inovação no modelo de negócios antes de iniciar a empresa. Foi o que aconteceu quando cofundei o LinkedIn. As principais inovações do modelo de negócios para a empresa, a natureza bidirecional dos relacionamentos e a atenção às necessidades dos profissionais com uma identidade online orientada para os negócios, simplesmente não aconteceram de maneira orgânica.

Elas resultaram de muito pensamento e reflexão, e baseei-me nas experiências que tive ao fundar a SocialNet, uma das primeiras redes sociais, quase uma década antes da criação do LinkedIn. Porém, nem tudo são flores. Muitas empresas, mesmo as famosas e bem-sucedidas, precisam inovar o modelo de negócios depois de já terem iniciado suas operações.

O PayPal não tinha um modelo de negócios quando iniciou suas operações (eu era um membro importante da equipe executiva). Estávamos crescendo exponencialmente, a 5% ao dia, e perdíamos dinheiro em toda transação. O engraçado é que alguns de nossos detratores nos chamaram de loucos ao bonificar os clientes por indicações.

Na verdade, esses bônus de indicação foram brilhantes, pois seu custo era muito mais baixo do que o padrão para adquirir novos clientes de serviços financeiros via publicidade. (Discutimos o poder e a importância desse tipo de marketing viral mais adiante.)

A insanidade, na verdade, era permitirmos que nossos usuários aceitassem pagamentos com cartão de crédito, mantendo o PayPal com o custo de 3% em cada transação para os processadores de cartão de crédito, sem cobrar nada dos usuários. Lembro-me de uma vez dizer ao meu ex-colega de faculdade e cofundador/CEO do PayPal, Peter Thiel: "Peter, se você e eu estivéssemos no telhado do escritório jogando pilhas de notas de cem dólares o mais rápido possível, não perderíamos tanto dinheiro quanto está acontecendo agora."

Resolvemos o problema cobrando das empresas a aceitação de pagamentos, da mesma forma que os processadores de cartões de crédito, mas financiando esses pagamentos com transações bancárias automatizadas de compensação, que custam uma fração dos encargos associados às redes de cartão de crédito. Mas se tivéssemos esperado resolver esse problema antes de executar o blitzscaling, duvido que teríamos nos tornado líderes de mercado.

2ª TÉCNICA: INOVAÇÃO ESTRATÉGICA

O elemento mais óbvio do blitzscaling é a busca pelo crescimento extremo, que, quando combinado com um modelo de negócios inovador, gera grande valor e vantagens competitivas em longo prazo. Muitas startups acreditam seguir uma estratégia de crescimento extremo, quando, na verdade, têm o *objetivo* e o *desejo* de crescer amplamente, mas não conhecem uma estratégia que as escale. Para alcançar seus objetivos, você precisa saber o que pretende fazer e, tão importante quanto, o que *não* pretende.

Além disso, o crescimento não gera valor por si mesmo; para isso, deve ser combinado a um modelo de negócios em funcionamento. É fácil alcançar um amplo crescimento da receita e de clientes se sua empresa vender uma nota de US$20 por um US$1, mas "compensar em volume" não permitirá que você crie um valor sustentável.

Para o sucesso do blitzscaling, a vantagem competitiva deve se originar dos fatores de crescimento incorporados ao modelo de negócios, como os efeitos de rede, em que a primeira empresa a alcançar a escalabilidade crítica ativa um ciclo de feedback que permite ao vencedor dominar todo ou a maior parte do mercado, e alcançar uma vantagem do precursor duradoura. Por exemplo, a agressiva estratégia de expansão da Uber, de cidade em cidade, permite que seus clientes efetuem corridas com menos atrasos do que com os concorrentes.

A Uber procura fornecer uma corrida mais rápida do que qualquer outra empresa. Isso atrai mais clientes, o que chama mais motoristas, o que aumenta a liquidez do mercado, o que permite que os clientes obtenham um serviço ainda mais rápido, o que atrai mais clientes, e assim sucessivamente. O primeiro investidor da Uber, Bill Gurley, descreveu a estratégia da empresa em um post em 2012: "All Markets Are Not Created Equal." ["Nem todos os mercados são criados da mesma maneira", em tradução livre.]

> À medida que a empresa cresce, disponibiliza mais carros e, junto a seus investimentos em otimização de rotas e cargas, consegue ganhar mais e mais tempo. A experiência se aprimora conforme a empresa se consolida no mercado.

O blitzscaling é muito mais do que uma estratégia de crescimento agressivo, pois envolve decisões que destoam do pensamento tradicional dos negócios, como priorizar a velocidade em detrimento da eficiência em um cenário de incertezas. Ao mesmo tempo, o blitzscaling é, também, muito mais do que assumir riscos. É arriscado apostar a empresa, como Walt Disney fez ao usar o próprio seguro de vida para construir a Disneylândia; mas essa não é uma operação do blitzscaling. Ele trataria de ineficiências, como pagar construtoras para trabalhar 24 horas por dia visando a abrir o parque alguns meses antes ou reduzir os preços dos ingressos em 90% para chegar a um milhão de visitantes mais rapidamente — sabendo que a rede de contatos desse milhão de visitantes ultrapassa dez milhões.

Eis uma das práticas cruéis que tornaram o Vale do Silício tão profícuo: os investidores observarão uma empresa que está em trajetória ascendente, mas que não exibe os indicadores do salto do crescimento exponencial, e concluirão que a empresa precisa ser vendida ou assumir riscos que aumentem as chances de alcançá-lo.

Atingir 20% de crescimento anual, o que encantaria os analistas de Wall Street, que cobrem qualquer outro setor, simplesmente não é suficiente para tornar, com rapidez suficiente, uma startup multibilionária. Os capitalistas de risco do Vale do Silício querem que os empreendedores busquem o crescimento exponencial, mesmo que lhes custe mais dinheiro e aumente suas chances de fracasso, resultando em uma perda maior. Cair abaixo de 40% de crescimento anual é um sinal de alerta para os investidores.

Essa filosofia pode ser de difícil compreensão. Pode-se, com razão, questionar: "Por que eu deveria arriscar tudo e correr o risco de pôr fim a um negócio bem-sucedido e em crescimento?" A resposta é que as empresas que praticam o blitzscaling tendem a jogar em mercados em que o vencedor leva tudo, ou quase. O maior risco para um negócio bem-sucedido e em crescimento é avançar muito devagar e permitir que seus concorrentes conquistem a liderança de mercado e a vantagem do precursor.

A Nokia é um excelente exemplo do valor da cautela. Em 2007, foi a maior e mais bem-sucedida fabricante mundial de celulares, com capitalização de mercado pouco abaixo de US$99 bilhões. Então, a Apple e a Samsung chegaram ao mercado. Em 2013, a Nokia vendeu suas lucrativas operações para a Microsoft por US$7 bilhões, e, em 2016, a Microsoft vendeu seus ativos de telefonia e a marca de celulares Nokia para a Foxconn e a HMD por módicos US$350 milhões. Isso representa uma queda de cerca de US$99 bilhões para US$350 milhões no valor do empreendimento em menos de uma década — um declínio de mais de 99%.

Na época, as decisões da Nokia pareciam bem pensadas. A empresa continuou crescendo mesmo após o lançamento do iPhone e do sistema operacional Android, do Google. Atingiu seu auge em termos de volume de unidades ao vender 104 milhões de aparelhos em 2010. Mas as vendas caíram depois disso e foram superadas pelo Android, em 2011, e pelo iPhone, em 2012. No momento em que sua gerência entendeu que enfrentavam uma ameaça à existência da empresa, era tarde demais; nem mesmo a tentativa desesperada de alinhar-se à Microsoft como parceiro exclusivo do Windows Phone reverteu o declínio.

Como o blitzscaling muitas vezes demanda investimentos significativos, de uma forma que a filosofia tradicional dos negócios consideraria "desperdício", a implementação de uma estratégia financeira que respalde esses investimentos agressivos é uma parte crítica do blitzscaling. Por exemplo, a Uber costuma usar pesados subsídios de ambos os lados do mercado quando lança seu serviço em uma nova cidade; diminuindo tarifas, para atrair passageiros, e aumentando os pagamentos, para atrair motoristas. Pagando mais do que o padrão para aquelas primeiras corridas, a Uber atinge a escalabilidade fundamental mais rapidamente do que um concorrente que usa uma abordagem conservadora.

Considerando que o vencedor domina a maior parte do mercado de corridas compartilhadas, esse gasto "esbanjador" fez a Uber conquistar uma posição dominante nas cidades em que atua. É claro que essa estratégia não é viável sem a capacidade de levantar grandes quantidades de capital de modo favorável. A Uber, por exemplo, conseguiu levantar cerca de US$9 bilhões entre sua fundação e a redação deste livro. Em algum momento, a Uber terá que demonstrar a capacidade de melhorar significativamente sua economia unitária, ou seus investidores ficarão muito mal-humorados.

Essa preocupação explica os investimentos substanciais da Uber em tecnologia de veículos autônomos, o que eliminaria sua maior despesa — pagamentos a motoristas — de vez.

A predisposição em assumir os riscos do blitzscaling é um dos principais motivos para o Vale do Silício ter originado uma parcela tão desproporcional de empresas de grande sucesso em comparação a outras regiões. Verdade seja dita, ele gerou também uma quantidade desproporcional de desastres financeiros — daí a palavra "risco" quando se fala em blitzscaling. Mas, como mostra a ascensão de gigantes como o Alibaba e o Spotify, o blitzscaling está começando a decolar no mundo todo.

3ª TÉCNICA: GESTÃO DE INOVAÇÃO

A última técnica necessária ao blitzscaling é a inovação da abordagem de gestão. Ela é necessária devido às tensões extremas sobre a organização e seus funcionários causadas pelo hipercrescimento.

Gosto de salientar para empresários e executivos que "em teoria, você não precisa de prática".

O que quero dizer é que, por mais brilhante que seja o modelo de negócios e a estratégia de crescimento, você não construirá uma empresa de sucesso descomunal (ou seja, uma empresa não teórica) sem muita prática. Porém, esse problema é amplificado quando se está tentando aplicar o blitzscaling.

O tipo de crescimento envolvido no blitzscaling normalmente implica grandes desafios de recursos humanos. Triplicar o número de funcionários por ano é padrão para uma empresa que estiver aplicando o blitzscaling. Essa postura demanda uma abordagem radicalmente diferente de gestão de uma empresa que se desenvolve de maneira regular, que ficaria feliz em crescer 15% ao ano e ter tempo para contratar profissionais perfeitos e obcecados pela cultura corporativa.

Como discutimos em detalhes mais adiante no livro, empresas que realizam o blitzscaling passam rapidamente por inúmeras transições críticas à medida que a organização cresce, e precisam incorporar regras controversas, como contratar pessoas "boas o suficiente", lançar produtos incompletos e imperfeitos, relevar problemas e evitar clientes irritados.

Ao longo deste livro, veremos como o modelo de negócios, a estratégia de crescimento e a inovação da gestão atuam juntos e constituem o altamente arriscado e recompensador processo do blitzscaling.

PARTE II
Inovação do Modelo de Negócios

Das três principais técnicas do blitzscaling, a primeira e mais crucial é projetar um modelo de negócios inovador, que faça a empresa crescer exponencialmente. A história do empreendedorismo na Era das Redes retrata esse tipo de inovação do modelo de negócios.

Pense na era das pontocom, que se estendeu aproximadamente desde a IPO da Netscape, em 1995, até a NASDAQ quebrar, em 2000. Durante esse período, um grande número de startups e praticamente todas as empresas já estabelecidas tentaram constituir grandes negócios online, mas quase todas fracassaram. O problema é que a maioria simplesmente tentou replicar modelos de negócios existentes no novo meio digital. Bom, você não pode transplantar um coração entre espécies diferentes e esperar que funcione.

Se, em 1995, você perguntasse aos analistas do mercado acionário quais empresas tinham mais condições de dominar a internet, a maioria apontaria para gigantes como a Microsoft e a Time Warner, que investiram milhões em empreendimentos online, como o MSN e o Pathfinder. Outros mencionariam startups pontocom focadas em um nicho, como a eToys, que combinou modelos de negócios já usados, como a loja líder no setor, com o novo meio online.

No entanto, quando o choque da quebra das pontocom passou, as companhias mais bem-sucedidas, ainda a todo vapor, eram as poucas startups baseadas em modelos de negócios completamente novos, como Amazon, eBay e Google.

O Walmart teria dominado o varejo online, mas a Amazon surgiu e praticamente escreveu a Bíblia do e-commerce, incluindo resenhas de clientes, carrinhos de compras e frete grátis. Jornais e listas telefônicas deveriam ter tornado suas atividades digitais, mas o Yahoo! e, em seguida, o Google entraram no jogo. Criaram os mecanismos de pesquisa que indexaram as informações mundiais, e o Google desenvolveu o modelo de negócios que valorizou esses mecanismos mais do que todas as empresas de mídia tradicionais juntas.

Em contrapartida, e para seu infortúnio, a maioria das startups que se baseavam exclusivamente na inovação tecnológica, sem qualquer inovação do modelo de negócios, faliu. Empresas, como a eToys, que tentaram implementar as ideias da Amazon em vários mercados, porém sem suas inovações de front e back office, quebraram quando os mercados financeiros começaram a exigir lucros, em vez de exigir apenas crescimento da receita. Até a Netscape, cujo navegador era um dos principais na web, e cuja IPO deu início ao boom das pontocom, teve que ser vendida para a AOL.

Os engenheiros da Netscape inventaram o JavaScript, o SSL e todas as incríveis tecnologias para a internet que até hoje são usadas, mas corroborou o *status quo* ao usar modelos de negócios testados e comprovados em vez de desenvolver modelos próprios. Infelizmente para a Netscape, a concorrente Microsoft já entendia muito bem desses modelos de negócios, e sabia exatamente como usar seu poder econômico e seus recursos para tomar impulso. Na primeira "guerra dos navegadores", a Microsoft pré-instalou o Internet Explorer em todos os novos computadores Windows e distribuiu o software de servidor da web, Serviços de Informação da Internet (IIS), o que aniquilou o modelo de negócio da Netscape.

A Netscape teria sido bem-sucedida com outra estratégia? Acreditamos que sim. Considere que uma das formas de monetização de seu navegador foi vender o patrocínio do botão Net Search ao mecanismo de busca Excite por US$5 milhões. A Netscape acreditava que o navegador era fundamental, e que a busca era simplesmente secundária. Quatro pós-graduandos de Stanford, Jerry Yang e David Filo (Yahoo!), e Larry Page e Sergey Brin (Google), provaram que a busca era um empreendimento muito maior. O modelo inovador do Google, vender anúncios de texto junto a resultados de buscas em um marketplace automatizado, resultou em uma franquia tão dominante que mais tarde resistiu a uma série de ataques diretos da Microsoft, incluindo uma campanha de marketing em que pagava às pessoas para usar o Bing, seu mecanismo de busca.

A mesma história se repetiu em várias inovações desde então. O Facebook e o LinkedIn dominam as redes sociais, embora a AOL, a Microsoft (Hotmail) e o Yahoo! (Yahoo! Mail) controlassem a maior parte das identidades online dos consumidores quando elas surgiram. O Alibaba derrotou o eBay na China. A Uber superou as empresas de táxi. O Airbnb tem mais quartos listados do que qualquer empresa hoteleira do mundo.

Essas histórias de sucesso vêm de empresas de tecnologia, é claro. Mas, como vimos, a inovação tecnológica sozinha não basta — mesmo quando seu impacto no futuro é enorme. Serviços como Craigslist, Wikipédia e IMDb (base de dados de filmes na internet) foram inovadores influentes na internet, mas nunca se tornaram massivamente (do ponto de vista financeiro) valiosos por conta própria.

A verdadeira criação de valor ocorre quando a tecnologia inovadora proporciona produtos e serviços inovadores com modelos de negócios inovadores. Ainda que os modelos de negócios do Google, Alibaba e Facebook pareçam hoje óbvios — e até inevitáveis —, não foram muito apreciados quando foram lançados. Quantas pessoas teriam percebido, em 1999, que exibir anúncios de texto minúsculos ao lado do equivalente a um catálogo de cartões eletrônicos levaria à empresa de software mais valiosa do mundo? Ou que a criação de um shopping online para a classe média chinesa emergente resultaria em um negócio de US$100 bilhões? Quem em 2004 teria previsto que a comunicação através de uma pequena tela se tornaria a forma dominante de mídia? Grandes empresas e grandes negócios geralmente parecem ignóbeis quando surgem, pois inovações do modelo de negócios — pela própria definição — não podem apontar para um modelo de negócios existente para justificar que funcionarão.

Para compreender bem como esses modelos de negócio funcionam, precisamos antes definir o que entendemos por "modelo de negócios". Parte do problema é que o termo dá margem a muitas interpretações. Peter Drucker, o grande pensador da administração, afirma que modelos de negócios são essencialmente teorias compostas por suposições sobre o empreendimento, cujas circunstâncias exigem adaptação. O professor e escritor da Harvard Business School, Clay Christensen, acredita que é necessário se concentrar no conceito do "trabalho a ser feito"; isto é, quando um cliente compra um produto, está o "contratando" para fazer um trabalho específico. Em seguida, Brian Chesky, do Airbnb, simplesmente disse: "Construa um produto que as pessoas adorem. Contrate pessoas incríveis. O que mais pode ser feito? Todo o resto é trabalho ilusório."

Como disse Andrea Ovans, em seu artigo para a *Harvard Business Review*, de janeiro de 2015, "What Is a Business Model?" ["O que é um modelo de negócios?", em tradução livre]: só é suficiente se você sair do eixo! Para os objetivos deste livro, vamos nos concentrar na definição básica: o modelo de negócios de uma empresa descreve como ela gera retornos financeiros produzindo, vendendo e dando suporte a seus produtos.

O que distingue empresas como a Amazon, o Google e o Facebook, mesmo daquelas de alta tecnologia renomadas, é que conseguiram projetar e implementar modelos de negócios com características que lhes permitiram atingir grande escala e vantagem competitiva sustentável. É claro que não existe um único modelo de negócios perfeito, que funcione para todas as empresas, e tentar encontrar um é perda de tempo. Mas a maioria dos grandes modelos de negócios tem certas semelhanças. Se quiser encontrar o melhor modelo de negócios *para você*, desenvolva um que maximize os quatro principais fatores de crescimento e minimize seus dois limitadores.

PROJETANDO O DESENVOLVIMENTO: OS QUATRO FATORES DE CRESCIMENTO

1º FATOR DE CRESCIMENTO: TAMANHO DO MERCADO

O fator de crescimento mais básico a se considerar é o tamanho do mercado. Esse foco em dimensão parece óbvio, e já faz parte do Pitch Deck 101 para startups; mas, se você pretende construir uma empresa gigantesca, precisa começar pelo básico e eliminar ideias que não se aplicam ao mercado.

Um mercado amplo possui tanto um grande número de potenciais clientes quanto uma variedade de canais eficientes para alcançá-los. Este último é importante; um mercado definido por "todos no mundo" parece amplo, mas a impossibilidade de alcançá-los o torna ineficiente. Discutimos isso em detalhes quando considerarmos a distribuição como um dos principais fatores de crescimento.

Não é simples dimensionar um mercado, ou definir o que os pitch decks e capitalistas de risco chamam de TAM (total available market — mercado total disponível). Prever o TAM e seu desenvolvimento é uma das principais fontes de incerteza do blitzscaling. Porém, prevê-lo corretamente e saber investir enquanto outros estão paralisados pelo medo é uma das principais oportunidades para obter altos retornos inesperados, como veremos nos casos do Airbnb e da Uber.

Idealmente, o mercado em si também cresce rápido, fazendo com que um mercado pequeno seja interessante e amplo, irresistível. No Vale do Silício, a competição por capital de risco pressiona os empreendedores a focarem ideias que seguem grandes mercados. Empresas de capital de risco chegam a arrecadar centenas, milhões ou até mesmo bilhões de dólares de seus investidores — parcerias limitadas, como fundos de pensão e doações de universidades —, que buscam retornos acima do padrão de mercado para compensá-los por acreditar em empresas de capital fechado, em vez de simplesmente investir nas Coca-Colas da vida. Para entregar esses retornos acima do mercado, os fundos de capital de risco precisam, *no mínimo*, triplicar o dinheiro investido. Um fundo de capital de US$100 milhões precisaria retornar US$300 milhões no período de vida padrão, de 7 a 10 anos, para atingir uma taxa interna de retorno de 15% a 22%. Um fundo de US$1 bilhão precisaria proporcionar um retorno de US$3 bilhões.

Como a maioria desses investimentos perde dinheiro ou mal chega a um equilíbrio, a única maneira realista de os capitalistas de risco atingirem esses objetivos agressivos é confiar em poucos investimentos incrivelmente bem-sucedidos. A Benchmark Capital investiu US$6,7 milhões no eBay em 1997. Menos de 2 anos depois, o eBay abriu o capital, e a participação da Benchmark passou a valer US$5 bilhões, o que representa um retorno de 745 vezes. O fundo específico que fez esse investimento, o Benchmark Capital Partners I, recebeu US$85 milhões dos investidores e retornou US$7,8 bilhões; ou seja, 92 vezes. (Os primeiros investidores do Facebook se saíram ainda melhor; mas eram indivíduos, e não empresas.)

Diante do desejo por negócios bem-sucedidos, como o eBay, os capitalistas de risco filtram as oportunidades com base no tamanho do mercado. Se uma empresa não atinge a "escala de risco" (um mercado de pelo menos US$1 bilhão em vendas anuais), a maioria não investirá, ainda que seja um bom negócio. Simplesmente não é grande o suficiente para triplicar o investimento.

Quando Brian Chesky estava procurando capitalistas de risco para investir no Airbnb, uma das pessoas que consultou foi o empreendedor e investidor Sam Altman, que mais tarde se tornou presidente da Y Combinator. Altman viu o pitch deck de Chesky e o achou perfeito; contudo, era preciso ampliar o tamanho do mercado dos modestos US$30 milhões para US$30 bilhões. "Investidores querem Bs, baby", disse Altman a Chesky. Claro, Altman não estava dizendo a ele para mentir; em vez disso, argumentou que, se a equipe do Airbnb acreditava nas próprias suposições, US$30 milhões era uma subestimativa grosseira e eles deveriam usar um número proporcional a suas convicções. Acontece que o mercado do Airbnb estava de fato mais próximo dos US$30 bilhões.

Ao avaliar o tamanho do mercado, é importante também explicar como os custos mais baixos e as melhorias no produto o ampliam apelando para novos clientes, além de aproveitar a participação dos concorrentes. Em 2014, Aswath Damodaran, professor de finanças da Stern School of Business da Universidade de Nova York, estimou que a Uber valia cerca de US$6 bilhões com base na capacidade de conquistar 10% do mercado global de táxis, que valia US$100 bilhões. De acordo com as projeções da própria Uber, em 2016 a empresa efetuou mais de US$26 bilhões em pagamentos. É seguro dizer que o mercado de US$10 bilhões foi uma séria subestimativa, já que a facilidade do uso e o menor custo da Uber e de seus concorrentes expandiram o mercado para serviços de transporte.

Como Aaron Levie, fundador da Box, empresa de armazenamento de arquivos online, observou em um tuíte, em 2014: "Dimensionar o mercado para uma inovação em função de um mercado em declínio é como dimensionar uma indústria automobilística em função de quantos cavalos havia em 1910."

O outro fator que leva a subestimar um mercado é negligenciar sua expansão para mercados complementares. A Amazon começou como Amazon Books, a "maior livraria da Terra". Porém, Jeff Bezos sempre pretendeu que a livraria servisse como uma base a partir da qual a Amazon expandisse sua ampla visão de "vender tudo". Hoje, a companhia domina o setor de livrarias; mas, graças à expansão implacável do mercado, as vendas de livros representam menos de 7% das vendas totais.

O mesmo efeito é notado nos resultados financeiros da Apple. No primeiro trimestre de 2017, a empresa gerou US$7,2 bilhões com a venda de computadores, setor do qual a empresa já foi pioneira e chegou a dominar. Esse é um grande número; mas, durante o mesmo período, a receita total da companhia foi de impressionantes US$78,4 bilhões, o que significa que o mercado original da Apple respondia por menos de 10% do total de vendas.

Meu colega da Greylock, Jerry Chen, que ajudou Diane Greene a escalar o software de virtualização da VMware para um grande negócio, salienta: "Cada negócio bilionário começou como um negócio milionário." No entanto, se estiver criando um novo mercado, expandindo um existente ou confiando em mercados adjacentes para chegar àqueles "Bs" que os investidores querem, você precisa de um caminho viável. Isso nos leva a um dos meus fatores de crescimento favoritos para discutir com os empreendedores: a distribuição.

2º FATOR DE CRESCIMENTO: DISTRIBUIÇÃO

O segundo fator de crescimento necessário para um empreendimento escalável e consistente é a distribuição. Muitos no Vale do Silício gostam de focar o desenvolvimento de produtos que são, nas famosas palavras do falecido Steve Jobs, "insanamente incríveis". Sem dúvida, grandes produtos constituem um fator positivo — discutimos a falta de qualidade como um fator *limitador* do crescimento de produtos posteriormente —, mas a triste verdade é que um bom produto bem distribuído quase sempre domina um excelente produto mal distribuído.

O Dropbox é uma companhia com um grande produto, mas seu êxito provém da excelente distribuição. Em uma entrevista para o

Masters of Scale, seu fundador e CEO, Drew Houston, disse acreditar que muitas startups negligenciam a importância da distribuição:

> A arraigada cultura do Vale do Silício se volta ao desenvolvimento de um bom produto. Acredito que isso se deva ao fato de que a maioria de suas empresas não sobrevive à fase de desenvolvimento do produto. É necessário excelência em elaborar o produto, em atrair usuários e então em elaborar o modelo de negócio. Se você perder algum desses elos, toda a conexão será desfeita.

O desafio da distribuição tornou-se ainda maior em uma era em que tudo é voltado aos dispositivos móveis. Diferentemente da web, em que a otimização dos mecanismos de busca e links em e-mails eram canais de distribuição amplamente eficazes, as lojas de aplicativos para esses dispositivos oferecem poucas oportunidades para a descoberta de produtos por acaso. Quando você vai à loja de aplicativos da Apple ou do Google, busca um produto específico. Poucas pessoas instalam aplicativos apenas por fazer. Como resultado, os modelos de negócios que triunfaram (Instagram, WhatsApp, Snapchat etc.) tiveram que encontrar maneiras criativas para obter ampla distribuição dos produtos — sem gastar muito dinheiro. Essas técnicas de distribuição dividem-se em duas categorias: alavancar a rede de contatos e viralizar.

A) Alavancar a rede de contatos

Novas empresas raramente têm o alcance ou os recursos para simplesmente despejar dinheiro em campanhas publicitárias. Em vez disso, elas precisam encontrar maneiras criativas de explorar as redes existentes para distribuir seus produtos.

Quando estava no PayPal, um de seus principais veículos de distribuição era o eBay. À época, o eBay já era um dos maiores agentes de e-commerce, e, no início de 2000, contava com dez milhões de usuários registrados. Alcançamos essa base de usuários desenvolvendo um software que facilitasse para os vendedores do eBay adicionar um botão "Pague com PayPal" a suas listas. O mais surpreendente é que os clientes o fizeram mesmo com o eBay tendo um serviço concorrente, o Billpoint! Mas os vendedores eram obrigados a adicioná-lo manualmente em cada lista; o PayPal fez isso por eles.

Muitos anos depois, o Airbnb realizou um feito parecido ao alavancar o serviço de classificados online Craigslist. Com base em uma sugestão de Michael Seibel, da Y Combinator, o Airbnb criou um sistema que permitia e encorajava seus anfitriões a publicar suas listas no Craigslist, que era muito maior. Eles recebiam a seguinte informação: "Postar sua lista do Airbnb no Craigslist aumenta seus ganhos em US$500 por mês, em média", e podiam fazê-lo clicando em um único botão. Isso exigiu habilidades tecnológicas avançadas — diferente de muitas plataformas, o Craiglist não possui uma Interface de Programação de Aplicativos (API) para permitir que outros softwares se comuniquem com ele —, mas se tratava de inovação tecnológica para propósitos de inovação distributiva, e não inovação de produto. "Era um novo tipo de abordagem", disse o fundador do Airbnb, Nathan Blecharczyk, a respeito da integração. "Nenhum outro site teve uma integração tão boa. Foi um grande sucesso para nós."

Utilizar a rede de contatos existente tem suas desvantagens, é claro. O que ela é capaz de oferecer (ou, inconscientemente, facilitar), também é capaz de tomar. A Zynga, companhia de social games, obteve um grande sucesso através do Facebook, mas precisou reinventar drasticamente seu modelo de distribuição depois que o site impediu os jogadores de postar seu progresso para seus amigos. (Revelação: sou membro do conselho de administração da companhia.) Seu fundador, Mark Pincus, fez uma excelente projeção ao construir uma franquia forte o suficiente para resistir à mudança.

Em contrapartida, as chamadas *content farms,* ou fazendas de conteúdo, como a Demand Media, que utilizavam a plataforma de busca do Google para gerar tráfego no site e receitas de publicidade, nunca se recuperaram depois que a empresa ajustou seus algoritmos para despriorizar o conteúdo do que chamou de sites "descartáveis".

Apesar desses perigos, potencializar as redes de contato é uma parte essencial do modelo de negócios, especialmente se essas redes ocasionarem uma "propulsão", posteriormente complementada com a viralização, ou efeitos de rede.

B) Viralizar

A distribuição "viral" ocorre quando os usuários de um produto atraem mais usuários; e esses usuários, ainda mais usuários, e assim por diante, da mesma forma que um vírus contagioso se espalha de hospedeiro para hospedeiro. A viralização pode ser orgânica — quando ocorre durante o ciclo de uso normal do produto — ou incentivada por algum tipo de recompensa.

Depois de lançar o LinkedIn, nós da equipe dedicamos muito tempo e energia para descobrir como melhorar sua viralização orgânica; isto é, como facilitar que os usuários convidem amigos para usar o serviço. Uma maneira de fazer isso foi refinar o que se tornou uma das ferramentas padrão da viralização, como os importadores de catálogos de endereços. Assim, criamos um software que permitia ao LinkedIn se conectar aos contatos do Outlook de nossos usuários, o que facilitou muito que eles convidassem suas conexões mais importantes. Porém, foi igualmente significativa uma fonte imprevista de viralização. Como se viu, os usuários queriam usar suas páginas do LinkedIn como a principal identidade profissional na internet. Ter uma página como essa para indicar aos outros — com todos os detalhes de sua vida profissional em um só lugar — gerou valor não apenas para o usuário, mas também para as pessoas que visualizavam a página, e isso fez com que os visitantes entendessem que deveriam ter o próprio perfil no LinkedIn. Como resultado, adicionamos perfis públicos como uma ferramenta sistemática para impulsionar a proposta de valor dos membros e nossa taxa de crescimento viral.

No PayPal, combinamos viralização orgânica e incentivada. Ele é inerentemente viral: se alguém lhe enviasse dinheiro pelo PayPal, você precisava criar uma conta para recebê-lo. Também aumentamos essa viralização orgânica com incentivos monetários. Se indicasse um amigo para o PayPal, ambos recebiam US$10. Essa combinação de viralização orgânica e incentivada permitiu que ele crescesse diariamente de 7% a 10%. À medida que a rede do PayPal se ampliou, reduzimos os incentivos para US$5 para cada um, e por fim os eliminamos.

Incentivos não precisam ser monetários: assim como o PayPal, o Dropbox usava uma combinação semelhante de viralização orgânica (usuários podiam compartilhar arquivos com não usuários) e incentivada (os titulares de contas básicas recebiam 500MB de armazenamento extra; os portadores da conta Pro, 1GB). Embora o Dropbox tenha investido em parcerias com os principais fabricantes de PCs, como a Dell, Drew Houston atribui o rápido crescimento da empresa à viralização, ajudando-a a dobrar de 100 para 200 mil usuários em apenas 10 dias de seu lançamento para então disparar para 1 milhão de usuários apenas 7 meses depois.

Se sua estratégia de distribuição foca a viralização, você deve se concentrar também na retenção. Convidar novos usuários não o ajuda a crescer se eles se virarem imediatamente e saírem. De acordo com Houston, o Dropbox descobriu isso da maneira mais difícil, quando as taxas de ativação revelaram que apenas 40% das pessoas que se inscreviam realmente colocavam arquivos em seu Dropbox e os conectavam a seus computadores. Em uma entrevista para o *Masters of Scale*, Drew descreveu uma cena que lembra a série *Silicon Valley* (mas com um final mais feliz):

> O que fizemos foi entrar no Craigslist e oferecer US$40 para quem se inscrevesse em até meia hora — um teste de usabilida-

de barato. Pensávamos: "Tudo bem, calma. Este é um convite para o Dropbox no seu e-mail. Compartilhe um arquivo com este endereço." Zero das cinco pessoas que testamos aceitaram o convite. Zero das cinco chegaram perto de fazê-lo. Isso foi simplesmente impressionante. Concluímos: "Meu Deus, esse é o pior produto já criado." Então, fizemos uma lista com cerca de 80 itens em uma planilha, lapidamos a experiência e observamos nossa taxa de ativação subir.

A viralização quase sempre demanda um produto gratuito ou freemium (ou seja, livre até certo ponto, após o qual o usuário deve pagar para atualizar — o Dropbox oferece 2GB de armazenamento gratuito). Não há uma única companhia que tenha crescido em larga escala viralizando um produto pago.

Uma das inovações de distribuição mais poderosas é combinar as duas estratégias. O Facebook conseguiu fazer isso aproveitando a viralização orgânica de uma rede social (a qual os usuários convidam outros para se unir a eles) e potencializando as redes de contatos centradas em campi, lançando o produto de universidade em universidade. Discutimos a estratégia de lançamento do Facebook em mais detalhes ao considerarmos os efeitos de rede.

3º FATOR DE CRESCIMENTO: BOAS MARGENS BRUTAS

Um dos fatores de crescimento que os empreendedores costumam negligenciar é a importância de boas margens brutas. Elas são representadas pelo número de vendas menos o custo das mercadorias vendidas, e são provavelmente o melhor indicativo de economia unitária em longo prazo. Quanto maior a margem bruta, mais valioso cada real de vendas é, pois isso significa que, a cada real, a empresa possui mais dinheiro disponível para fundos de crescimento e expansão. Muitos empreendimentos de alta tecnologia possuem boas margens brutas por padrão, razão pela qual esse fator é, com frequência, subestimado. Negócios de software possuem boas margens brutas, pois não há custo para duplicar o produto. O custo de mercadorias vendidas nos negócios de software como serviço (SaaS) é ligeiramente mais elevado devido a precisarem operar o serviço; mas, graças aos provedores de nuvem, como a Amazon, esse custo é cada vez menor.

Em contrapartida, negócios da "velha economia" frequentemente possuem margens brutas baixas. O cultivo do trigo é um negócio de margem bruta baixa, assim como vendas em lojas e restaurantes. Um dos fatores mais incríveis a respeito do sucesso da Amazon é que se trata de um amplo negócio varejista, que é um setor de margens baixas. E mesmo agora a Amazon aposta pesado em seu negócio SaaS de margem alta, o Amazon Web Services (AWS). Em 2016, o AWS foi responsável por 150% da receita operacional da Amazon, o que significa que a empresa de varejo perdeu dinheiro. A maioria das empresas de grande valor que focamos neste livro possui margens brutas superiores a 60%, 70%, ou mesmo 80%.

Em 2016, a receita do Google foi de US$54,6 bilhões sobre vendas de US$89,7 bilhões, uma margem bruta de 61%. A do Facebook foi de US$23,9 bilhões sobre vendas de US$27,6 bilhões, resultando em uma margem de 87%. Em 2015, a margem do LinkedIn era de 86%. Como já vimos, a Amazon é uma exceção, com renda bruta de US$47,7 bilhões sobre vendas de $136 bilhões, uma margem de 35%. Ainda assim, suas margens brutas superam as de empresas tradicionalmente conhecidas por serem de "margem alta", como a General Electric, que em 2016 obteve renda bruta de US$32,2 bilhões sobre vendas de US$119,7 bilhões, uma margem de 27%.

Margens brutas altas constituem um poderoso fator de crescimento, pois nem toda receita é obtida da mesma forma. É importante notar que, embora as margens brutas sejam de grande importância para o vendedor, são irrelevantes para o comprador. Com que frequência você considera a margem envolvida em uma compra? Você optaria pelo Burguer King em vez do McDonald's porque os

Whoopers possuem margem inferior às dos Big Macs? Normalmente, consideram-se o custo individual e os benefícios da compra. Isso significa que não é necessariamente mais fácil vender um produto de margem baixa do que um de margem alta. Se possível, então, deve-se projetar um modelo de negócios de margem bruta alta.

Segundo, negócios de margem bruta alta atraem investidores, que pagam bem por seu potencial monetário. Como o proeminente investidor Bill Gurley escreveu em seu blog, no post de 2011, "All Revenue Is Not Created Equal" ["Toda receita é gerada de forma diferente", em tradução livre]: "Os investidores adoram empresas em que, com um produto replicável sem custo, receitas maiores geram margens de lucro mais altas. A venda de mais cópias do mesmo software — com custo incremental zero — é um negócio que se desenvolve bem." Apelar para os investidores facilita a obtenção de mais dinheiro em melhores avaliações quando a empresa é privada (explicamos sua relevância mais adiante), e reduz o custo de capital quando a empresa é pública. Esse acesso ao capital é um fator importante para se financiar um crescimento rápido.

É importante notar a diferença entre a margem bruta potencial e a obtida. Muitos que aplicam o blitzscaling, como a Amazon e os fabricantes chineses de hardware Huawei e Xiaomi, precificam seus produtos visando a maximizar a participação no mercado em vez das margens. Como Jeff Bezos diz: "Sua margem é minha oportunidade." A Xiaomi objetiva explicitamente uma margem líquida de 1% a 3%, uma prática inspirada na Costco. Com todos os outros fatores iguais, os investidores quase sempre atribuem um valor muito maior a empresas com margens brutas potencialmente mais altas do que àquelas que já maximizaram suas margens.

Por fim, os desafios operacionais de uma empresa são dimensionados com base nas receitas ou no volume de vendas unitárias, não na margem bruta. Se você tem um milhão de clientes que geram US$100 milhões anuais em vendas, o custo para lhes atender não muda se a margem for 10% ou 80%; você ainda precisa contratar profissionais suficientes para lhes atender. Porém, é muito mais fácil desenvolver um bom suporte ao cliente quando você tem US$80 milhões de margem bruta para gastar, em vez de US$10 milhões.

Por outro lado, é muito mais fácil atender a 125 mil clientes que geram US$12,5 milhões em vendas e US$10 milhões em margem bruta do que a 1 milhão que gera US$100 milhões em vendas com os mesmos US$10 milhões de margem. São 8 vezes mais clientes e 8 vezes a receita, o que significa 8 vezes mais vendedores, representantes de atendimento, contadores e assim por diante.

Estruturar um modelo de negócios de margem bruta alta aumenta ainda mais as chances de sucesso e as recompensas. Como veremos mais adiante, margens brutas altas ajudaram até mesmo empresas de fora do ramo tecnológico, como a varejista de roupas espanhola Zara, a se tornarem gigantes globais.

4º FATOR DE CRESCIMENTO: OS EFEITOS DE REDE

A dimensão do mercado, a distribuição e as margens brutas são fatores importantes para o crescimento de uma empresa, mas o último fator desempenha o papel fundamental, que *sustenta* esse crescimento por tempo suficiente para construir uma franquia valiosa e duradoura. Embora nos últimos 20 anos os 3 primeiros fatores tenham se aprimorado, o aumento do uso da internet em todo o mundo levou os efeitos de rede a níveis nunca antes vistos. Sua importância cada vez maior é uma das principais razões para a tecnologia ser uma parte dominante da economia.

Ao final de 1996, as 5 empresas mais valiosas do mundo eram General Electric, Royal Dutch Shell, Coca-Cola Company, NTT (Nippon Telegraph e Telephone) e ExxonMobil — empresas industriais e de consumidores tradicionais que dependiam de amplas economias de escala e décadas de branding para mostrar seu valor.

Apenas 21 anos depois, no 4º trimestre de 2017, a lista era bem diferente: Apple, Google, Microsoft, Amazon e Facebook. Essa é uma mudança notável. De fato, enquanto a Apple e a Microsoft já eram empresas proeminentes, ao final de 1996, a Amazon ainda era uma empresa privada, Larry Page e Sergey Brin ainda eram pós-graduandos de Stanford que estavam a 2 anos de fundar o Google, e Mark Zuckerberg ainda estava ansioso pelo seu bar mitzvah.

Então, o que aconteceu? O que aconteceu foi a Era das Redes.

A tecnologia agora conecta a todos nós de maneiras impensáveis para nossos ancestrais. Mais de 2 bilhões de pessoas hoje carregam smartphones (muitos fabricados pela Apple, ou contendo o Android, do Google) que as mantêm constantemente conectadas à rede global. A qualquer momento, elas podem encontrar qualquer informação (Google), comprar qualquer produto (Amazon/Alibaba) ou comunicar-se com qualquer outro ser humano (Facebook/WhatsApp/Instagram/WeChat), tudo isso em escala global.

Nesse mundo altamente conectado, mais empresas do que nunca estão aptas a explorar os efeitos de rede para gerar crescimento e lucros extraordinários.

Utilizamos a definição mais básica de efeitos de rede neste livro:

> Um produto ou serviço sujeita-se aos efeitos de rede positivos quando o aumento do uso por um usuário aumenta seu valor para outros usuários.

Os economistas se referem a esses efeitos como "economia de escala em função da demanda", ou, de maneira mais generalizada, "externalidades positivas".

A mágica dos efeitos de rede é que eles geram um ciclo de feedback positivo que proporciona crescimento superlinear e criação de valor. Esse efeito superlinear dificulta que um elo da rede busque um concorrente ("aprisionamento tecnológico"), uma vez que é quase impossível para um novo integrante oferecer o mesmo valor de conexão de uma rede já estabelecida. (Os elos dessas redes são geralmente clientes ou usuários, como no clássico exemplo do aparelho de fax ou no caso mais recente do Facebook, mas podem também ser dados ou outros ativos fundamentais, valiosos em um negócio.)

O fenômeno decorrente de "aumentar os retornos por escala" comumente resulta em um equilíbrio perfeito, no qual um único produto ou empresa domina o mercado e leva a maior parte dos lucros do setor. Por isso, não é surpresa que os empreendedores inteligentes se esforcem para criar (e que os investidores inteligentes queiram investir) essas startups fundamentadas nos efeitos de rede.

Várias gerações de startups exploraram essas dinâmicas para conquistar posições importantes, do eBay ao Facebook e Airbnb. Para atingir essas metas, é essencial ter um entendimento completo de como os efeitos de rede funcionam. Meu colega da Greylock, Simon Rothman, é um dos maiores especialistas do mundo nesses efeitos, tendo construído o mercado automotivo do eBay, de US$14 bilhões. Simon ressalta: "Muitas pessoas tentam aproveitar os efeitos da rede fazendo coisas como adicionar um perfil. 'Mercados têm perfis', argumentam, 'por isso, se eu adicionar perfis, aproveitarei os efeitos da rede.'" No entanto, a realidade da criação desses efeitos é um pouco mais complexa. Em vez de simplesmente imitar recursos específicos, os melhores blitzscalers estudam os diferentes tipos de efeitos e os atrelam a seus modelos de negócios.

As Cinco Categorias dos Efeitos de Rede

No site de sua organização industrial de tecnologia da informação (TI), Arun Sundararajan, professor da Universidade de Nova York, classifica os efeitos de rede em cinco categorias amplas:

1) **Efeitos de Rede Diretos:** O aumento do uso implica diretamente o aumento de valor. (Exemplos: Facebook, aplicativos de mensagem como WeChat e WhatsApp.)

2) **Efeitos de Rede Indiretos:** O aumento do uso estimula o consumo de mercadorias complementares, o que aumenta o valor do produto original. (Exemplo: a adoção de um sistema operacional como o Microsoft Windows, iOS ou Android estimula desenvolvedores de software terceirizados a criar aplicativos, agregando valor à plataforma.)

3) **Efeitos de Rede Multilaterais:** O aumento do uso por um grupo de usuários agrega valor para outro grupo, e vice-versa. (Exemplos: comércios como eBay, Uber e Airbnb.)

4) **Efeitos de Rede Locais:** O aumento do uso por um pequeno grupo de usuários aumenta o valor para um usuário conectado. (Exemplo: voltando aos tempos das chamadas telefônicas por pulso, algumas operadoras de telefonia móvel permitiam que seus assinantes escolhessem alguns "favoritos", cujas chamadas não contavam na cobrança mensal.)

5) **Compatibilidade e Padrões:** O uso de um produto tecnológico estimula o uso de produtos compatíveis. (Exemplo: no Microsoft Office, o domínio do Word significava que o formato de arquivo do documento se tornaria o padrão; isso permitiu que ele destruísse concorrentes como o WordPerfect e afastasse as soluções de código aberto, como o OpenDocument.)

Qualquer um desses efeitos de rede exerce grande impacto. A capacidade da Microsoft de explorar múltiplos efeitos com o Windows e o Office contribuiu enormemente para o desenvolvimento de uma franquia sem precedentes e durável. Ainda hoje, o Windows e o Office permanecem dominantes no mercado de PCs. É notável que outras plataformas, como a de dispositivos móveis, tenham alcançado uma importância semelhante ou até maior.

Os Efeitos de Rede Produzem e Demandam Crescimento Agressivo

Um elemento importante para alavancar os efeitos de rede é a busca agressiva pelo crescimento e inserção na rede de contatos. Como o impacto desses efeitos aumenta de maneira superlinear, em níveis mais baixos de escala eles exercem uma pressão negativa na inscrição dos usuários. Se todos os seus amigos estão no Facebook, você tem que estar também. Mas, por outro lado, por que você se inscreveria se nenhum de seus amigos já o tivesse feito? O mesmo vale para o primeiro usuário de marketplaces como o eBay e o Airbnb.

Nas empresas influenciadas pelos efeitos de rede, não se pode começar devagar e esperar crescer lentamente; até que seu produto seja amplamente adotado em um mercado específico, isso oferece pouco valor para os potenciais usuários. Os economistas diriam que o negócio deve superar o "ponto crítico", em que a curva de demanda se cruza com a da oferta. Empresas como a Uber subsidiam seus clientes na tentativa de manipular a curva de demanda para chegar a esse ponto mais rapidamente; a aposta é que perder dinheiro em curto prazo permite ganhá-lo em longo prazo, depois de passado o ponto crítico. Um desafio que essa abordagem produz é a (eventual) necessidade de eliminar os subsídios para que a economia unitária funcione.

Quando eu estava no PayPal, uma das atitudes que tomamos para incentivar sua adoção foi informar que o serviço seria sempre gratuito. Isso representou arcar com os custos das transações com cartão de crédito. Gostaria de poder dizer que tivemos uma grande ideia. Esperávamos poder compensar o subsídio dessas taxas coletando dinheiro do float — os fundos mantidos no PayPal. Infelizmente, isso não chegou nem perto de compensar os subsídios, e a empresa perdia dinheiro. Assim, mudamos o PayPal de "sempre gratuito" para "transações ACH sempre gratuitas" [ACH: Automated Clearing House, um sistema de transações utilizado nos EUA] e começamos a cobrar taxas para aceitar pagamentos com cartão. Felizmente, já tínhamos um público fiel, e nossos clientes aceitaram a mudança.

Quando o empreendimento não consegue mudar a economia do produto (serviços gratuitos, como o Facebook, não podem baixar seus preços), as expectativas dos usuários em potencial são afetadas. O valor que os usuários atribuem ao serviço ao decidir se devem ou não o adotar depende do nível atual de inscrição *e* de suas expectativas para inscrições futuras. Se os usuários acham que outros adotarão o serviço, seu valor percebido aumenta, e eles ficam mais propensos a adotá-lo.

Essa técnica é abordada em um dos livros de negócios mais influentes de todos os tempos: *Crossing the Chasm* ["Atravessando o Abismo", em tradução livre], de Geoffrey Moore. Ele argumenta que as empresas de tecnologia frequentemente se deparam com problemas ao fazer a transição de um mercado de adotantes iniciais (ou *early adopters*) para o usuário comum — o dito "abismo". Recomenda que as empresas se concentrem em mercados de nichos expansíveis, a partir dos quais pode crescer usando uma estratégia de "pino de boliche", para que esses mercados possibilitem a abertura de mercados adjacentes. Essa estratégia é ainda mais importante para empresas influenciadas pelos efeitos de rede.

Uma empresa também pode reformular a curva de demanda projetando o valor do produto para o usuário individual, independentemente da rede de contatos. No LinkedIn, descobrimos que os perfis públicos possuíam valor independente da rede do usuário, uma vez que serviam como identidade profissional online. Isso deu às pessoas uma razão para se juntar ao LinkedIn, mesmo que seus amigos e colegas ainda não o tivessem feito.

A Conectividade Proporciona Negócios de Efeitos de Rede

Além de fomentar os efeitos de rede, a alta conectividade do mundo em que vivemos facilita atingirmos o ponto crítico em que esses efeitos atuam e também alicerça os efeitos e o domínio de mercado por eles gerado.

Primeiramente, a internet reduziu o custo da descoberta de produtos e serviços. Diferente do passado, quando as empresas precisavam oferecer mercadorias em lojas físicas e fazer propagandas para os clientes, hoje os compradores encontram o que procuram na Amazon ou em outros marketplaces, como o Alibaba, em lojas de aplicativos ou, quando tudo falhar, pesquisando no Google. Como os produtos e serviços que já são populares quase sempre aparecem primeiro nos resultados de pesquisa, as empresas com vantagem competitiva crescem rapidamente até o ponto em que os retornos crescentes dos efeitos de rede produzem o efeito de vantagem sobre a concorrência ou até o domínio absoluto do mercado. Isso explica também por que o fator de crescimento da distribuição é tão ou mais importante para o sucesso da empresa quanto o próprio produto — sem distribuição, é difícil atingir o ponto crítico.

Agora que os efeitos de rede dominam, a eficiência proporcionada pela Era das Redes possibilita o crescimento rápido. Antes, o rápido aumento de clientes levava a um rápido crescimento organizacional e a aumentos drásticos nas despesas gerais necessárias para coordenar o grande número de funcionários e equipes. As redes de hoje permitem que as empresas contornem esses limitadores de crescimento tradicionais, como quando a Apple usou a Foxconn para lidar com a possível limitação de sua infraestrutura de fabricação (falamos mais sobre isso na próxima seção). Quanto mais esses limitadores puderem ser removidos, mais dominante será o crescimento dos negócios impulsionados pelos efeitos de rede. É por isso que empresas como o Google, que ultrapassaram a marca de US$100 bilhões em receita anual, ainda crescem mais de 20% ao ano.

Por fim, a extraordinária lucratividade dessas empresas proporciona recursos financeiros para se expandir por novos campos e investir no futuro. A curva S da inovação mostra que a taxa de adoção de todas as inovações eventualmente diminui conforme o mercado se satura. No entanto, empresas como a Apple se tornaram mestres em investir em novos produtos que entram em curvas S adicionais. A Apple partiu de leitores de música para smartphones e tablets, e, sem dúvida, gastou uma parte de seus grandes lucros buscando a próxima curva S. O prêmio que os mercados públicos concedem a essas empresas também as ajuda a usar fusões e aquisições (M&A) para saltar essas curvas, como o Facebook fez com o Instagram, WhatsApp e Oculus; e o Google, com a DeepMind. É claro que os efeitos de rede não se aplicam a todas as empresas ou mercados, mesmo que sejam superficialmente semelhantes — como muitas empresas e seus investidores descobriram, para sua desventura, durante o colapso do milho, a Grande Recessão e a desaceleração do financiamento, em 2016. É por isso que os melhores empreendedores projetam modelos de negócios inovadores que aproveitem os efeitos de rede. O Google é o Google, e o Yahoo! agora faz parte da AOL (que, por sua vez, pertence à Verizon) porque o Google se concentrou no Google AdWords (um mercado com fortes efeitos de rede) enquanto o Yahoo! tentou se tornar uma empresa de mídia (um modelo tradicional com base em economias de escala).

Grande parte do sucesso histórico do Vale do Silício na construção de empresas gigantes se deve à sua ênfase cultural na inovação dos modelos de negócios, o que resulta na criação de negócios fundamentados em efeitos de rede. A ironia é que muitas pessoas no Vale do Silício não conseguiriam definir efeitos de rede ou o que os causa, se lhes perguntassem. No entanto, basicamente porque muitos empreendedores arriscam diversos modelos de empreendimentos diferentes, podem tropeçar em efeitos de rede poderosos. Craig Newmark simplesmente começou a enviar e-mails para seus amigos a respeito de eventos locais em 1995; quase 22 anos depois, os efeitos de rede mantiveram a Craigslist dominante nos classificados online, apesar de operar com uma equipe mínima e aparentemente não ter realizado alteração alguma no design do site durante todo esse período!

É aqui que a ênfase na velocidade também desempenha um papel importante. Como os empreendedores do Vale do Silício se concentram em projetar modelos de negócios que crescem rapidamente, têm mais probabilidade de implementar efeitos de rede. E, como a acirrada concorrência local obriga as startups a crescer de maneira tão agressiva (aplicando o blitzscaling), as startups do Vale do Silício têm maior probabilidade de atingir o ponto crítico dos efeitos de rede antes de startups de localidades menos assertivas.

Um dos fatores que motivaram este livro foi ajudar empreendedores a copiar esses casos de sucesso, ensinando-os a projetar sistematicamente seus empreendimentos para o blitzscaling. Ao estruturar seu modelo de negócios para alavancar os efeitos de rede, você se torna bem-sucedido onde quer que esteja.

MAXIMIZANDO O DESENVOLVIMENTO: OS DOIS LIMITADORES DE CRESCIMENTO

Implementar fatores de crescimento importantes em seu modelo de negócios inovador é apenas uma parte da batalha. É diabolicamente complicado desenvolver um empreendimento surpreendente, em parte porque é cruelmente fácil se deparar com obstáculos que *limitam* o crescimento. Um dos principais componentes da inovação do modelo de negócios é projetar buscando driblar esses limitadores.

1º LIMITADOR DE CRESCIMENTO:
CARÊNCIA DE PRODUCT/MARKET FIT

O product/market fit impulsiona o crescimento rápido, enquanto sua falta o torna dispendioso e difícil. O conceito de product/market fit é oriundo do seminal post do blog de Marc Andreessen: "The Only Thing That Matters" ["O Único Fator que Importa", em tradução livre]. Em seu ensaio, Andreessen argumenta que o fator mais importante para o êxito das startups é a relação entre mercado e produto.

Sua definição não poderia ser mais simples: "Product/market fit significa estar em um bom mercado com um produto que lhe atenda". Sem o product/market fit, é impossível transformar uma empresa em um negócio de sucesso. Como Andreessen observa:

> Há inúmeras startups devidamente planejadas que têm todos os aspectos operacionais bem desenvolvidos — políticas de RH adequadas, excelente modelo de vendas, plano de marketing cuidadosamente pensado, ótimos processos de recrutamento, atendimento exemplar, monitores de 30 polegadas para todos os programadores, grandes investidores de capital de risco dispostos a contribuir — em queda livre por nunca terem encontrado o product/market fit.

Infelizmente, é muito mais fácil definir o product/market fit do que o estabelecer! Ao começar uma empresa, a questão crítica sobre product/market fit a que você precisa responder é se descobriu uma oportunidade de mercado em que há uma vantagem ou abordagem única, e que os concorrentes não a verão até que você tenha desenvolvido uma liderança salutar. Geralmente, é difícil encontrá-la em um espaço "quente"; se uma oportunidade é óbvia, a chance de ser bem-sucedido é excessivamente baixa.

A maioria das oportunidades inovadoras surge de uma mudança no mercado a qual os participantes não querem ou não conseguem se adaptar. Em muitos casos, pode ser uma inovação tecnológica disruptiva, uma mudança na lei ou nos regulamentos financeiros, o surgimento de um novo grupo de clientes ou qualquer outra mudança significativa. Charles Schwab construiu seu império financeiro homônimo alavancando a desregulamentação das comissões de corretagem para lançar uma corretora de descontos.

Geralmente, não é possível validar o product/market fit antes de se comprometer com a criação de uma empresa, mas você deveria tentar. Como autores e empreendedores, somos grandes fãs de Eric Ries e sua metodologia de startup enxuta. É um excelente processo para se combater o risco de forma sistemática. Mas o fato é que a maioria não segue esse processo; em vez disso, opta por: "Temos sucesso ou falimos?"

A melhor maneira de uma equipe pequena, com recursos limitados, avaliar potenciais estratégias é alavancar o que chamamos em nosso livro anterior, *The Alliance* ["A Aliança", em tradução livre], de "inteligência de rede". Mesmo um pequeno grupo de fundadores provavelmente terá uma enorme rede de pessoas inteligentes, com conhecimento, ou experiências relevantes. Inicie uma conversa, faça-as desafiar sua ideia e dizer o que mais você deve considerar.

É claro que nem a melhor inteligência de rede garante que você encontre o product/market fit adequado durante essa fase de elaboração. A única maneira de descobri-lo de fato é entregando o produto para os usuários reais. Contudo, os empreendedores podem, e devem, realizar pesquisas e estruturar seu modelo de negócios para maximizar as chances de encontrá-lo o mais rápido possível.

2º LIMITADOR DE CRESCIMENTO: ESCALABILIDADE OPERACIONAL

Projetar um modelo econômico escalável não é suficiente se você não puder ampliar suas operações para atender à demanda. Com frequência, empreendedores descartam os desafios da escalabilidade operacional, afirmando: "Gerenciar o crescimento explosivo é um problema de alto nível." Problemas de alto nível ainda são problemas; lidar com questões atreladas ao crescimento, em vez de se concentrar em evitar a perda da folha de pagamentos, massageia seu ego, mas ambos ainda podem liquidar sua empresa. Em vez de ignorar esses desafios, os mais sábios inovadores implementam a escalabilidade operacional em seus modelos.

A) Limitações Humanas na Escalabilidade Operacional

Muitos problemas operacionais surgem simplesmente devido a limitações humanas. Por mais que desejemos que nós e nossos companheiros trabalhem de maneira adequada e incansável, independentemente da escala da organização, o fato é que o crescimento nos faz tropeçar em uma ampla gama de questões.

Se você lidera uma pequena equipe fundadora com 4 membros, deve se preocupar com seu relacionamento com os outros 3 cofundadores, além do relacionamento entre eles. A análise combinatória nos diz que isso significa gerenciar as relações entre 6 pares de indivíduos ([4*3]/2). Agora, imagine contratar 2 funcionários, resultando em 6 pessoas. Seria necessário gerenciar os relacionamentos entre 15 pares ([6*5]/2). O tamanho da equipe aumentou em 50%, mas o número de relacionamentos a ser gerenciados aumentou em 150%. As contas ficam mais assustadoras a partir daí. E isso considera apenas os relacionamentos de pares isolados, e não entre 3 ou 4 membros, e assim por diante.

Uma alternativa é projetar um modelo de negócios que exija o menor número possível de pessoas. Algumas empresas de software empregam modelos que lhes permitem alcançar grande sucesso com um número mínimo de funcionários. Os fundadores do WhatsApp, Jan Koum e Brian Acton, projetaram um modelo de negócios inteligente, que abordava alguns dos principais fatores de crescimento (seu serviço de comunicação alavancava os efeitos de rede clássicos e a rede de distribuição existente de listas telefônicas para crescer mais rapidamente) e buscava contornar problemas de escalabilidade operacional. O WhatsApp tinha um modelo de negócios freemium; o serviço era gratuito por um ano, então passava a custar US$1 por ano. Esse modelo pouco passível de gerar problemas basicamente eliminou a necessidade de profissionais de vendas, marketing e atendimento ao cliente, permitindo que o WhatsApp atingisse 500 milhões de usuários mensais no momento de sua aquisição pelo Facebook, com uma equipe de apenas 43 funcionários, uma proporção de mais de 10 milhões de usuários por funcionário!

Outra opção é encontrar formas de terceirizar o trabalho de contratados ou fornecedores. A estratégia do Airbnb de fotografar os quartos de seus anfitriões é um exemplo didático. No início, os fundadores do Airbnb descobriram que um dos fatores críticos que aumentavam as chances de alugar um quarto era a qualidade das fotografias. Acontece que a maioria de nós não é fotógrafo profissional, e nossos celulares não fazem um bom trabalho ao transmitir a qualidade dos cômodos. Então, os fundadores foram para a estrada, visitando os anfitriões e fotografando para eles. Obviamente, visitar pessoalmente cada anfitrião não era uma solução escalável, então a tarefa logo foi terceirizada para fotógrafos freelancers. À medida que o Airbnb cresceu, a estratégia passou dos fundadores, que gerenciavam uma pequena lista de fotógrafos, para uma funcionária que gerenciava um grande grupo de fotógrafos, para um sistema automatizado que gerenciava uma rede global de fotógrafos. O fundador Brian Chesky descreve essa estratégia de maneira sucinta: "Faça tudo manualmente até que fique muito difícil, então automatize."

Em última análise, mesmo em modelos de negócios inteligentes e automatizados, quase todas as empresas bem-sucedidas demandam milhares ou até dezenas de milhares de funcionários. Técnicas inteligentes atrasam seus efeitos, mas não para sempre. Mais adiante, discutimos algumas das inovações de gestão que permitem às empresas lidar com esse tipo de crescimento e escala organizacional.

B) Limitações de Infraestrutura na Escalabilidade Operacional

O outro grande desafio da escalabilidade operacional origina-se no esforço de expandir a infraestrutura dos negócios. Não importa quanta demanda você gera se a infraestrutura não a suporta. Limitações de infraestrutura podem até ser fatais para uma empresa. Considere os exemplos das redes sociais Friendster e Twitter.

Embora muitos tenham esquecido, o Friendster foi a primeira rede social online (pré-Facebook) a romper com o senso comum (revelação: fui um dos primeiros investidores do Friendster). Lançado em março de 2003, o Friendster aumentou o crescimento viral para milhões de usuários em poucos meses. Antes do fim do ano, a friendstermania era um fenômeno cultural tão grande que o fundador Jonathan Abrams apareceu no programa de televisão *Jimmy Kimmel live!* Porém, seu forte crescimento gerou enormes dores de cabeça, especialmente no que diz respeito à infraestrutura. Apesar de uma equipe de tecnologia talentosa, os servidores não conseguiam lidar com o crescimento, e tornou-se comum que os perfis demorassem até 40 segundos para carregar. No início de 2005, um novato mais rápido, o MySpace, gerava mais de 10 vezes o número de exibições de página do que o Friendster, que nunca se recuperou. O MySpace, é claro, acabou perdendo a guerra das redes sociais para o Facebook, uma história que discutimos em detalhes mais adiante neste livro.

O Twitter chegou perto de falir da mesma maneira, mas conseguiu se recuperar a tempo de construir um grande negócio. Quando começou a se expandir, no final dos anos 2000, tornou-se famoso por sua "Fail Whale", uma mensagem de erro com a imagem de uma baleia que aparecia sempre que os servidores não conseguiam lidar com o tráfego. Infelizmente para o Twitter, a Fail Whale fez aparições regulares, especialmente quando grandes notícias foram divulgadas, como a morte do artista Michael Jackson, em 2009 (para ser justo, o Twitter não foi o único site que teve problemas quando o Rei do Pop faleceu) ou a Copa do Mundo de 2010. O Twitter investiu pesado para reestruturar os sistemas e processos de engenharia, visando a ser mais eficiente. Mesmo com esse esforço extenuante, levou vários anos para "domesticar" a Fail Whale; só depois de ter passado a noite da eleição presidencial de 2012 sem sair do ar, o diretor de criação da empresa, Doug Bowman, anunciou que a grande Fail Whale fora derrotada.

Um dos principais fatores que possibilitaram o grande crescimento de empresas valiosas da web, que vimos nos últimos anos, foi a oferta de nuvem da Amazon, o Amazon Web Services (AWS), que ajudou muitas dessas empresas a lidar com limitações de infraestrutura. O Dropbox, por exemplo, conseguiu expandir sua infraestrutura de armazenamento com muito mais rapidez e facilidade devido ao armazenamento do AWS, eliminando a necessidade de manter os próprios arrays de discos rígidos.

O AWS reflete uma das maneiras como a Amazon tornou a escalabilidade operacional uma vantagem competitiva. Serviços da web como o AWS exploram o que a professora Carliss Baldwin e o ex-professor Kim Clark, ambos da Harvard Business School, chamam de "o poder da modularidade". Como Baldwin e Clark descrevem em seu livro, *Design Rules, Vol 1: The Power of Modularity* ["Regras de Design, Vol. 1: O Poder da Modularidade", em tradução livre], esse princípio permite que uma empresa como a Amazon e seus clientes construam produtos complexos a partir de subsistemas menores e padronizados. Mas o poder da modularidade vai além do desenvolvimento e da engenharia de software. Ao construir subsistemas fáceis de integrar, como pagamentos e logística, a Amazon torna suas atividades mais flexíveis e rapidamente adaptáveis.

Quem produz o equivalente ao AWS no que diz respeito aos hardwares é a China. Startups de hardware são capazes de gerenciar as limitações de infraestrutura e escalar de modo muito mais rápido, aproveitando os recursos de manufatura do país, diretamente ou trabalhando com empresas como a PCH, de design de fabricação personalizada. A fabricante inteligente de termostatos Nest tinha apenas 130 funcionários quando foi adquirida pelo Google por US$3 bilhões, em grande parte porque havia terceirizado toda a sua produção para a China.

Por outro lado, restrições de infraestrutura limitaram o crescimento da Tesla Motors. Devido às complexidades do processo de fabricação, as taxas de produção ficaram aquém das de outras montadoras, o resultado é que seus automóveis premiados estão quase sempre esgotados, com listas de espera de meses ou até anos. A geração de demanda não é um problema para a Tesla; mas atender a ela, sim.

PADRÕES COMPROVADOS DE MODELOS DE NEGÓCIOS

Tendo sido planejados ou não, os modelos de negócios das empresas em rápido crescimento geralmente seguem padrões comprovados que exploram fatores de crescimento e evitam os limitadores. Esses padrões de alto nível são descritos com mais detalhes a seguir, mas aqui vale notar que eles são princípios, e não fórmulas. Adotar qualquer um desses padrões específicos não garante um modelo de negócios inovador, mas compreendê-los fornece boas opções ao empreendedor.

Também vale a pena mencionar que nem todos os padrões são desenvolvidos da mesma maneira. Alguns modelos de negócios comuns seguem padrões comprovados; mas, no entanto, não parecem produzir negócios de US$100 bilhões ou mesmo de US$10 bilhões. Considere um software de código aberto que tem sido um grande sucesso como um padrão para distribuir produtos de software, como o Linux. O código aberto — software gratuito, criado pela comunidade, passível de modificação pelos usuários — ganhou proeminência durante a era pontocom e tem integrado a estrutura tecnológica do mundo desde então.

A história do software de código aberto se adéqua ao padrão de inovação do modelo de negócios. Atende a um grande mercado, possui ampla distribuição por meio de repositórios de software de código aberto, beneficia-se dos efeitos de padrões e compatibilidades da rede e dribla muitas das limitações humanas na escalabilidade operacional, aproveitando-se de uma vasta comunidade de colaboradores voluntários em vez de contratar muitos funcionários.

Mesmo o negócio de código aberto mais bem-sucedido, a Red Hat, tem uma capitalização de mercado de "apenas" cerca de US$15 bilhões, e isso depois de estar no mercado por duas décadas. A evidência empírica sugere que o código aberto é um padrão valioso para o engajamento, mas não para a elaboração de um negócio amplamente lucrativo.

Para que um padrão seja comprovado, ele deve ser capaz de demonstrar que várias empresas de grande valor o seguem. Com base nesse critério, montamos a seguinte lista de padrões comprovados para inspirar a inovação do seu modelo de negócios.

1º PADRÃO COMPROVADO: BITS EM VEZ DE ÁTOMOS

O Google e o Facebook são empresas de software e, portanto, concentram-se em bits eletrônicos em vez de materiais físicos. Negócios baseados em bits têm facilidade em atender a um mercado global, o que, por sua vez, favorece o controle de uma grande fatia dele. Os bits também são muito mais fáceis de transportar, logo, empreendimentos dessa área exploram mais facilmente as técnicas de distribuição, como a viralização, e sua ampla rede de contatos proporciona mais oportunidades de alavancar os efeitos de rede. Negócios baseados em bits tendem a possuir uma alta margem bruta, pois detém menos custos variáveis.

Bits também facilitam o desvio de limitadores de crescimento. Você produz mais rapidamente com produtos de software (muitas empresas de internet lançam novos softwares diariamente) do que com produtos físicos, tornando mais rápido e barato obter o product/market fit. E as empresas fundamentadas em bits, como o WhatsApp, têm menos funcionários do que a maioria de suas contrapartes baseadas em produtos físicos.

Em 1990, o futurista George Gilder se mostrou visionário quando escreveu em seu livro *Microcosm* ["Microcosmo", em tradução livre]: "O evento central do século XX será a derrubada da matéria. Na tecnologia, economia e política das nações, a riqueza sob a forma de recursos físicos está diminuindo constantemente em valor e significado. Os poderes da mente estão em toda parte, sobrepondo-se à força bruta das coisas."

Pouco mais de 20 anos depois, em 2011, o capitalista de risco (e cofundador da Netscape), Marc Andreessen, validou a tese de Gilder em seu artigo para o *Wall Street Journal*: "Why Software Is Eating The World" ["Por que o Software Está Dominando o Mundo", em tradução livre]. Andreessen apontou que os gigantes globais, nos setores de livraria (Amazon), provedor de vídeo (Netflix), recrutador (LinkedIn) e música (Apple, Spotify, Pandora), eram empresas de software, e que até mesmo as "velhas economias", como o Walmart e o FedEx, usavam softwares (em vez de "átomos") para conduzir seus empreendimentos.

Apesar da — ou devido à — crescente dominância dos bits, o poder do software também facilitou a expansão dos negócios baseados na matéria. O empreendimento de varejo da Amazon é fortemente baseado em produtos físicos — pense em todos os pacotes empilhados na sua lixeira! A Amazon originalmente terceirizou a logística para a Ingram Book Company, mas o investimento pesado em sistemas de gerenciamento de inventário e armazéns, à medida que cresceu, transformou a infraestrutura em um fator de crescimento. No varejo, os comerciantes pagam à Amazon para gerenciar seus estoques e logística, enquanto os enormes sistemas de computadores que construiu para operar as atividades varejistas agregaram para o lançamento do AWS, um negócio de margem alta, fundamentado em bits!

2º PADRÃO COMPROVADO: PLATAFORMAS

A economia de plataformas é anterior à Era das Redes e até mesmo à Industrial. Os principados orientados ao comércio, como a República de Veneza, proporcionaram um ecossistema acolhedor para os comerciantes, complementado pela moeda e estado de direito, bem como impostos para colher o valor da plataforma. Plataformas de tecnologia, como o Windows, da Microsoft, sobre as quais empresas foram construídas quando a world wide web ainda era um vislumbre de Tim Berners-Lee (Sir Berners-Lee escreveu sua proposta para um sistema de hipertexto global em 1989), demonstraram pioneirismo. No entanto, apesar do valor comprovado das plataformas na era pré-internet, a Era das Redes tornou-as muito mais poderosas e valiosas.

Em vez de se limitarem, como a República de Veneza, a uma localidade específica, as atuais plataformas baseadas em software alcançam distribuição global quase imediatamente. E como as transações nas plataformas de hoje são conduzidas por meio de APIs (interfaces de programação de aplicativos), em vez de negociações pessoais, ocorrem de maneira rápida, perfeita e em volumes incríveis, quase sem qualquer intervenção humana.

Se uma plataforma alcança a escalabilidade e se torna o padrão do setor, os efeitos de rede de compatibilidade e padrões (combinados à capacidade de iterar rapidamente e otimizar a plataforma) criam uma vantagem competitiva duradoura. Esse domínio permite ao líder de mercado "taxar" todos os participantes que usem a plataforma, da mesma forma que tributos foram impostos na República de Veneza. Por exemplo, a loja do iTunes recebe 30% dos lucros sempre que uma música, filme, livro ou aplicativo é vendido. Essas receitas de plataforma tendem a margens brutas muito altas, gerando fundos que podem ser recuperados para tornar a plataforma ainda melhor. A plataforma de comerciantes da Amazon, o gráfico social do Facebook e, é claro, o ecossistema iOS, da Apple, são ótimos exemplos do poder das plataformas.

3º PADRÃO COMPROVADO: GRATUITO OU FREEMIUM

A palavra "gratuito" tem um poder incrível. O economista comportamental da Universidade de Duke, Dan Ariely, escreveu sobre isso no fascinante livro *Previsivelmente Irracional*, ao descrever um experimento em que pedia aos participantes para escolher entre uma trufa da Lindt por 15 centavos e um Kiss da Hershey por apenas 1 centavo. Quase 75% escolheram a trufa em vez do humilde Kiss. Contudo, quando Aridly mudou o preço da trufa para 14 centavos e deixou o Kiss gratuito — a mesma diferença de preço —, mais de 66% optou pelo menos sofisticado, porém gratuito, Kiss.

O incrível poder da palavra gratuito a torna uma ferramenta valiosa para a distribuição e a viralização. Desempenha também um papel importante ao impulsionar os efeitos de rede, fazendo com que um produto atinja a quantidade de usuários necessária para que esses efeitos sejam acionados. No LinkedIn, sabíamos que as contas básicas deveriam ser gratuitas se quiséssemos alcançar milhões de usuários, necessários a nossos propósitos.

Um produto gratuito ainda pode ser lucrativo. No modelo de negócios direcionado à publicidade, ter uma grande quantidade de usuários é importante, mesmo que nunca cheguem a pagar pelo serviço. O Facebook não cobra um centavo dos usuários, mas é capaz de gerar grandes receitas de alta margem bruta vendendo anúncios direcionados. Contudo, às vezes, um produto não se adéqua ao modelo de publicidade, como é o caso de muitos serviços usados por estudantes e educadores. Sem a receita de terceiros, o problema de oferecer produto gratuito é que não é possível compensar a falta de vendas em quantidade.

Aqui é onde entra a inovação do freemium. O capitalista de risco Fred Wilson mencionou o termo em um post de 2006 (com base em uma sugestão de Jarid Lukin), mas o próprio modelo de negócios o antecede, originando-se do termo de vendas de software dos anos 1980 "shareware". A ideia do produto gratuito é uma estratégia para atrair e angariar uma massa crítica de usuários, enquanto a versão paga possibilita à empresa capitalizar esses usuários, desde que esse valor seja bem acordado. O Dropbox é um dos principais exemplos de um negócio freemium bem-sucedido — oferecendo 2 GB de armazenamento gratuito, atraiu uma ampla base de usuários, dos quais uma porcentagem razoável paga pelo armazenamento extra.

4º PADRÃO COMPROVADO: MERCADOS

Os marketplaces representam um dos padrões de modelo de negócios mais bem-sucedidos, com o Google e o eBay (referentes à era pontocom), e o Alibaba e o Airbnb (mais atuais) destacando-se como exemplos de empresas importantes e valiosas que seguem esse padrão. Um dos motivos que tornam os marketplaces poderosos é que eles aproveitam os efeitos de rede nos dois sentidos. Embora seja difícil criar um marketplace de sucesso do zero, o primeiro que consegue obter liquidez — a capacidade de compradores e vendedores encontrarem com rapidez e eficiência uma contraparte para realizar uma transação — torna-se atraente para ambos os lados do mercado. À medida que surgem compradores e vendedores, o marketplace torna-se ainda mais atraente para ambas as partes, desencadeando um ciclo de feedback positivo que dificulta para os novos participantes conquistarem uma fatia do mercado.

Os marketplaces oferecem vantagens além dos óbvios efeitos de rede. Ao criar um mercado líquido, do qual compradores e vendedores participam, as forças dinâmicas de suprimento e demanda impõem preços melhores do que qualquer pessoa. Quanto melhores os preços de um marketplace, mais valor ele cria, pois isso resulta em mais transações *propensas* a gerar valor. Em contrapartida, em mercados sem liquidez, os vendedores geralmente precificam seus produtos erroneamente, resultando em menos vendas e valorização.

O melhor exemplo dos benefícios da precificação eficiente é o mercado de publicidade Ad Words, do Google. Ele permite que qualquer pessoa ofereça lances em palavras-chave quantas vezes quiser; dessa forma, mesmo empresas pequenas têm acesso à distribuição global. Compare isso com o mercado de publicidade tradicional, em que grandes clientes gastam milhões de dólares em anúncios televisivos de 30 segundos em horários cobiçados, como a transmissão do Super Bowl. O sistema do Google também mede a qualidade da publicidade; anúncios cujos links são mais clicados são favorecidos. O efeito líquido é que os anúncios são direcionados aos consumidores de maneira mais efetiva, sem a sobrecarga de um intermediário como Don Draper e seus almoços regados a martíni. O Google também aumenta a própria margem bruta, porque, ao contrário dos comerciais durante uma transmissão televisiva, o espaço publicitário das pesquisas é virtualmente ilimitado e não custa quase nada.

Embora os marketplaces, mesmo os locais, tenham sido um modelo de negócios poderoso, as mudanças introduzidas pela Era das

Redes potencializaram seu valor mais do que nunca. Contudo, diferentemente de um mercado local, com suas restrições de tamanho — considere um bazar antiquado no centro de uma cidade populosa —, os comércios online integram um mercado global. E, ao conectar compradores e vendedores, em vez de manter estoques ou gerenciar logísticas (e, portanto, lidar com bits em vez de átomos), esses mercados escapam de muitos dos limitadores de crescimento da escalabilidade humana ou infraestrutural.

5º PADRÃO COMPROVADO: ASSINATURAS

Quando a Salesforce lançou o gerenciamento sob demanda de relacionamento com clientes, havia muitas dúvidas a respeito desse novo modelo de software como serviço (SaaS). A venda de softwares por assinatura, distribuída via internet, representou uma grande mudança para os fornecedores de software corporativo. O modelo anterior de venda de licenças permanentes de software on-premise e cobrança de manutenção proporcionava mais capital adiantado do que assinaturas mensais ou anuais. A equipe necessária para dar suporte ao modelo também era diferente; a venda e o suporte de software on-premise requeriam vendedores de campo e engenheiros de vendas para instalar implantações piloto, enquanto o novo modelo SaaS exigia uma equipe adicional para fornecer cobertura e suporte 24 horas por dia, 7 dias por semana.

Como podemos notar, o modelo SaaS acabou se tornando o dominante entre os softwares corporativos. As desvantagens do fluxo de caixa e das mudanças de equipe eram preocupantes, sobretudo para os agentes do mercado. Novos empreendimentos baseados em SaaS, como a Salesforce e o Workday, foram projetados e construídos em função do novo modelo, ganhando uma vantagem sobre os agentes que tentaram transformar negócios de software on-premise em softwares de assinatura.

Serviços de assinatura pela internet têm sido bem-sucedidos devido ao modelo de vendas e distribuição fornecer amplitude de mercado e melhor distribuição do que os tradicionais softwares empacotados. Devido ao custo e as despesas do extenso campo de operações necessário para viabilizar softwares on-premise, licenças de softwares corporativos tradicionais precisam ter de seis a sete algarismos apenas para funcionar. Isso significa que os vendedores de software focavam apenas as necessidades dos clientes maiores.

Em contrapartida, a Salesforce e outros fornecedores de SaaS podem vender licenças em qualquer quantidade, não apenas para as empresas da Fortune 500, mas também para empresas de pequeno a médio porte, ampliando o potencial mercado. A entrega pela internet e o autoatendimento propiciam novas formas de distribuição, que não existiam na era do software empacotado, como o incentivo viral do Dropbox ao conceder armazenamento adicional gratuito para angariar novos clientes.

O padrão de assinaturas pela internet também não se limita ao software empresarial. Os soberanos da música (Spotify, Pandora) e vídeo (Netflix, Hulu, Amazon) também desfrutam de menores despesas e maior distribuição com o modelo de negócios de assinatura.

Outro benefício menos óbvio desse modelo é que, ao escalar, a previsibilidade de seus fluxos de receita lhe permite ser mais agressivo com investimentos de longo prazo, já que não é obrigado a manter grandes saldos em caixa para lidar com problemas de curto prazo. Esse poder financeiro é uma grande vantagem competitiva. A Netflix, que anunciou planos de investir US$6 bilhões em conteúdo original para seu serviço de streaming, em 2017, explorou seu modelo de assinatura direta para superar as emissoras clássicas, que dependem de fluxos de receita menos robustos, como pagamentos de provedores de cabo e vendas de publicidade.

6º PADRÃO COMPROVADO: PRODUTOS DIGITAIS

Um dos padrões emergentes que se baseiam em novas plataformas e serviços é a venda de produtos digitais. Situados na interseção entre "bits em vez de átomos" e plataformas, os produtos digitais são produtos intangíveis, que, sem dúvida, não possuem valor intrínseco — mas ainda contribuem para um negócio lucrativo e escalável. O serviço de mensagens LINE gera receitas significativas vendendo "stickers": imagens incorporadas no texto das mensagens. Em 2014, seu primeiro ano de operação, os stickers da LINE geraram US$75 milhões em receita. Esse número cresceu para US$270 milhões em 2015, o que representou mais de um quarto da receita total da LINE. Nada mal para um produto intangível sem valor intrínseco algum!

Os produtos digitais também se tornaram um dos principais modelos de negócios na indústria de videogames, com compras de itens digitais que ajudam os jogadores a avançar ou ostentar seu status. A receita de todo o mercado proveniente de compras em aplicativos foi projetada para superar os downloads de aplicativos pagos em 2017, de US$37 bilhões contra US$29 bilhões.

Além de aproveitar as vantagens de um empreendimento baseado em bits, os produtos digitais tendem a ter margens brutas de quase 100%, já que são puramente digitais e geralmente não aumentam os custos de infraestrutura ou as despesas gerais.

7º PADRÃO COMPROVADO: FEEDS

Um dos padrões mais subestimados e menosprezados é o feed de notícias. Os poderosos efeitos de rede do Facebook permitem que o site atraia usuários, mas sua inovação no feed de notícias fez dele um negócio de alto nível. Ainda assim, o Facebook não é o único caso de sucesso centrado em feeds. Empresas como Twitter, Instagram e

Slack construíram mercados multibilionários baseados no padrão de feed de notícias.

O poder do feed de notícias origina-se da capacidade de impulsionar o engajamento do usuário, o que estimula a receita de publicidade e a retenção em longo prazo. Como o Facebook prova, um feed de notícias com atualizações patrocinadas é a maneira mais eficaz de monetizar os "olheiros" da internet. O domínio do feed de notícias do Facebook no mercado de publicidade online é superado apenas pelo AdWords, do Google. Ele começa com a vantagem significativa de captar a intenção do consumidor ativo em vez de simplesmente o desejo de se divertir. Por exemplo, quantas pessoas visitam o Facebook com a intenção de fazer compras? A mágica do modelo de feed de notícias tem sido sua capacidade de gerar receita com pessoas entediadas que se atualizam sobre o que seus amigos estão fazendo.

É claro que o uso efetivo do modelo feed de notícias exige muita tecnologia. O Facebook não insere atualizações patrocinadas aleatórias. A empresa conhece seus interesses melhor do que você, com base em todos os itens em que você já clicou, deu like ou de alguma outra forma se envolveu. Ele segmenta cuidadosamente os anúncios que mostra com base em seus hábitos e contextos que o cercam no seu feed. Essa capacidade de segmentação explica por que o Facebook conseguiu monetizar esse modelo enquanto outros produtos baseados em feeds, como o RSS, falharam.

Esse padrão é tão poderoso que o Twitter, cujo produto é essencialmente um longo feed de notícias, ainda é uma importante empresa na internet, apesar de praticamente não ter mudado seu produto durante quase uma década (um tuíte passar de um limite de 140 para 280 caracteres não conta). O Twitter é uma empresa que cresceu massivamente devido ao poder da inovação do modelo de negócios, e não à inovação de produtos ou tecnologia.

PRINCÍPIOS SUBJACENTES DA
INOVAÇÃO DO MODELO DE NEGÓCIOS

Subjacentes aos padrões comprovados de inovação do modelo de negócios estão princípios maiores, que ajudam a refinar esses padrões ou até mesmo criar novos. Esses princípios não são modelos de negócios, mas geralmente impulsionam a inovação tecnológica que propicia a inovação dos mesmos.

1º PRINCÍPIO SUBJACENTE: A LEI DE MOORE

A Lei de Moore é o princípio fundamental que colocou o "Silício" no Vale do Silício e impulsionou a ascensão mundial da indústria de tecnologia. A Lei de Moore recebeu o nome de seu codificador, o cofundador da Intel, Gordon Moore, que cunhou o termo em um artigo que escreveu em 1965, observando que o número de transistores que poderiam ser alocados na superfície de um chip de silício dobrava a cada ano.

Enquanto Moore atualizava sua lei homônima, em 1975, para uma duplicação dos transistores a cada 24 meses, o setor já havia estabelecido um consenso de 18 meses. Hoje, a Lei de Moore não se refere especificamente à quantidade de transistores; em vez disso, prevê que o poder de computação tende a dobrar a cada 18 meses. Nos últimos anos, esse crescimento de potencial foi impulsionado pela transição para a computação multicore e multithread. Talvez um dia a Lei de Moore seja atendida pela computação quântica, chips ópticos, uso de DNA ou algo ainda mais difícil de prever. A questão é que parece que o verdadeiro limite para a Lei de Moore é o talento da engenharia humana, e não a física.

A Lei de Moore é importante devido ao aumento implacável do poder da computação, que prevê atuar como fonte constante de inovação tecnológica, o que, como vimos, impulsiona a inovação do modelo de negócios. Durante muitos anos, a capacidade de processamento das unidades centrais da Intel (CPUs) foi medida através da taxa de clock — o número de vezes por segundo que a CPU poderia realizar uma operação. Embora o clock não seja mais uma medida adequada, ainda é uma boa metáfora de como a Lei de Moore fomenta o mundo da tecnologia de computação: cada tique do relógio estimula inovações cada vez mais rápidas.

O aumento do poder de computação permitiu a evolução de mainframes gigantescos para minicomputadores menores, e, desses, para computadores pessoais, até os smartphones e dispositivos "vestíveis" atuais. Temos visto um crescimento similar em fatores como largura de banda de rede, permitindo o desenvolvimento da web, do texto para imagens, áudio e vídeo, e, no futuro, 3D e realidade virtual. No entanto, os smartphones não são simplesmente versões menores dos mainframes da IBM — lembre-se de que a inovação tecnológica propicia a inovação do modelo de negócios.

Os maiores empresários não apenas seguem a Lei de Moore; eles a antecipam. Considere Reed Hastings, o cofundador e CEO da Netflix. Quando começou o empreendimento, sua visão de longo prazo era disponibilizar programação personalizada via internet. Entretanto, em 1997, a tecnologia simplesmente não era suficiente — lembre-se de que isso aconteceu durante a era do acesso discado. Uma hora de vídeo em alta definição equivale à transmissão de 40GB de dados compactados (mais de 400GB sem compactação). Um modem padrão daquela época, de 28,8K, teria levado mais de quatro meses para transmitir um único episódio de *Stranger Things*. No entanto, houve uma inovação tecnológica que permitiria à Netflix concretizar parte da visão de Hastings — o DVD.

Hastings percebeu que os DVDs, que logo seriam vendidos por cerca de US$20, eram compactos e duráveis. Isso os tornava perfeitos para um negócio baseado em aluguel de filmes por correio. Hastings disse que teve a ideia durante uma aula de ciência da computação em que uma das tarefas era calcular a largura de banda necessária para transmitir toda a informação contida em uma perua cheia de fitas de backup pelo país! Esse foi um bom exemplo de inovação tecnológica que revolucionou o modelo de negócios. A Blockbuster construiu um negócio de sucesso baseado em compra — por cerca de US$100 — e aluguel de fitas VHS em lojas físicas; afinal, as fitas espaçosas, caras e frágeis nunca fariam do aluguel por correio uma opção viável.

(Por mais distante que esteja da realidade da maioria dos leitores, quando estávamos na faculdade, era normal irmos a lojas da Blockbuster em uma sexta ou sábado à noite, pagar alguns dólares pelo aluguel de uma fita VHS, e usar um orelhão para ligar para a Domino's e pedir uma pizza antes de colocar a fita em um videocassete conectado a um tubo de raios catódicos de 25 polegadas.)

O DVD proporcionou à Netflix a criação de um modelo de negócios completamente inovador. Em vez de alugar filmes e cobrar taxas exorbitantes por atraso, os clientes da Netflix pagavam US$20 mensais por uma assinatura que dava acesso a filmes "ilimitados" — desde que assistissem a apenas um por vez. Isso pôs fim às tão odiadas taxas de atraso da Blockbuster e produziu um grande e constante fluxo de receitas, gerado por um modelo comprovado de serviço por assinatura. A Netflix decolou, e abriu seu capital ainda como um serviço de aluguel por correio.

Porém, Hastings nunca deixou de vislumbrar o futuro da Netflix — programação personalizada via internet. E enquanto a Lei de Moore continuava a fazer sua mágica de tornar os computadores cada vez melhores e a banda larga cada vez mais veloz e barata, a Netflix aguardou até que o streaming de vídeo se tornasse viável. "Quando começamos a arrecadar fundos, em 1997, achávamos que faríamos streaming em no máximo 5 anos", contou-nos Hastings quando participou de uma de nossas aulas sobre blitzscaling, em Stanford. "Em 2002, ainda não tínhamos o streaming. Então pensamos que, em 2007, ele fundamentaria metade do negócio. Em 2007, ainda não havíamos conseguido. Então fizemos a mesma previsão. Dessa vez, erramos por pouco — por volta de 2012, 60% do negócio era baseado em streaming." Pode ter demorado mais do que Hastings esperava; mas, por fim, a Lei de Moore se comprovou.

Hoje, a Netflix é sinônimo de televisão sob demanda fornecida pela internet, e criou uma categoria completamente nova de "maratona". Desde 2017, 53% dos norte-americanos adultos afirmam que sua família tem acesso à Netflix, e o serviço cresce rapidamente ao redor do mundo. A companhia usou o potencial financeiro de seu modelo de assinatura para se tornar uma das mais importantes provedoras de conteúdo próprio, desde séries como *Stranger Things* a filmes como *Beasts of No Nation* e shows como os stand-ups do comediante Dave Chappelle.

A televisão tradicional produz grande quantidade de episódios piloto, a maioria dos quais nunca chega a virar série, visando à produção de conteúdo do tipo "Must See TV" [horário do canal NBC que exibia séries populares] para atrair um público amplo, que deve ser convencido a se sintonizar toda semana. Em contrapartida, o modelo personalizado possibilita à Netflix atender a diversos públicos em vez de programar um pequeno número de canais temáticos, como a TV a cabo faz. A TV aberta foi bem-sucedida ao fornecer o mesmo a todos os espectadores — um modelo conduzido pela inovação tecnológica da transmissão via wireless e, posteriormente, via cabo coaxial. A Netflix prospera ao fornecer uma experiência cuidadosamente personalizada para cada um de seus muitos espectadores, o que configura uma enorme vantagem sobre os concorrentes tradicionais.

Além disso, a Netflix produz exatamente o que seus clientes querem com base em seus hábitos de visualização, evitando o desperdício dos episódios piloto, e só perde clientes quando eles decidem cancelar a assinatura. Quanto mais uma pessoa assiste à programação, mais específico se torna o conteúdo. E, cada vez mais, o que as pessoas querem é o conteúdo exclusivo da Netflix. O lendário roteirista William Goldman afirmou a respeito de Hollywood: "Ninguém sabe de nada" e Reed Hastings respondeu: "A Netflix sabe". E tudo isso aconteceu devido à perspicácia e à persistência de Hastings em esperar quase uma década para que a Lei de Moore transformasse sua visão de longo prazo em uma das empresas de mídia mais bem-sucedidas da história.

A Lei de Moore já funcionou muitas outras vezes, promovendo novas tecnologias que vão desde a animação digital (Pixar) até o armazenamento de arquivos online (Dropbox) e smartphones (Apple). Cada uma dessas tecnologias seguiu o mesmo caminho, da quimera à realidade, estimulado pela visão de Gordon Moore, em 1965.

2º PRINCÍPIO SUBJACENTE: AUTOMAÇÃO

As empresas adeptas do blitzscaling automatizam. Ao executar uma tarefa, os computadores são quase sempre mais rápidos, baratos e confiáveis do que os seres humanos. Além disso, continuam evoluindo, tendo sua capacidade duplicada a cada 18 meses, de acordo com a Lei de Moore, ao contrário dos seres humanos, que evoluem ao longo de milhões de anos, segundo o princípio da seleção natural de Darwin.

Em 2014, o jornalista Jan Vermeulen comparou o Apple II original (lançado em 1977) com o então moderno iPhone 5S. Ele descobriu que, nesses 37 anos, os produtos da Apple haviam se tornado 2.600 vezes mais rápidos, em termos de clock (de um processador single core de 1MHz a um processador dual-core de 1.3GHz), e tinham 16.384 mais vezes a quantidade de RAM. Uma melhoria exponencial no período de uma única geração. E essa enorme variação nem sequer leva em conta que o Apple II era um computador de mesa com um volumoso monitor antigo; e o iPhone 5S, um supercomputador portátil, que as pessoas carregam nos bolsos.

No mesmo ano em que o Apple II foi lançado, Joe Bottom estabeleceu um recorde mundial ao nadar 50 metros livre em 23,74 segundos, em um ritmo pouco inferior a 7,6km/h. Se a velocidade de natação humana tivesse aumentado tão rapidamente quanto a velocidade dos produtos da Apple, o recorde mundial em 2014 teria sido de 19.700km/h — não o suficiente para atingir a velocidade orbital, mas cerca de 25 vezes a velocidade de um jato comercial. O recorde mundial dos 50 metros livres em 2014 foi de 20,91 segundos, uma melhora mais modesta, de 11%.

Esse é o poder da automação. Ele não se aplica apenas aos produtos destinados ao consumidor, como o iPhone, mas também aos processos internos. Pense no valor que a automação cria aumentando a produtividade nos armazéns da Amazon ou mantendo os servidores do Google funcionando 24 horas por dia, 7 dias por semana.

3º PRINCÍPIO SUBJACENTE: ADAPTAÇÃO EM VEZ DE OTIMIZAÇÃO

Em um nível mais alto de abstração, as scale-ups profícuas focam mais a adaptação do que a otimização. Em vez das gigantescas linhas de montagem das montadoras de Detroit, cujas origens remontam ao Modelo T, de Henry Ford, a atual geração de empresas do Vale do Silício pratica a melhoria contínua, seja pela ênfase na velocidade ou pelos experimentos constantes e testes A/B de growth hacking — um processo de testes intensivos por todo o funil de marketing a fim de descobrir as formas mais eficazes para se desenvolver uma atividade. Essa ênfase se justifica em um ambiente em que as empresas precisam buscar o product/market fit para produtos e mercados que mudam constantemente. Considere como a Amazon se expandiu para novos mercados, como o AWS, em vez de simplesmente aprimorar suas capacidades de varejo, ou como o Facebook conseguiu se adaptar à mudança de uma rede social baseada em texto acessada pelos navegadores de desktop para uma baseada em imagem e vídeo acessada via smartphones (e em breve, talvez, realidade virtual).

4º PRINCÍPIO SUBJACENTE: O DO CONTRA

Meu amigo Peter Thiel escreveu, de maneira sábia, sobre o poder de ser do contra em seu livro *De Zero a Um*.

> Sempre que entrevisto um candidato a uma vaga, gosto de perguntar: "Sobre qual importante verdade poucas pessoas concordam com você?"
>
> Essa pergunta parece fácil por ser direta. Na verdade, é difícil de responder. Intelectualmente difícil devido ao conhecimento escolar ser um tipo de acordo. E psicologicamente difícil porque qualquer um que tente responder deve dizer algo impopular. O pensamento brilhante é raro, mas a coragem é menos importante do que a genialidade.

Ser do contra muitas vezes é fundamental para o processo de criação de uma empresa tecnológica altamente valiosa. Como já discutimos, os principais fatores de crescimento, como distribuição e efeitos de rede, tendem a fornecer recompensas desproporcionais para a primeira empresa de seu setor a alcançar a escala crítica. Ser do contra e estar certo lhe confere um grande benefício por ter uma vantagem inicial ao escalar.

Se sua empresa busca uma oportunidade que todos pensam ser interessante, é provável que tenha dificuldade em se distanciar do exército de concorrentes. Porém, se busca uma oportunidade ignorada pelo senso comum, você provavelmente terá o tempo necessário para aprimorar a inovação do modelo de negócios até que ele funcione bem. A Amazon buscava o e-commerce quando a maioria das pessoas não achava que os consumidores se sentiriam à vontade usando cartões de crédito online. O Google lançou o mecanismo de busca quando a maioria das pessoas achava que essa era uma mercadoria fugaz. E o Facebook construiu sua rede social quando a maioria das pessoas acreditava que as redes sociais eram inúteis, um mercado dominado pelo MySpace, ou ambos.

Como já vimos, grandes ideias podem parecer estúpidas a princípio. Ser do contra não significa que pessoas estúpidas discordam de você, mas que pessoas inteligentes sim! Lembre-se do que aconteceu quando Brian Chesky, Joe Gebbia e Nathan Blecharcyzk tentaram lançar o Airbnb? Investidores como Paul Graham não conseguiam imaginar por que as pessoas usariam o serviço. Isso não acontece porque os investidores são burros; a maioria dos capitalistas de risco e investidores-anjos são espertos, e as pessoas mais inteligentes e bem-sucedidas provavelmente concordariam que é melhor investir em ideias comprovadas do que nas não comprovadas.

O problema é que, por definição, a inovação do modelo de negócios consiste em tentar algo novo e, portanto, não comprovado!

Neste livro, apresentamos ferramentas, princípios e padrões que você pode usar para projetar, investir e avaliar um modelo de negócios inovador. Muitos capitalistas de risco gostam de se vangloriar que são mestres em "conexão de padrões" — porém, devemos ressaltar que nem toda conexão de padrões é útil. O tipo ruim de conexão é o que os investidores das classes B e C adoram — o lema de Hollywood. O filme *Velocidade Máxima* era famoso por seu apelo de vendas *"Duro de matar* em um ônibus". Se você for a primeira pessoa a fazer a conexão, poderá ter sucesso. *Velocidade Máxima* foi, de fato, um sucesso de bilheteria, principalmente porque correspondeu à descrição. Mas o sucesso do filme levou a uma série de produções derivadas e inferiores, indo de *A Força em Alerta* ("*Duro de Matar* em um navio") a *Momento Crítico* ("*Duro de matar* em um avião"), ambos de Steven Seagal. Quando um investidor financia "Uber para Pets", está fazendo uma má conexão de padrões.

O tipo ideal de conexão de padrões envolve a compreensão do que a ciência médica denomina "o mecanismo de ação". *Velocidade Máxima* funcionou porque confinar a ação em um ônibus que precisa manter determinada velocidade para evitar a detonação de uma bomba cria uma tensão dramática própria — especialmente devido ao famoso trânsito de Los Angeles. O Airbnb funciona porque possui um grande mercado, porque os viajantes difundem o serviço de cidade em cidade e, com isso, criam viralização, e porque segue o padrão comprovado de um mercado online.

Para ajudá-lo a ter uma ideia de como aplicar nossos princípios de inovação de modelos de negócios, pratiquemos analisando alguns dos grandes negócios da atualidade.

ANALISANDO ALGUNS MODELOS BILIONÁRIOS

1º CASO: LINKEDIN

Quando começamos o LinkedIn, em 2002, o então recente estouro da bolha pontocom levou a maioria das pessoas a considerar o setor como morto. A última atitude que os capitalistas de risco estavam dispostos a tomar era fornecer milhões de dólares para financiar um rápido crescimento. Entretanto, achei que havia uma grande oportunidade, e conduzi o LinkedIn pela fase de crescimento inicial até que pudéssemos aumentar o capital para aplicar o blitzscaling.

Esta é a história de como tudo aconteceu.

Tamanho do Mercado

A ideia principal por trás do LinkedIn era que a internet estava se transformando de um ciberespaço anônimo para uma extensão da realidade, e, portanto, a identidade online era um prolongamento da real. Os leitores da minha geração devem lembrar-se do famoso cartoon do *New Yorker* com a legenda: "Na internet, ninguém sabe que você é um cachorro." Eu não achava que esse tipo de anonimato funcionaria em um contexto profissional, daí a necessidade de uma identidade online profissional. E, embora nossa tese fosse controversa à época, meus cofundadores e eu estávamos bastante confiantes de que o mercado dos "executivos" era suficientemente grande para representar uma boa oportunidade.

Distribuição

A fim de arrecadar dinheiro para escalar o LinkedIn, tivemos que encontrar uma maneira de provar nossa estratégia de distribuição. Infelizmente, os investidores nos entendiam como um "Friendster de relações profissionais", o que era uma má conexão de padrões e fazia tanto sentido quanto um "Tinder para relacionamentos profissionais" para os VCs (Venture Capitalists) de hoje. Em vez disso, precisávamos encontrar uma maneira de usar o dinheiro e a reputação adquiridos com a criação do PayPal para conseguir investidores para o LinkedIn.

O primeiro passo foi montar uma equipe pequena e compatível. Conseguimos nosso primeiro escritório ocupando o prédio de uma startup falida de um amigo. "Arrumem o lugar para que recuperemos o depósito para a locação, e vocês podem usá-lo por três meses", disse-me. Aproveitei minha reputação para garantir um pequeno investimento, mas sabia que precisávamos mostrar um progresso significativo na distribuição antes de levantarmos a rodada seguinte. Como não tínhamos o capital para pagar pelo marketing tradicional, implementamos várias técnicas semelhantes às que pessoas hoje chamam de growth hacking para chegar a um milhão de usuários, o que nos permitiu arrecadar fundos da Greylock.

Nossa principal estratégia de distribuição era a viralização orgânica, assim como no PayPal. Nossos usuários convidavam seus contatos por e-mail porque isso construía suas redes e monitorava suas principais conexões. Mas o nível inicial de viralização não foi suficiente. Não poderíamos oferecer incentivos financeiros do PayPal; então, em vez disso, criamos recursos como o importador de endereços de e-mail, para que pudéssemos aumentar o número de convites e informar aos usuários quando seus contatos os aceitavam.

Margens Brutas

As margens brutas foram importantes pois ficou claro que o crescimento do número de usuários sempre seria superado pelo das principais redes sociais. A essa altura, o MySpace havia superado o Friendster, e o Facebook estava ganhando do MySpace — e todos tinham muito mais usuários do que o LinkedIn. Nosso argumento era que os usuários com perfis profissionais eram muito mais valiosos; mas, para prová-lo, precisávamos demonstrar nossa capacidade de obter receitas significativas com altas margens.

O primeiro modelo de negócios que testamos foi um serviço de assinatura freemium. O serviço gratuito do LinkedIn limitava o número de pedidos que os usuários podiam enviar para amigos de amigos (In-Mails), e, quando atingiam esses limites, podiam fazer upgrade para uma assinatura premium. Essa receita de assinatura foi suficiente para proporcionar a lucratividade do fluxo de caixa, mas não crescia rápido o suficiente para ser realmente convincente.

O principal ponto crítico apareceu quando descobrimos que as empresas estavam dispostas a pagar pela varredura de perfis, procurando os melhores candidatos. Então lhes oferecemos esse serviço como um produto de assinatura corporativa e, uma vez que provamos que o novo modelo era uma fonte significativa de receita de alta margem bruta, ganhamos a confiança para aplicar o blitzscaling.

Efeitos de Rede

Era presumível que o valor de longo prazo do LinkedIn sempre se originasse dos efeitos de rede. Como uma rede social profissional, ele aproveitou tanto os efeitos de rede diretos quanto os bilaterais, além de ter se tornado um formato padrão de apresentação da identidade profissional. Os efeitos diretos originam-se do fato de que cada novo usuário do LinkedIn torna a rede um pouco mais valiosa para todos os outros. Os efeitos de rede bilaterais ocorrem porque mais usuários atraem mais empregadores, enquanto estes aumentam o valor do LinkedIn como ferramenta passiva de procura de emprego.

Por fim, ao integrar a identidade online profissional da maioria das pessoas, o LinkedIn tornou-se um substituto padrão do currículo tradicional. Provavelmente, apenas um desses efeitos de rede seria suficiente para gerar a vantagem do precursor: os três trabalhando juntos construíram um imenso fosso estratégico que protegia os negócios do LinkedIn de qualquer novo participante, e até mesmo de tentativas de redes como o Facebook de dominar o mercado profissional.

Product/Market Fit

Encontrar o product/market fit adequado foi o principal ponto crítico do negócio. Como fizemos? Concentramo-nos em obter o feedback do mercado o mais rápido possível. Contratamos um vendedor, demos a ele alguns mockups do produto corporativo e o enviamos para visitar possíveis clientes. Todos quiseram comprá-lo!

Escalabilidade Operacional

Aplicar o blitzscaling ao LinkedIn acarretou dois grandes desafios operacionais de escalabilidade, além do óbvio que era dar suporte a uma rede social global com milhões de usuários. Primeiro, para respaldar a atividade precisávamos desenvolver, manter e atualizar dois produtos. Sem o produto para o usuário, as empresas não veriam o valor do produto corporativo. Sem o produto corporativo, não arrecadaríamos o suficiente para construir um grande negócio. Tivemos que atuar nas duas frentes. É difícil encontrar um engenheiro que recomende fragmentar o grupo de produtos e engenharia para trabalhar em dois produtos completamente diferentes, mas foi exatamente isso que fizemos, apesar da ineficiência e da confusão.

Em segundo lugar, tivemos que escalar rapidamente uma força de vendas enquanto ainda desenvolvíamos o produto que iríamos vender. Isso exigiu muito trabalho dos CEOs, Dan Nye e Jeff Weiner, e de suas equipes. Porém, como pudemos, também usamos a tecnologia para ajudar a aliviar as restrições da escalabilidade. Nossa ferramenta "Merlin" tornou nossos vendedores mais produtivos (e, portanto, escaláveis) ao automatizar grande parte do trabalho manual. A ferramenta analisaria os padrões de uso e diria a cada vendedor para quais empresas ligar, como estavam usando o LinkedIn e criaria até mesmo um padrão de vendas personalizado para cada potencial cliente!

2º CASO: AMAZON

Tamanho do Mercado

A ideia inicial de Jeff Bezos era aproveitar o espaço ilimitado para elaborar uma loja em que o cliente pudesse comprar tudo. A Amazon começou com livros, por representarem um mercado grande o suficiente com um produto adequado ao e-commerce (durável, com tamanhos padronizados e prontamente disponíveis). Desde então, expandiu-se de maneira constante, de livros a diversos produtos, e hoje quase atende à visão de Bezos de uma "loja que vende tudo" (embora não seja possível comprar automóveis na Amazon, ainda). O varejo é um mercado amplo, e a Amazon conquistou uma parcela quase impensável, tendo até mesmo o ampliado com o lançamento do Amazon Web Services. Agora, além de ser "a loja que vende tudo", a Amazon também fornece grande parte da capacidade de operação da internet, largura de banda e armazenamento (inclusive para outras empresas dominantes, como a Netflix).

Distribuição

A Amazon foi uma das primeiras empresas a pensar a internet como plataforma de distribuição e criou o primeiro programa de afiliação bem-sucedido, o Amazon Associates, que incentiva proprietários de outros sites a encaminhar seus clientes para a Amazon em troca de uma parte das receitas geradas. Isso permite que a companhia transforme inúmeros outros sites e comunicações online em um poderoso canal de distribuição. Ainda hoje, se você vir um link de livro na internet, em um tuíte ou em uma assinatura de e-mail e clicar, provavelmente acabará no site da Amazon através de um desses links associados.

Margens Brutas

A Amazon, na verdade, pontua muito pouco nesse fator de crescimento, embora isso seja em grande parte uma característica do setor, e não uma exclusividade da empresa. O varejo é um negócio de margem relativamente baixa, e a dedicação da Amazon em oferecer preços baixos as reduz ainda mais. Mesmo hoje, o negócio de varejo da Amazon não é lucrativo (embora pudesse ser se a situação da empresa exigisse; por exemplo, as principais operações norte-americanas da Amazon são lucrativas — mas seus lucros são superados pelas perdas geradas na Ásia).

No entanto, mesmo nos negócios de varejo da Amazon, detectamos sinais de que essas margens baixas são, na verdade, parte de uma estratégia de longo prazo que gera margens altas, mesmo no varejo. Não é segredo que a Amazon domina o e-commerce: em 2017, analistas como a Slice Intelligence relataram que a Amazon representou 44% das vendas de e-commerce dos EUA em 2016, e previram que o número aumentaria. Porém, o negócio de varejo da Amazon consiste em duas unidades muito diferentes. A primeira é a comercialização varejista tradicional da Amazon, em que compra produtos de fornecedores e os vende para os clientes. A segunda unidade, muito menos conhecida, é o mercado da Amazon, que permite a vendedores terceirizados comercializar seus produtos no site.

Esses vendedores armazenam seus estoques nos depósitos da Amazon e pagam à companhia para entregar os produtos aos clientes. Se você já comprou pela Amazon, provavelmente foi um produto terceirizado; Jeff Bezos disse que apenas cerca de 50% das unidades compradas na Amazon são próprias. Como esse mercado não exige que seu capital fique retido (em vez disso, imobiliza o capital de terceiros), suas margens brutas provavelmente se assemelham mais às altas margens do eBay do que às baixas do Walmart. Como observa Matt Cohler, da Benchmark: "Às vezes me pergunto se o negócio de armazenamento próprio da Amazon não passa de chamariz para o marketing e um fosso competitivo de capital intensivo."

Os negócios do AWS é que geram as altas margens brutas da Amazon. Lembre-se, ele gerou 150% das margens operacionais de 2016, representando US$12,2 bilhões em receita e mais de US$3 bilhões em receita operacional. As altas margens brutas do AWS permitem que a companhia invista pesadamente na liderança sobre os concorrentes. Estima-se que o AWS mantenha 40% do mercado de infraestrutura de computação em nuvem, o que supera seus três maiores rivais — Microsoft, Google e IBM — juntos!

Efeitos de Rede

Os efeitos de rede não geram muitos resultados para a Amazon. A utilização por um cliente não a torna mais valiosa para outro, com a possível exceção das análises de produtos. No entanto, quaisquer efeitos de rede diretos que existam devido a elas, não se comparam a seu impacto em uma empresa como o Facebook. A Amazon é um mercado com efeitos de rede bilaterais graças aos vendedores terceirizados, mas um lado costuma ser esquecido: os vendedores são atraídos pelo grande número de clientes, enquanto a base de clientes é indiferente à quantidade de vendedores. A Amazon se beneficia dos efeitos de escala e claramente usa a estrutura do "flywheel" (impulsionador), do autor e estrategista Jim Collins. Brad Stone resumiu essa abordagem em seu livro *A Loja de Tudo*:

> Os preços inferiores aumentaram as visitas de clientes. Ter mais clientes aumentou as vendas e atraiu mais vendedores terceirizados, que pagam comissões para o site. Isso permitiu à Amazon aproveitar melhor os custos fixos, como os centros de atendimento e os servidores necessários. Essa maior eficiência reduziu ainda mais os preços. Estimular qualquer parte do flywheel, argumentam, acelera o loop.

No entanto, por mais impressionante que o flywheel da Amazon seja, se comparado ao poderoso efeito superlinear da maioria dos efeitos de rede, é meramente linear ou sublinear. Felizmente, a Amazon se beneficia de grandes efeitos de rede em pelo menos uma de suas frentes.

A maioria dos efeitos de rede da Amazon, como a maioria de suas margens brutas, é proveniente dos negócios do AWS. A plataforma do serviço se beneficia tanto dos efeitos de rede indiretos quanto de compatibilidade e padrões. Seu sucesso incentiva desenvolvedores e produtos de desenvolvimento, como o Docker, a confiar nele como infraestrutura, o que torna o AWS ainda mais bem-sucedido (enquanto o surgimento do AWS como padrão facilita a conexão dos serviços construídos na plataforma via API).

Product/Market Fit

A Amazon raramente tem problemas com o product/market fit em sua principal atividade. Sobretudo por ter entrado em um mercado varejista — já consolidado e próspero —, foi capaz de saltar para a fase do hipercrescimento quase imediatamente. Até mesmo o AWS foi rapidamente agregado, estimulado pela sábia decisão da companhia de buscar a liderança com seu produto mais simples, o S3 (Simple Storage Service) [Serviço de Armazenamento Simples, em tradução livre], antes de se expandir para produtos mais complexos. É importante lembrar que a empresa teve muitos fracassos fora de sua atividade principal. As grandes operações de varejo da Amazon não permitiam leilões ou pagamentos pelo eBay ou PayPal, e o Fire Phone foi uma tentativa dispendiosa e infrutífera de concorrer com a Apple e o Android.

Escalabilidade Operacional

A Amazon administrou tão bem a escalabilidade operacional que deve ser a melhor do mundo nessa tarefa.

Na área de recursos humanos, Jeff Bezos guiou a empresa de maneira firme e segura, delegando a líderes como Andy Jassy, CEO do AWS, ou Jeff Wilke, chefe global de negócios voltados ao consumidor, a gestão das principais áreas da empresa. Essa atribuição fez a Amazon superar o número de 541.900 funcionários em 2017, tornando-se uma das 10 maiores empregadoras dos Estados Unidos.

Quanto à infraestrutura, sua estratégia de minimizar gastos com infraestrutura, adotada durante os primeiros anos, cedeu lugar a técnicas como a terceirização da logística para distribuidoras de livros, como a Ingram, tornando-se uma das empresas com a maior infraestrutura do mundo. A infraestrutura da Amazon é tão desenvolvida que seu empreendimento mais expansivo e rentável (AWS) baseia-se em permitir que outras empresas aproveitem sua infraestrutura computacional.

A empresa também lucra ao oferecer um serviço completo a outros comerciantes que invejam seu domínio da logística, o que deveria causar medo a empresas como a UPS e a FedEx, que passaram de parceiras a concorrentes. Além de seus 86 centros de atendimento gigantescos, a Amazon possui também pelo menos 58 centros do Prime Now nos principais mercados, o que a faz superar a UPS e a FedEx em desempenho ao oferecer entregas em menos de duas horas. A empresa também construiu centros de "classificação", que superam a UPS e a FedEx em preços, entregando pequenos pacotes pelo serviço postal dos Estados Unidos por cerca de US$1, em vez de pagar US$4,50 às empresas pelo serviço.

3º CASO: GOOGLE

Tamanho do Mercado

A proporção do mercado do Google foi drasticamente subestimada no início. Ao entrar em cena, muitos o consideraram "mais um mecanismo de busca" em um mercado dominado por empresas como o Yahoo! e a Lycos. Mesmo com a baixa probabilidade de conquistar uma fatia relevante do mercado de buscas, ainda assim, o Google seria um participante de nicho equiparado, digamos, ao Yahoo!, um portal detentor de gigantes como o Yahoo! Mail e o Yahoo! Finanças.

Os detratores não perceberam dois aspectos: primeiro, a inovação do modelo de negócios do Google — o sistema potencializador de receita do AdWords, de publicidade baseada em relevância — gerou receitas muito maiores do que seus antecessores. Segundo, a importância da busca crescia a um ritmo mais rápido do que a própria internet. À medida que ela crescia e a quantidade de conteúdo aumentava a uma taxa superlinear, ampliava-se também a dificuldade de filtrar esse conteúdo e de encontrar informações relevantes, tornando a pesquisa cada vez mais importante. Esse efeito, combinado com o rápido crescimento da internet, resultou em um mercado massivo.

Desde então, o Google expandiu seu mercado, aproveitando o poder de seu modelo de negócios para monetizar e gerar aquisições importantes, como o Android, o Google Maps e o YouTube.

Distribuição

Surpreendente é que a tecnologia do Google recebe a maior parte do crédito pelo sucesso da empresa. No entanto, isso significa que o uso hábil da distribuição é frequentemente ignorado. Para ir de "apenas outro mecanismo de busca" a "O mecanismo de busca" (como meu velho amigo Peter Thiel disse em sua conferência em Stanford, em 2014: "Competir é para perdedores"), a companhia teve que alavancar uma série de redes e parceiros. Por exemplo, o audacioso empreendimento para potencializar resultados de pesquisa da AOL ajudou a empresa a ampliar suas atividades para grandes proporções. Mais tarde, outras apostas em distribuição, como a parceria com o Firefox, a aquisição do Android e a criação do navegador Chrome, compensaram e ajudaram a manter o domínio da distribuição do Google.

O Google também encontrou maneiras de alavancar pequenos parceiros, com seu programa do Google AdSense para editores da web potencializando as atividades do Google AdWords.

Margens Brutas

O Google é uma empresa fenomenalmente lucrativa, tendo, em 2016, uma margem invejável de 61%. Porém, essa lucratividade não aconteceu por acidente ou sorte; o crédito pertence ao modelo de negócios AdWords. Como discutimos na seção sobre padrões de modelos de negócios, o modelo de mídia fundamentado em publicidade não funcionou na internet. No entanto, quando o Google surgiu, esse era o modelo de negócios dominante, utilizado por grandes agentes, como Yahoo! e Lycos. O Google adotou o modelo baseado na venda de propagandas e autoatendimento da Overture, adicionou o próprio refinamento de anúncios selecionados com base em considerações de relevância e qualidade, bem como ofertas, e buscou um modelo de negócios baseado na intenção de compra em vez de apenas atrair os usuários. Essa intenção de compra mostrou-se muito mais valiosa por unidade de tráfego, permitindo que o Google gerasse grandes margens.

Desde então, o Google tem usado o potencial financeiro de suas margens brutas para apostar em outros empreendimentos, como o Android e o Chrome, dois produtos que competem com concorrentes dominantes (o iOS, da Apple, e os navegadores da Microsoft e o Firefox). O Google também usou suas margens para financiar experimentos completamente inovadores, como o X (antigo Google X) e o Waymo (carros autônomos). Essas apostas podem ou não valer a pena; mas, ainda que fracassem, as margens da companhia possibilitam amplo dinamismo de recuperação.

Efeitos de Rede

O Google alavancou bastante os efeitos de rede em suas principais atividades, embora, ironicamente, não o suficiente em seu principal produto de pesquisa!

O aplicativo de trânsito Waze é um exemplo clássico do efeito de rede direto. Usa a localização de cada usuário para criar um modelo mais preciso de condições de tráfego, ao mesmo tempo em que permite que os motoristas relatem de maneira prática eventos como acidentes de trânsito, radares de velocidade e carros parados na beira da estrada. Em seguida, o Waze publica todos os dados para os usuários do aplicativo. Em outras palavras, quanto mais wazers estiverem na estrada, mais precisas serão as informações. Cada novo usuário agrega valor para todos os outros.

O sistema operacional Android é um exemplo clássico de efeitos de rede indiretos. Sua ampla adoção pelos usuários finais aumenta os incentivos para que desenvolvedores de aplicativos criem versões de seus produtos para o sistema. A maior disponibilidade de aplicativos atrai cada vez mais usuários para a plataforma.

O YouTube é um bom exemplo de efeitos de rede bilaterais. Ele reúne criadores de vídeos e espectadores — quanto mais conteúdo, mais pessoas aparecem para consumi-lo. Quanto mais consumidores aparecerem, mais incentivo há para criar conteúdo.

Por fim, o G Suite fornece um ótimo exemplo do poder da compatibilidade e dos padrões (ironicamente, muito parecido com o Microsoft Office, seu arquirrival), bem como os efeitos de rede locais. Quando os usuários compartilham algo pelo Google Docs ou Google Sheets, obrigam quem quiser modificar esses documentos a utilizá-los. Isso é comum especialmente em redes privadas, como uma equipe de projeto ou escola. Uma vez que um dos professores comece a usar o Google Docs para as tarefas de casa, a pressão aumenta para que todos sigam esse padrão, inclusive alunos e pais. Chris é testemunha.

Product/Market Fit

No que diz respeito ao mecanismo de busca principal e o AdWords, o Google obteve o product/market fit de maneira incrivelmente precisa. Desde o início, os resultados de pesquisa do Google superam os concorrentes. Porém, a empresa levou muito tempo para encontrar o produto certo para o mercado certo. Ela tentou vender uma ferramenta de busca voltada a empresas, um recurso que ficava armazenado em um centro de dados corporativo, indexando o conteúdo de seus servidores, e oferecia uma caixa de pesquisa para encontrar itens dentro desse conteúdo. Em seguida, o Google experimentou o modelo baseado em publicidade, exibindo anúncios da DoubleClick. Ironicamente, a empresa comprou a DoubleClick mais tarde. Felizmente, o Google encontrou o product/market fit adequado ao refinar o modelo da Overture de autoatendimento baseado em venda de propagandas. O Google AdWords era tão superior em monetizar as pesquisas por meio de seu sistema de leilões, orientado por relevância e baseado no autoatendimento que, no momento em que esses concorrentes começavam a recuperar o atraso, o Google havia acumulado os recursos financeiros que permitiam investir o necessário para manter a superioridade do produto.

O Google nem sempre consegue o product/market fit ideal (e, se o dinheiro tivesse acabado antes de o AdWords decolar, a empresa poderia ter falido). Isso é um reflexo de sua filosofia de gerenciamento de produtos, que se baseia em inovação ascendente e possui grande tolerância a falhas. Quando dá certo, como o Gmail, um projeto ascendente lançado por Paul Buchheit, gera produtos aniquiladores. Porém, quando falha, resulta em produtos *aniquilados*, como aconteceu com o Buzz, Wave e Glass. Para superar o fracasso, a empresa confia tanto em sua força financeira quanto em sua competência para eliminar insucessos. Por exemplo, ao comprar o YouTube (que nitidamente alcançou o product/market fit), estava disposta a abandonar o próprio Google Video, apesar de ter investido pesado nele.

Outras empresas altamente bem-sucedidas adotam uma abordagem muito diferente. Ao contrário do Google, em que novas ideias podem surgir de qualquer lugar da empresa e há sempre muitos projetos sendo desenvolvidos ao mesmo tempo, a Apple adota uma abordagem descendente, que busca tiros mais certeiros. A companhia adota linhas de produtos reduzidas e tende a trabalhar em um único produto crítico por vez. Uma filosofia não é necessariamente melhor do que a outra; o importante é encontrar o product/market fit rapidamente, antes que a concorrência o faça.

Escalabilidade Operacional

Como é de se esperar de uma organização orientada à engenharia, o Google se destaca em escalabilidade operacional. Por um lado, o investimento pesado nas próprias ferramentas e infraestrutura permitiu que a organização ajustasse suas bases de alto desempenho à medida que a empresa crescia.

A empresa também inovou na escalabilidade de pessoas. Embora a maioria das práticas de gerenciamento de pessoas do Google sejam inteligentes, porém relativamente simples — por exemplo, a empresa designa as equipes menores para trabalhar em novos produtos e as maiores atuam na manutenção e ampliação dos existentes —, a empresa investiu pesado em dados e análises de pessoas para determinar fatores como o número ideal de entrevistas por candidato (não mais do que cinco) e melhorar práticas de recrutamento, revisões de desempenho, e assim por diante.

4º CASO: FACEBOOK

Tamanho do Mercado

O dimensionamento do mercado foi uma das principais razões que mascararam o valor potencial do Facebook quando ele surgiu. Na época, seu mote seria "uma rede social para universitários". Essa descrição, que combinava uma categoria nova e não comprovada de produto a um público específico (e restrito), fazia com que o Facebook parecesse um produto de nicho. Entretanto, quando investi no Facebook, a visão de Mark Zuckerberg era muito mais rica e ampla. Mark queria padronizar o Facebook como meio de contato, o que era e ainda é um enorme mercado. É claro que, mesmo quando Mark apresentou essa visão mais ampla, muitos investidores não acreditaram nele, para seu arrependimento.

Distribuição

O Facebook se destacou na distribuição. Como mencionado, seu foco inicial em universitários, o que fez com que alguns o descartassem, entendendo-o como produto de nicho, era, na verdade, parte de uma estratégia de distribuição extremamente bem-sucedida. Para alcançar uma viralização extraordinária, o Facebook propositalmente atrasaria seu lançamento em um campus universitário até que mais de 50% dos alunos o solicitassem, de modo que a massa local de estudantes fosse alcançada quase imediatamente.

O Facebook se beneficiou ainda mais da alavancagem das redes de amigos para expandir sua base de usuários universitários. Como eles experimentaram os benefícios de permanecer conectados via Facebook, espontaneamente adicionaram seus amigos à rede.

Margens Brutas

Assim como o Google, o Facebook começou sem um modelo de receita eficaz. Contudo, tendo descoberto o valor das postagens patrocinadas em um feed de notícias, tornou-se altamente lucrativo. Atualmente, cerca de 90% de sua receita vem de vendas de anúncios, e a empresa atinge uma espantosa margem de 87%.

Essa margem bruta possibilitou investir fortemente em talento e tecnologia. Possibilitou também que Mark Zuckerberg fizesse sábias (e caras) aquisições, como o Instagram e o WhatsApp, tornando-se um agente dominante das redes sociais móveis e de desktop, e também que fizesse apostas em longo prazo, como a Oculus.

Efeitos de Rede

Já falamos sobre como o Facebook aproveita os efeitos de rede diretos (quanto mais usuários aderem à plataforma, maior seu valor para todos os outros) e os locais (sendo a rede social predominante em uma universidade, é extremamente difícil para qualquer outro concorrente afastar os usuários do Facebook).

O Facebook também se beneficia de alguns efeitos de rede indiretos, graças aos serviços de plataforma, como a API Graph (que permite aos desenvolvedores alavancar o gráfico social de usuários e seus relacionamentos no Facebook) e o Facebook Connect (que permite que os usuários façam login em um site usando a conta do Facebook em vez de criar uma nova).

Product/Market Fit

O Facebook alcançou o product/market fit quase imediatamente, o que explica seu rápido crescimento. No entanto, parte do que torna o Facebook uma grande empresa e Mark Zuckerberg, um grande CEO, é ser capaz de obter o product/market fit em diversas áreas, em outros momentos da história da empresa.

Muitas pessoas se esquecem da difícil adaptação do Facebook ao celular. O serviço mobile proporcionou uma experiência lenta e abaixo do padrão, e até mesmo aderir ao produto era um processo lento. Felizmente para o Facebook, Mark Zuckerberg viu que o mercado estava se tornando portátil e suspendeu o desenvolvimento de novos recursos para concentrar toda a equipe na criação de um novo produto mobile bem aprimorado. Paralelamente, ele também agia de maneira rápida e determinada para adquirir o Instagram e o WhatsApp; quando foram anunciadas, ambas as aquisições foram consideradas caras, mas, olhando para trás, eram pechinchas. Hoje, o Facebook possui mais de 1,7 bilhão de usuários via mobile ativos por mês, e as propagandas via mobile respondem por 81% da receita de publicidade da empresa. Mais de 56% dos usuários do Facebook acessam o serviço exclusivamente por celular.

Igualmente importante foi a capacidade do Facebook de conseguir o product/market fit adequado para seus anunciantes. Quando começou, o senso comum pregava que o conteúdo gerado pelo usuário, como o Facebook, nunca seria capaz de atrair anunciantes, que não desejavam associar suas marcas a conteúdos de má qualidade ou mesmo inapropriados. O modelo de pesquisa do Google foi o que funcionou na publicidade online. O Facebook conseguiu transcender o senso comum, desenvolvendo algoritmos para bloquear conteúdo inadequado, aprendendo com o modelo de atualização patrocinada do Twitter e incorporando anúncios em seu feed de notícias. O modelo de feed de notícias foi especialmente eficaz para monetizar seu uso através de dispositivos móveis. Em referência ao que funcionou no mundo impresso, as propagandas são misturadas ao conteúdo, e, à medida que você percorre a revista ou o feed, as encontra como parte do conteúdo, ao contrário de pop-ups, anúncios sobrepostos ou dos estáticos banners tradicionais. No entanto, o feed de notícias é ainda melhor para os anunciantes do que as revistas, pois a interação social (clicar, curtir, compartilhar) convida os usuários a interagir com o que é exibido, incluindo anúncios!

Escalabilidade Operacional

Como o Facebook conseguiu superar o limitador de crescimento da escalabilidade operacional? No que tange à tecnologia, uma das filosofias que ajudaram a empresa a ter sucesso foi o famoso lema "mova-se rápido e quebre coisas". Essa ênfase na velocidade, que veio diretamente de Mark Zuckerberg, permitiu que a companhia alcançasse o rápido desenvolvimento de produtos e sua melhoria contínua. Ainda hoje, todo novo engenheiro de software que se junta ao Facebook é convidado a fazer uma revisão na base de código da empresa (correndo o risco de afetar milhões, ou até bilhões, de usuários) em seu primeiro dia de trabalho. No entanto, como a base de usuários e a equipe de engenharia do Facebook cresceram desmedidamente, Mark teve que mudar a filosofia para: "Aja rápido e quebre coisas com infraestrutura estável."

Embora esse novo lema pareça contraditório, Mark explica que se concentra em um objetivo superior: "O foco é se mover rápido", disse-me. "Quando o empreendimento era menor, estar disposto a quebrar as coisas nos permitia avançar mais rapidamente. Porém, à medida que crescemos, essa inclinação começou a nos desacelerar, pois a complexidade emergente dificultava a correção de problemas. Dedicando tempo extra para preservar a estabilidade da infraestrutura, reduzimos o impacto e o tempo de recuperação por ter quebrado coisas e, assim, pudemos realmente agir mais rapidamente."

O QUE SUCEDE UM MODELO DE NEGÓCIOS SUBSTANCIAL E COMPROVADO?

Se você acredita que projetou um modelo de negócios que sustenta o crescimento sólido e a criação de valor, o próximo passo é optar por uma estratégia. É aí que entra a inovação estratégica.

PARTE III
Inovação Estratégica

Embora o blitzscaling seja o foco deste livro e a arma secreta por trás do assombroso crescimento e do domínio de mercado das empresas mais valiosas do mundo, também é uma inovação estratégica. Ele é, na verdade, *a* inovação estratégica que respalda o próprio ecossistema de rápido crescimento diante do risco e da incerteza. Fazer ou não fazer o blitzscaling? Eis a questão. Essa é uma escolha estratégica (e difícil), e, por isso, precisamos observar quando e como os fundadores e CEOs abordaram essa decisão e como isso transformou suas empresas e até mesmo seus próprios papéis em seus negócios.

QUANDO DEVO *COMEÇAR* O BLITZSCALING?

A pergunta que os fundadores de startups nos fazem com mais frequência quando falamos de blitzscaling é: quando devo começar o blitzscaling da minha empresa?

O principal motivo que faz a compreensão e a implementação dos princípios do blitzscaling parecerem difíceis, principalmente se você for um executivo experiente, é que ele exige que você descarte muitas das regras típicas dos negócios. Basicamente, o blitzscaling pega tudo o que você acha que sabe de seus anos de experiência arduamente conquistada, de uma escola de negócios ou de sua obsessão em seguir a metodologia enxuta nos estágios iniciais... e arremessa pela janela. O planejamento cuidadoso, o investimento cauteloso, o serviço cortês e uma "burn rate" (a quantia de dinheiro que a empresa consome mensalmente para fazer a folha de pagamento, pagar o aluguel e assim por diante) rigidamente controlada acabam sendo deixados de lado em favor de estimativas rápidas, ignorando clientes irritados e gastos de capital ineficazes. Por que você iria querer seguir um curso de ação tão arriscado e contraintuitivo? Em uma palavra: velocidade.

Lembre-se, o objetivo do blitzscaling é alcançar um crescimento "relâmpago", apesar do aumento dos riscos e custos. Implementá-lo (por razões ofensivas ou defensivas) só faz sentido se você determinou que a velocidade no mercado é a estratégia crítica para alcançar resultados expressivos.

Você não precisa ter necessariamente um modelo de receita sólido para decidir fazer o blitzscaling. Na verdade, um de seus elementos-chave é a disposição dos investidores de financiar o crescimento antes que o modelo de receita seja testado — afinal, é muito fácil financiar o crescimento depois que o modelo de receita é comprovado.

A Slack gastou quase cinco anos e US$17 milhões em desenvolvimento antes de ir a público, em fevereiro de 2014. Dois meses depois, no final de abril, havia levantado outros US$43 milhões. Ambos os investimentos ocorreram antes que a Slack provasse que seu modelo de receita era eficaz e gerasse vendas significativas. Seu modelo de negócios freemium (que oferece um serviço gratuito e incentiva os usuários a depois fazerem o upgrade para se tornar clientes pagantes) significava que, mesmo após dois meses de um rápido aumento no número de usuários, a empresa não tinha conseguido comprovar sua capacidade de ganhar dinheiro. Felizmente para a Slack e para seus investidores, essa agressividade foi recompensada. À medida que a febre inicial de usuários não pagantes começou a se converter em pagantes, a Slack conseguiu levantar mais US$120 milhões seis meses depois, o que acelerou ainda mais seu crescimento.

Toda scale-up de US$100 bilhões passou pelo blitzscaling para atingir essa posição, mas isso não significa que toda startup pode ou deve fazer o mesmo. Se seu product/market fit não estiver adequado, seu modelo de negócios ainda não funcionar ou se as condições do mercado não forem apropriadas para o hipercrescimento, o blitzscaling prematuro será um doloroso (e rápido!) "blitzfalha".

Infelizmente, o blitzscaling prematuro às vezes detona um mercado emergente queimando todo o setor de forma tão drástica que investidores e empreendedores passam a evitá-lo. O fracasso homérico da Webvan afastou a maioria dos agentes do setor de entregas de artigos de mercearia por mais de uma década.

Aqui estão alguns fatores a observar se você tem se perguntado se é a hora certa de sua empresa fazer o blitzscaling.

A NOVA GRANDE OPORTUNIDADE

Para conquistar um sucesso substancial, você precisa de uma nova grande oportunidade — em que as proporções do mercado e as margens brutas se unam para criar um enorme valor potencial, e em que não haja um líder de mercado ou oligopólio. Uma nova grande oportunidade tende a surgir quando uma inovação tecnológica cria um novo mercado ou bagunça um existente. Shishir Mehrotra, ex-gerente-geral do YouTube, participou de uma de nossas aulas sobre blitzscaling, em Stanford, e explicou como as mudanças tecnológicas criaram uma nova grande oportunidade para o YouTube explorar:

Por que o YouTube se expandiu no momento certo? As redes finalmente estavam avançadas o suficiente para transmitir vídeos. Câmeras de smartphones permitiam que todos os gravassem. E o ambiente de investimento permitiu uma aposta intensiva em capital.

Se as margens brutas dessa nova oportunidade forem baixas, as proporções do mercado devem ser ainda maiores para torná-la boa. Você precisa ter certeza de que a amplitude do prêmio vale a pena.

O custo do blitzscaling, mesmo quando o processo é bem-sucedido, costuma ser bastante alto. Basicamente, o risco e a dor de se fazer o blitzscaling não valem a pena se a oportunidade for ínfima. A boa notícia é que, na Era das Redes, a facilidade de expandir rapidamente produtos e serviços para um mercado verdadeiramente global significa que há mais grandes oportunidades do que nunca.

Considere a ascensão do Alibaba. Jack Ma percebeu que a oportunidade para o e-commerce na China, e em outros mercados asiáticos, era ainda maior em longo prazo do que a do e-commerce no mercado norte-americano. Quando Jack fundou o Alibaba, em 1999, o mercado de e-commerce na China era insignificante e carecia de recursos complementares essenciais, como o equivalente ao FedEx, UPS, Visa e Mastercard (e PayPal).

No entanto, ele sabia que a recompensa era tão grande quanto prometia. A Organização para Cooperação e Desenvolvimento Econômico (OCDE) prevê que a classe média da China (definida por uma renda familiar entre US$20 mil e US$160 mil anual) será equivalente a 73% da população até 2030, uma proporção de mercado de quase 3 vezes o tamanho de toda a população dos Estados Unidos. Tal recompensa justifica um nível extremamente alto de investimento. Jack levantou US$25 milhões da SoftBank, Goldman Sachs e Fidelity para expandir os negócios e outros US$75 milhões em capital de giro da General Atlantic, em 2009. Hoje, o Alibaba controla cerca de 80% do mercado de e-commerce na China (o que para a Amazon, nos Estados Unidos, são 44%), e seu IPO de 2014 na Bolsa de Valores de Nova York se tornou o maior da história, levantando US$25 bilhões para a empresa. Em julho de 2017, o Alibaba se tornou a primeira empresa asiática a superar US$400 bilhões em valor de mercado.

Algumas grandes oportunidades são tão amplas que geram oportunidades secundárias de blitzscaling. O Taobao Marketplace, do Alibaba, sustenta inúmeros comerciantes; a expansão do Facebook possibilitou o início do crescimento da plataforma da Zynga; e os dispositivos iOS, da Apple, criaram uma boa oportunidade para desenvolvedores de jogos, como o Rovio e o Supercell.

A Vantagem do Precursor

O motivo ofensivo mais comum para o blitzscaling é o desejo de atingir uma massa crítica, o que confere uma vantagem competitiva duradoura. Às vezes, isso é simplesmente uma questão de dominar economias de escala, como no caso da Amazon e do Walmart; mas, na maioria das vezes, a massa crítica aciona efeitos de rede, como no Uber e no Airbnb.

É pouco provável que o blitzscaling seja bem-sucedido se outra empresa já tiver alcançado a vantagem do precursor. Durante a era das pontocom, a Amazon e o Yahoo! fizeram um ataque frontal aos negócios de leilão do eBay, mas os efeitos de rede de seu mercado bilateral, de compradores e vendedores, tornaram sua vantagem sólida demais para ser superada. Em contrapartida, quando a Amazon entrou no setor de vendas de CDs de música — sim, em um passado não tão distante a música era vendida em mídias físicas —, que ainda não era tomado por esses efeitos, destruiu rapidamente o até então líder de mercado, o CDNow.

A vantagem do precursor também pode se restringir a um determinado mercado ou nicho de clientes. O gigante de e-commerce da América Latina, o MercadoLibre, foi fundado em 1999, quando a Amazon já gerava bilhões em receita, e o eBay já se expandia agressivamente no exterior. No entanto, apesar de não ser o precursor global do e-commerce, o MercadoLibre ainda poderia construir um negócio vital como o primeiro escalador da América Latina. Em uma entrevista para o Masters of Scale, o fundador e CEO do MercadoLibre, Marcos Galperin, explicou por que ele conseguiu obter a vantagem do precursor:

> Antes de fundar o MercadoLibre, fiz uma pesquisa com 20 colegas latino-americanos da Stanford Graduate School of Business, e todos me disseram que isso [um eBay para a América Latina] nunca funcionaria na região. Naquela época, o eBay era profícuo e viável nos EUA, na Alemanha e no Japão.

Ao entrar em um mercado em que até mesmo outros empresários latino-americanos temiam pisar, o MercadoLibre ganhou uma vantagem competitiva e conquistou a vantagem do precursor. É importante não confundir massa crítica com vantagens de pioneirismo. Inovar em um mercado rende gratificações por ser um visionário de produtos; mas se você não for, também, o primeiro a escalar, acabará como uma nota de rodapé em um artigo da Wikipédia sobre seu concorrente que fez isso.

Além disso, às vezes não há vantagem do precursor a ser superada. Se você não identificar nenhum efeito de rede ou aprisionamento tecnológico do cliente, a escalabilidade não vai oferecer retornos suficientes para compensar o blitzscaling. Suspeitamos que o mercado de entrega de alimentos dos restaurantes — um negócio simples de commodities — dificilmente oferecerá vantagens competitivas perduráveis que justifiquem uma dispendiosa ação de blitzscaling.

CURVA DE APRENDIZAGEM

Outra maneira de criar uma vantagem competitiva de longo prazo com o blitzscaling é ser o primeiro a encarar uma curva de aprendizagem bem fechada. Algumas oportunidades, como carros autônomos, exigem que você resolva problemas difíceis e complexos. Quanto mais rápido você escalar, mais dados terá para conduzir o aprendizado (ou treinar o aprendizado de máquina), o que aprimora seu produto, facilitando sua expansão no mercado, enquanto os concorrentes que começaram a aprender ficam muito atrás.

A Netflix é líder em streaming de entretenimento em vídeo, mas só alcançou esse status porque se dispôs a enfrentar uma curva de aprendizagem fechada. Lembre-se da situação pela qual Reed Hastings passou quando a fundou, em 1997: os modens dial-up, que conectavam os consumidores à internet, eram muito lentos para transmitir vídeos de alta qualidade. Assim, a Netflix decidiu competir com locadoras, como a Blockbuster, oferecendo um serviço de assinatura (sem as odiadas taxas por atraso!) para enviar DVDs de filmes às residências dos consumidores. Isso representou uma curva de aprendizagem a respeito de tudo o que os DVDs envolviam: negociar com os estúdios o acesso aos filmes, coordenar a logística necessária para enviá-los aos consumidores e desenvolver novos recursos, como a recomendação de filmes baseada nas escolhas dos clientes. Encarar essa curva de aprendizagem foi penoso e caro, mas deu à Netflix uma vantagem competitiva sobre seus concorrentes.

Mais tarde, quando a banda larga se difundiu, a Netflix se deparou com outra curva de aprendizagem ao construir sua infraestrutura extensiva de transmissão, enquanto continuava a aprimorar seu mecanismo de recomendações ao consumidor. Foi quando esbarrou em um grande problema estratégico. O conteúdo da Netflix (filmes e séries) advinha dos estúdios, que passaram a ver as empresas de vídeo online, como o YouTube e a Netflix, como uma ameaça. Em resposta, eles aumentaram o preço que exigiam da Netflix pelo licenciamento do conteúdo e liberavam suas "galinhas dos ovos de ouro" (como o popular Saturday Night Live) somente para o Hulu (uma joint venture do setor).

A conclusão lógica era clara, mas assustadora. A Netflix precisava desenvolver o próprio conteúdo. Agora a empresa tinha que encarar o que talvez fosse a curva de aprendizagem mais fechada, já que estaria competindo com os estúdios de Hollywood, com quase um século de experiência no setor. A Netflix contratou Ted Sarandos como chefe de conteúdo e logrou êxito ao atravessar essa curva de aprendizagem, assim como fizera com tantas outras. Hoje, a Netflix é líder em conteúdo original, e até mesmo os tradicionais figurões de Hollywood, como a superprodutora Shonda Rhimes (Grey's Anatomy, Scandal, How to Get Away with Murder) e o comediante Adam Sandler (Um Maluco no Golfe, Gente Grande), deixaram os estúdios tradicionais pela Netflix. Além disso, as outras curvas de aprendizagem que a Netflix percorreu viraram o feitiço contra o feiticeiro, fazendo-a vencer os estúdios no próprio jogo. Seu mecanismo de recomendações, que lhe confere a capacidade sem precedentes de prever os conteúdos a que os usuários desejam assistir, permite trabalhar com os criadores para produzi-los (como o popular drama Stranger Things). E, como as previsões da Netflix são mais confiáveis do que as de seus concorrentes, quando disputam, ela sempre toma a dianteira.

CONCORRÊNCIA

No entanto, apesar dessas razões ofensivas para a escalabilidade, o fator que mais comumente motiva o blitzscaling é a ameaça da concorrência. Ainda que ela seja inexistente, você precisa obter a vantagem do precursor e atravessar a curva de aprendizagem, mas talvez prefira uma abordagem menos arriscada para o fastscaling. Pergunte-se: "Alguém pode perceber essa oportunidade antes de mim?", se a resposta for sim, a eliminação da concorrência, decorrente de uma transformação rápida, compensa o aumento de falhas. Quanto mais intensa for a concorrência, mais rapidamente você deve agir.

Lembra-se da situação que Brian Chesky enfrentou com o Airbnb na primavera de 2011? Assim que o negócio começou a decolar, a empresa derrapou em um concorrente aterrorizante, sob a forma dos irmãos Samwer, da Alemanha, e seu clone europeu do Airbnb em ascensão, o Wimdu. Chesky e os cofundadores foram forçados a tomar uma decisão difícil: manter os negócios como estavam, em São Francisco, e correr o risco de ser aniquilados pelo Wimdu... ou fazer o blitzscaling e vencer. Olhando para trás, alguns anos depois, Chesky reconheceu que a pressão da concorrência foi benéfica.

A história do Airbnb/Wimdu tem se tornado comum na Era das Redes. Os negócios ao redor do mundo ficavam protegidos da concorrência pela fragmentação geográfica — como livrarias físicas e jornais locais —, semelhantes aos tentilhões de Darwin, nas Ilhas Galápagos. A ascensão da internet e da Era das Redes conectou essas "ilhas" em um mercado único e hipercompetitivo, com uma concorrência acirrada por algumas posições de liderança desproporcionalmente valiosas. Como a troca interpessoal de informações hoje é rápida e ininterrupta, nossas redes de comunicação aceleraram o processo que faz as preferências individuais de mercado originarem fornecedores dominantes. Hoje, compramos livros na Amazon, e seu fundador, Jeff Bezos, é proprietário do Washington Post.

Um dos motivos que levam as empresas a confiar no blitzscaling é que a velocidade que ele possibilita as equipara às grandes organizações. As startups conseguem capitalizar rapidamente as novas oportunidades criadas pelos avanços tecnológicos. Se elas se atrasarem e acompanharem o ritmo das grandes organizações, lutarão de igual para igual, o que significa que os recursos dessas empresas de grandes proporções provavelmente serão uma enorme vantagem.

DIAS DE LUTA, DIAS DE GLÓRIA

Embora pareça que o blitzscaling é uma estratégia que só funciona em mercados "quentes", ele é promissor sob quaisquer condições. Sua principal diferença é que a taxa de crescimento de uma empresa precisa ser medida em uma escala relativa, e não absoluta. Em um mercado em rápido crescimento, uma empresa que cresce 100% ao ano pode estar perdendo participação; em tempos turbulentos, uma empresa que cresce 50% ao ano pode estar ganhando participação suficiente para conquistar o domínio do mercado. Você pode implementar o blitzscaling em tempos de luta ou de glória, embora as condições do mercado possam, e devam, afetar sua estratégia.

Mercados quentes facilitam a atração de capital e talentos (principalmente capital) para investir no blitzscaling. A Uber é um exemplo claro de como o acesso ao capital financia um crescimento agressivo e deficiente, que confere benefícios estratégicos de longo prazo. A capacidade da Uber de levantar bilhões de dólares permitiu subsidiar seu serviço para captar mais motoristas e passageiros, reforçando os efeitos de rede de seu mercado bilateral. O capital abundante também permitiu que ela (a Uber) se expandisse agressivamente para outros mercados, na tentativa de superar sua concorrência em escala crítica. Mesmo depois de um 2017 cheio de escândalos, a Uber ainda supera sua rival norte-americana Lyft. Em julho de 2017, a Lyft anunciou que havia alcançado um milhão de viagens por dia, um marco que a Uber havia alcançado no final de 2014.

Durante os dias sombrios do colapso das pontocom, o Google seguiu o manual do blitzscaling firmando um acordo de distribuição com a AOL para expandir drasticamente seus negócios no Google AdWords. O acordo, anunciado em maio de 2002, deu à AOL uma participação de 85% na receita gerada pelas pesquisas da AOL com o Google, com um mínimo garantido de US$150 milhões por ano. Na época, o Google tinha menos de um décimo desse valor no banco. Isso parecia arriscado, já que a NASDAQ havia caído quase 80%

após sua alta 2 anos antes, mas foi precisamente esse risco percebido que lhe permitiu superar os provedores dominantes, a Overture e a Inktomi, negociadas publicamente. No entanto, apesar de a receita e a garantia serem altamente agressivas, os algoritmos do AdWords aprimoraram o negócio para ambas as partes, e a medida permitiu que o Google aumentasse suas receitas de cerca de US$19 milhões, pré-AOL, em 2001, para US$347 milhões, pós-AOL, em 2003; um salto de quase 20 vezes.

Ninguém sabe de fato se os mercados vão subir ou descer em qualquer ano em particular. Mas, independentemente de qual direção tomarem, o blitzscaling é uma estratégia fundamental para aproveitar as melhores oportunidades.

ACELERANDO

Quando se decide implementar o blitzscaling, a pergunta crucial a que se precisa responder é "Como podemos agir com mais rapidez?". Não se trata simplesmente de uma questão sobre trabalhar mais ou usar os mesmos recursos de forma mais perspicaz. Trata-se de fazer coisas que as outras empresas dificilmente fazem, ou optar por não fazer o que elas fazem, porque você se predispõe a tolerar mais incertezas e/ou menos eficiência.

Em 2015, Payal Kadakia, fundadora do ClassPass (um serviço de assinatura mensal de aulas de ginástica) decidiu dobrar o tamanho de sua equipe em apenas três meses para expandir a empresa para mais cidades. Para conseguir essa aceleração, Kadakia e sua equipe dispensaram os processos de seleção tradicionais e seguiram duas regras simples. Primeira, contratar pessoas de suas redes de contatos, com ênfase no talento "de marca". Se um amigo de um colaborador trabalhasse para a empresa de consultoria de gestão Bain &

Company, seria contratado, porque o ClassPass presumia que ele era inteligente e se daria bem com as pessoas. Segunda, as entrevistas não se concentravam em habilidades e sim em alinhamento com a missão da empresa, o que permitiu uma considerável economia de tempo. Insano? Talvez. Mas o ClassPass estava em um mercado saturado e emergente, e contratar mais rápido que a concorrência lhe possibilitou ampliar e conservar sua liderança.

O blitzscaling também requer uma atenção especial ao gerenciamento de riscos. Embora ele exija assumir riscos, é possível evitar os riscos desnecessários. Na verdade, esse nível mais elevado de risco associado ao blitzscaling torna seu gerenciamento ainda mais valioso e importante. Como o cofundador do Yahoo!, Jerry Yang, declarou em entrevista para o Masters of Scale: "Todas as estratégias ousadas têm um risco. Se não vê isso, você se atira cegamente ao risco."

Um aviso final: só porque você pode implementar o blitzscaling não significa que deva. Quebrar as regras de uma atividade não garante mais sucesso do que segui-las.

Nos primórdios do LinkedIn, sabíamos que atingir uma massa crítica de usuários seria um desafio. Tivemos que ser bem claros para que os profissionais entendessem nossa proposta de valor. A maior parte não percebia o poder de suas redes de contatos e como a tecnologia poderia ajudá-los a aprimorar, expandir e alavancar estas redes. Uma abordagem possível, que muitos recomendaram seguir, era levantar uma grande quantidade de capital de risco e embarcar em uma campanha publicitária agressiva para acelerar o crescimento dos usuários. Esse é um exemplo clássico de blitzscaling — sacrificar a eficiência em prol do crescimento contra um fundo de incerteza. No entanto, não optamos por essa estratégia; acreditávamos que a concorrência ainda não estava tão acirrada, como muitos pensavam, e manter uma burn rate mínima nos permitiria esperar que o mercado entendesse nossa proposta. Ao implementarmos nossa estratégia preliminar de crescimento "lento e estável", aqueles que nos tinham recomendado investir no crescimento, negligenciando a eficiência, diziam que os concorrentes nos deixariam para trás. Não estávamos preocupados, pois nossa leitura do mercado indicava que concorrentes como o Plaxo não entendiam verdadeiramente o poder de uma rede social profissional (eles tratavam seu produto como um catálogo de endereços) e, portanto, não competíamos em um mesmo mercado. Essa hipótese acabou sendo comprovada por eventos posteriores.

Se arcar com custos adicionais e insegurança não for vantajoso, é melhor seguir as regras tradicionais dos negócios (pelo menos no começo), para que, quando o blitzscaling for conveniente, sua organização tenha se tornado eficiente, e esteja bem estruturada e preparada. Quando o LinkedIn finalmente identificou a oportunidade de expandir um grande mercado vendendo um produto corporativo aos recrutadores, éramos uma empresa mais madura, confiante para tomar uma decisão do porte do blitzscaling.

QUANDO DEVO *PARAR* O BLITZSCALING?

Embora o blitzscaling seja uma estratégia poderosa, não é permanente. Nenhuma atividade pode se expandir indefinidamente, pelo simples motivo de que nenhum mercado é eterno. Você pratica o blitzscaling quando seu mercado é vasto ou está em rápido crescimento — ou, preferencialmente, ambos. Se seu mercado se estagnar ou atingir um limite, você deve parar o blitzscaling.

Como o blitzscaling é, por definição, um mau uso do capital, só é válido quando a velocidade e o impulso são cruciais. Ele é como o pós-combustor de um jato de combate que lhe permite voar em velocidade duas ou três vezes maior, mas consome combustível a uma taxa incrivelmente alta. Você não pode ligar os pós-combustores e simplesmente nunca os desligar.

Um dos maiores desafios do blitzscaling é perceber quando a estratégia que sua empresa utiliza se desgastou e o momento em que você precisa mudar de rumo. Não é sensato esperar o crescimento se estagnar para fazer uma transformação. Em vez disso, você deve prestar atenção a alguns dos principais indicadores que alertam antecipadamente que sua estratégia está desgastada:

- Taxa de crescimento decrescente (em relação ao mercado e à concorrência)

- Agravamento da economia unitária

- Redução da produtividade dos colaboradores

- Aumento da sobrecarga de gerenciamento

Quando esses indicadores críticos começarem a aparecer, é sinal de que a estratégia que tem usado não promoverá mais crescimento e que o ciclo precisa recomeçar. O Yahoo! conseguiu tocar sua estratégia central de ser a principal mídia online por uma década, com as receitas crescendo vertiginosamente (embora tenha tido uma queda durante a crise das pontocom), até 2005. Nesse ponto, no entanto, as receitas do Yahoo! se estagnaram (e começaram a declinar em 2007, mesmo antes do início da recessão global). Em 2005, o Google tinha acabado de passar o Yahoo! em receitas anuais (US$6,1 bilhões para o Google; US$5,3 bilhões para o Yahoo!), e, depois disso, o destino das empresas divergiu drasticamente. A receita do Yahoo! ficou praticamente estática em 2006, enquanto a do Google quase se duplicou novamente.

O blitzscaling torna-se realmente perigoso quando você chega aos limites do seu mercado. Ao atingir suas fronteiras, toda essa velocidade e impulso são fatalmente destruídos.

O sintoma típico da falta de espaço, além da súbita desaceleração do crescimento, é o conflito interno. Gerentes e investidores, acostumados ao crescimento contínuo, começam a questionar: "O que deu errado?" e "Quem é o responsável?". Se a empresa não perceber a raiz do problema, sua reação mais comum (e inútil) é trocar o CEO ou a equipe executiva — o vice-presidente de vendas é particularmente vulnerável, porque tende a ser culpado pela lentidão —, ou ambos. Quantas vezes a substituição de um CEO realmente reacendeu o crescimento exponencial? O único bom exemplo em que podemos pensar é no que Steve Jobs fez com a Apple. Então, se você tem um Steve Jobs aguardando nos bastidores, vá em frente e mude de CEO. Caso contrário, isso dificilmente dará jeito.

Considere o que aconteceu com dois blitzscalers que perderam espaço — Groupon e Twitter. O Groupon foi uma das empresas de crescimento mais rápido de todos os tempos, graças à sua liderança no mercado de compras coletivas, então emergente e em ascensão. Infelizmente, esse mercado se estagnou subitamente. O problema foi a consequência irônica de um blitzscaling malfeito — os comerciantes do Groupon usaram as compras coletivas como uma maneira ineficiente de gerar rápido crescimento de receita, apenas para descobrir que as promoções não geravam reincidência nem qualquer outra vantagem competitiva ou valor de longo prazo.

Os conflitos internos se acometeram sobre o Groupon, e, como esperado, o CEO Andrew Mason foi substituído. Isso não ajudou.

O Groupon deveria ter parado o blitzscaling. A busca pelo crescimento sem eficiência superaqueceu e fragilizou o mercado. Se o Groupon tivesse reduzido os descontos exigidos dos comerciantes, o crescimento teria se reduzido, mas os negócios proporcionados por esses descontos menores teriam sido mais sustentáveis.

O Twitter passou por um problema semelhante. No final de 2014, o crescimento de seus usuários começou a declinar. Esse foi o aviso para ele pisar no freio e se preocupar com a eficiência. No período de 2011 a 2014, o Twitter aumentou sua base de funcionários em mais de 10 vezes, antecipando um crescimento continuado. Ele continuou contratando em 2015, e agregou quase 300 funcionários, apesar do crescimento escasso de usuários. Ao que parece tudo não passou de ilusão, pois sua receita continuou a crescer à medida que o mercado de publicidade amadurecia. As receitas mais do que dobraram ao longo de 2015, e depois se estagnaram.

Hoje, o Twitter está começando a reduzir o número de colaboradores, mas deveria ter sido ainda mais incisivo ao fazê-lo, uma vez que ficou claro que seu período de blitzscaling acabou.

Obviamente, durante esse período o Twitter decidiu trocar de CEO de novo, com Dick Costolo (que substituíra o fundador, Ev Williams) sendo afastado, e Jack Dorsey assumindo o papel de CEO interino. Tanto Costolo quanto Dorsey são executivos incrivelmente talentosos, mas nem mesmo grandes talentos conseguem competir em um mercado que atingiu seu limite.

POSSO NÃO IMPLEMENTAR O BLITZSCALING?

Primeiramente, como já discutimos, o blitzscaling não é para todos. Em 1994, mesmo ano em que Jeff Bezos fundou a Amazon, o empreendedor Thomas Keller comprou o The French Laundry, em Yountville, Califórnia, e o transformou em um dos melhores restaurantes do mundo, ganhando a cobiçada classificação de três estrelas do *Guia Michelin*. Hoje, a Amazon tem mais de 541.900 colaboradores e é líder de mercado em varejo online, e-books, computação em nuvem e mais; enquanto o The French Laundry, com menos de 50 colaboradores, sem filiais, que atende a apenas 60 clientes por dia, é ainda um dos restaurantes mais famosos do mundo.

Tanto a Amazon quanto o The French Laundry são ótimos negócios, mas existem em universos fundamentalmente diferentes. Os negócios da Amazon dependem de uma escala massiva e bilhões de dólares em infraestrutura; o The French Laundry conta com ingredientes locais da mais alta qualidade, preparados por alguns dos cozinheiros mais habilidosos do mundo. A escala é fundamental para o e-commerce e a computação em nuvem; mas se contrapõe à boa cozinha de classe mundial. É tão impossível imaginar a Amazon como uma pequena livraria independente quanto o The French Laundry como uma cadeia global de restaurantes, competindo com o McDonald's pela supremacia da franquia.

No entanto, se as condições estiverem ideais para o blitzscaling, seus concorrentes podem optar por assumir os riscos que você evita em troca da chance de colher possíveis recompensas. Foi o que o Airbnb aprendeu quando o Wimdu invadiu seu mercado.

O blitzscaling demanda capital — de investidores ou de fluxo de caixa — para financiar o crescimento relativamente ineficiente. Se os investidores se dispuserem a agir rapidamente e fornecer grandes quantias de capital, o risco de que um concorrente decida aumentar a escala é alto. O mesmo acontece quando um modelo de negócios propicia muitas receitas de alta margem para financiar o crescimento. Portanto, o momento mais seguro para evitar o blitzscaling é quando você aspira a um modelo de negócios de margem relativamente baixa, que os investidores não estão dispostos a financiar em escala, de forma rápida, nem de forma alguma — como, digamos, um restaurante de alta gastronomia.

Muitas empresas pequenas ou de "negócio como estilo de vida" se enquadram nessa categoria, o que justifica a decisão de evitar o blitzscaling. Entretanto, os mercados podem mudar rapidamente. Vamos voltar a 1994 e à fundação da Amazon. Por muitos anos, livrarias independentes criaram um nicho de mercado, posicionando-se em relação à concorrência de cadeias de lojas como a Barnes & Noble e a Borders. A ascensão da Amazon e sua busca por uma estratégia de blitzscaling mudaram significativamente o cenário competitivo para aquelas livrarias, forçando-as a reagir. Em 1994, a American Booksellers Association tinha mais de 8 mil membros;

em 2009, esse número havia caído para 1.651, uma redução de quase 80%. Surpreendentemente, esse número tem crescido a cada ano desde 2009, chegando a 2.321 em 2017. Nos aprofundaremos mais em como as livrarias independentes sobreviveram à era da Amazon quando examinarmos como defender sua empresa contra blitzscalers concorrentes.

Mesmo que não enfrente um concorrente desse porte, o blitzscaling cria problemas que afetam seus negócios. No Vale do Silício, ele aumentou os valores das propriedades e do custo de vida, e gerou um mercado de trabalho mais restrito, que impactou quase todos os negócios dentro de suas fronteiras, independentemente do setor. Ainda que você não concorra com blitzscalers, provavelmente competirá com eles por espaço corporativo e colaboradores.

O BLITZSCALING É ITERATIVO

O blitzscaling profícuo é um exercício de resolução de problemas em série. Cada um de seus cinco estágios requer soluções distintas para os mesmos problemas básicos a respeito de pessoas, produtos, finanças e assim por diante. Resolver um problema nunca é algo definitivo, mas provisório. Como a empresa continua a crescer, você tem que resolver o mesmo problema novamente, sob circunstâncias novas e radicalmente diferentes.

Em 2013, Paul Graham, cofundador da Y Combinator, escreveu um famoso ensaio intitulado "Do Things That Don't Scale" ["Implemente Ações Não Escaláveis", em tradução livre], no qual argumenta que as startups são como carros antiquados, que precisam de um tranco para pegar. Para fazê-las crescer, seus fundadores têm que se envolver em processos isolados e trabalhosos, que não funcionariam em escala, como recrutar pessoalmente os primeiros usuários de um produto. Esse ensaio é um clássico, mas pode dar a alguns leitores a impressão errônea de que, uma vez iniciado o "mecanismo", você só precisa implementar ações escaláveis.

Em outras palavras, a sabedoria popular (equivocada) diz:

> Passo 1: Implemente ações não escaláveis.
> Passo 2: Alcance uma boa escala.
> Passo 3: Implemente ações escaláveis.

Entretanto, ao implementar o blitzscaling, tudo o que fizer para atingir o próximo estágio não é útil para sair dele. Para construir uma verdadeira scale-up, quase tudo o que fizer precisa mudar a cada novo estágio. O blitzscaling amplia o processo simples de três passos do "Implemente Ações Não Escaláveis" da seguinte forma:

> Passo 1: Implemente ações não escaláveis.
> Passo 2: Alcance o próximo estágio do blitzscaling.
> Passo 3: Descubra como adotar abordagens de escalabilidade e outras diferentes simultaneamente.
> Passo 4: Alcance o próximo estágio do blitzscaling.
> Passo 5: Repita tudo várias vezes até dominar completamente o mercado.

Isso não significa que você não precisa se planejar com antecedência. Embora muitas vezes seja preciso implementar ações não escaláveis, ao mesmo tempo você terá que fazer escolhas que propiciem (embora não sejam certeiras) uma escala massiva. Se o seu modelo de negócios principal não tiver vantagens de escala e efeitos de rede, e a única estratégia de mercado possível consistir em vendas porta a porta, é improvável que você consiga construir um negócio extremamente relevante, usando ou não o blitzscaling.

COMO A ESTRATÉGIA DO BLITZSCALING MUDA A CADA ESTÁGIO

Como vimos na discussão sobre o blitzscaling em ambientes econômicos diversos, a velocidade é sempre relativa. O que representa a velocidade do hipercrescimento em um estágio pode ser apenas mediano em outro. Quase todas as startups tentam crescer rapidamente. Isso significa que, durante os estágios Família e Tribo (até 100 funcionários), é desafiador crescer a uma velocidade claramente mais rápida do que a média para as startups. Existem apenas três maneiras de se fazer isso.

Primeiro, você pode ser o único agente competente de seu mercado. Isso é extremamente raro, porque qualquer espaço atraente de mercado tende a atrair empreendedores inteligentes e sedentos.

Segundo, você pode ter sido o primeiro em seu mercado a descobrir uma estratégia brilhante de crescimento (maravilhosa se você conseguir administrá-la, o que também é algo raro). O PayPal não foi a única startup focada em pagamentos que surgiu no mercado, mas foi a primeira a usar o marketing viral para viabilizar compras extremamente rápidas e econômicas para os usuários.

Terceiro, você pode se distinguir de seus concorrentes buscando a escala mais resolutamente. As startups que confiam em seu sucesso, e assumem compromissos e investimentos nesse sentido superam seus concorrentes — desde que o mercado se desenvolva como previram. Esse tipo de confiança se origina de uma postura mais incisiva em termos de arrecadação de fundos, contratação e investimentos em infraestrutura — incorrendo em despesas correntes que, imagina-se, permitirão que a empresa cresça exponencialmente no futuro. Ao longo de sua história, a Amazon tem sido mais agressiva que seus concorrentes, e essa postura tem gerado dividendos enormes. Obviamente, a excelência inquestionável de Jeff Bezos e sua equipe para implementar essa estratégia colabora.

A desvantagem, naturalmente, é que o custo do fracasso é muito maior do que se você tivesse tido cautela e esperado um retorno antes de assumir compromissos. Mas esse custo adicional se reduz com os potenciais benefícios da vantagem do precursor em um valioso mercado em que o vencedor leva tudo (ou quase).

Nos estágios Aldeia (centenas de funcionários) e Cidade (milhares), a velocidade das empresas concorrentes varia bastante. Algumas se contentam com a otimização da eficiência (crescimento da scale-up), enquanto outras se concentram em velocidade (fastscaling) ou em velocidade face à incerteza (blitzscaling). Neste estágio, o blitzscaling se relaciona menos a uma postura brusca e mais à busca por uma estratégia diferenciada (mas ainda agressiva).

Uma estratégia típica do blitzscaling é o desenvolvimento rápido e paralelo do mercado. Quando o Airbnb decidiu implementá-lo, a estratégia escolhida foi expandir-se rapidamente de um único escritório, nos Estados Unidos, para vários ao redor do mundo, especialmente na Europa. Esse tipo de crescimento é altamente ineficiente — pense em todo o conhecimento, infraestrutura e pessoal que uma organização precisa adquirir para abrir escritórios bem-sucedidos em todo o mundo —, mas faz a empresa se destacar de seus concorrentes. Teria sido mais eficiente para o Airbnb se expandir em um país e com um escritório por vez, refinando sua abordagem com base nas lições de cada lançamento, mas isso teria dado espaço para o Wimdu avançar. Em outras palavras, como precisava crescer de uma empresa de 40 pessoas para uma empresa global em um ano, o Airbnb não podia se dar ao luxo de ser cauteloso com seu capital e se concentrar na eficiência. Veremos esse padrão de desenvolvimento simultâneo de mercado em exemplos posteriores em vários setores.

No estágio Nação (dezenas de milhares de funcionários), a estratégia muda novamente. As empresas alcançam a escala massiva controlando um setor até se tornarem maduras e dominantes. Como descrito em Atravessando o Abismo, de Geoffrey Moore, as empresas no estágio Nação conseguiram atravessar o abismo entre uma base de clientes de adotantes iniciais e a "Via Principal". O domínio do mercado dificulta o crescimento de modo muito mais rápido do que o do mercado em geral, enquanto a maturidade do mercado reduz o número de oportunidades para o crescimento orgânico. Como resultado, a escalabilidade nesse estágio se volta à incubação e ao crescimento de um novo e amplo negócio.

Em 2007, a Apple tinha mais de 20 mil funcionários, era a empresa dominante em música online e um agente de sucesso no negócio de computadores pessoais. Enquanto isso, o Google tinha mais de 10 mil funcionários e dominava o setor de pesquisas. A Nokia, principal fabricante de celulares, tinha mais de 70 mil funcionários. Todas essas empresas, no estágio Nação, começaram praticamente equiparadas na fatia de mercado dos modernos "smartphones".

Em 2007, a Apple lançou o iPhone; e o Google, o sistema operacional Android. Três anos depois, eles dominaram o mercado de telefonia móvel, enquanto a Nokia estava desarticulada, e acabou vendendo sua divisão de celulares para a Microsoft em 2013. A capacidade de aplicar o blitzscaling a novos negócios em um mercado emergente separou a Apple e o Google da Nokia, e impulsionou sua ascensão ao posto de primeira e segunda empresas mais valiosas do mundo (a partir de 2017).

COMO O PAPEL DO FUNDADOR MUDA A CADA ESTÁGIO

O papel que o fundador desempenha no processo de blitzscaling muda a cada estágio (e o dos colaboradores em relação a ele, provavelmente também). À medida que a organização cresce, as habilidades específicas necessárias para conduzi-la também evoluem.

Estágio 1 (Família): O Fundador Impulsiona Pessoalmente o Hipercrescimento

No início de uma empresa, seu fundador tem que fazer tudo, incluindo a implementação das técnicas de blitzscaling. Se sua empresa depende de marketing viral para distribuição, você provavelmente fará tudo, desde escrever os e-mails do convite até segmentar os dados sobre as taxas de abertura e conversão.

Estágio 2 (Tribo): O Fundador Gerencia os Responsáveis pelo Impulsionamento

Conforme a empresa cresce, o fundador tende a gerenciar uma equipe de funcionários. Mesmo que você retenha algumas responsabilidades específicas, a maior parte da criação de valor se origina do trabalho com os membros de sua equipe e do fomento de sua produtividade. Se você agora comanda a equipe de engenharia, pode ainda trabalhar preservando o código que escrevera anteriormente, mas seu foco deve ser o gerenciamento de outros engenheiros para que eles criem novos recursos.

Estágio 3 (Aldeia): O Fundador Projeta uma Empresa que Promova o Impulsionamento

A transição para o estágio Aldeia é difícil para o fundador, porque fica mais difícil ver o impacto imediato de seu trabalho. Embora você possa conhecer e interagir com os funcionários da linha de frente, provavelmente não será mais seu gerente direto. Agora, você precisa ter uma visão geral e se concentrar no projeto. Os fundadores que não acham essa atividade interessante nem atraente podem optar por permanecer como colaboradores isolados ou gerentes de equipe. Essa é também a fase em que as empresas contratam executivos externos; discutimos isso mais adiante, na próxima parte.

Estágio 4 (Cidade): O Fundador Toma Decisões de Alto Nível sobre Metas e Estratégias

Quando a empresa chega a esse estágio, o papel do fundador é tomar as grandes decisões estratégicas, que podem muito bem ter implicações táticas, mas agora resolvê-las é trabalho de outra pessoa. No Facebook, uma das principais decisões de alto nível que Mark Zuckerberg tomou foi parar o desenvolvimento de novos recursos por quase dois anos para se concentrar na versão móvel do Facebook. Quando ele tomou essa decisão corajosa, no início de 2012, o Facebook estava mergulhado no estágio Cidade, com mais de 4 mil funcionários. Ele não contratou pessoalmente os desenvolvedores que se juntaram à equipe de dispositivos móveis ou projetaram o aplicativo para dispositivos móveis, mas tomou a decisão crítica e, em seguida, responsabilizou aqueles que estavam gerando o impulsionamento diretamente.

Estágio 5 (Nação): O Fundador Descobre Como Segurar o Blitzscaling da Organização e Começar a Fazê-lo para Novas Linhas de Produtos e Unidades de Negócios

Embora a gestão de uma empresa no estágio Nação se assemelhe à de um negócio tradicional, é essencial manter o blitzscaling, mesmo quando você implementa algumas práticas de gerenciamento tradicionais. Quando Steve Jobs voltou à Apple, concentrou-se nas medidas tradicionais de eficácia operacional e investiu na construção de produtos novos e incrivelmente bons. No lado tradicional da gestão, ele reduziu estoques e melhorou a gestão financeira da Apple, mas também lançou produtos importantes, como o iPod, o iTunes, o iPhone e o iPad.

DA ESTRATÉGIA À GESTÃO

Quando uma empresa está fazendo o blitzscaling, a duplicação constante, ou mesmo a triplicação, de suas proporções dificulta a aplicação de técnicas tradicionais de gerenciamento projetadas para ambientes em que 15% anuais são um crescimento substancial. Como resultado, blitzscalers de sucesso têm que implementar inovações de gestão para orientar suas organizações em expansão com suas dores de crescimento. Os próximos capítulos discutem como fazer isso.

PARTE IV

Gestão de Inovação

Uma das principais características que diferencia gigantes globais de empresas que entram em crise antes de dominar o mercado é a capacidade de aprimorar as práticas de gerenciamento nos diferentes estágios de crescimento. As técnicas comprovadas que apresentamos nesta parte se dividem em duas categorias básicas: oito transições decisivas que guiam a empresa pelos estágios do blitzscaling, e nove regras controversas, que adaptam o senso comum do melhor da gestão tradicional para lidar com o ritmo frenético do blitzscaling.

Esteja você no comando de uma empresa, administrando um departamento específico ou liderando uma equipe pequena, cada uma das técnicas a seguir o orienta a gerir o crescimento à medida que sua empresa avança de startup a scale-up.

AS OITO TRANSIÇÕES DECISIVAS

1ª TRANSIÇÃO: DE PEQUENAS A GRANDES EQUIPES

O primeiro e mais óbvio desafio de gerenciamento para as organizações adeptas do blitzscaling é a transição de pequenas a grandes equipes. Mesmo que uma empresa em rápido crescimento tente se organizar em equipes pequenas, ainda é necessário adotar uma abordagem bem diferente para conquistar suas metas e iniciativas corporativas. Tampouco o crescimento é simplesmente uma questão de mudar de postura. Todos os aspectos da gestão de pessoas, desde o recrutamento, passando pelo coaching até as comunicações, devem se adaptar aos diferentes estágios do blitzscaling.

Equipes pequenas, comuns nos estágios Família e Tribo, operam espontânea e informalmente graças às relações pessoais e ao contato frequente entre os membros. Essa flexibilidade permite que sejam extremamente adaptáveis e mudem de abordagem rapidamente, à medida que a empresa aprende e adapta suas estratégias.

Nos estágios Família e Tribo do PayPal, ter uma equipe pequena e flexível nos permitiu executar quatro difíceis pivots durante seu primeiro ano de atividade. Quando Peter Thiel, Max Levchin e Luke Nosek fundaram a empresa (então conhecida como Confinity), em dezembro de 1998, pretendiam se dedicar à criptografia de celulares baseada na tecnologia altamente eficiente de Max. A partir daí, a empresa realizou o primeiro pivot para transferência de dinheiro via dispositivo móvel (1º pivot) e, em seguida, para os pagamentos por PalmPilot, através da transmissão por infravermelho (2º pivot). Infelizmente, a rede de usuários do PalmPilot simplesmente não era tão ampla, então pivotamos novamente e adicionamos pagamentos por e-mail (3º pivot). Ao final do ano, vimos um mercado emergente nas transações do eBay e direcionamos nossos esforços de desenvolvimento de produtos para atender a ele (4º pivot).

Em apenas 12 meses, lançamos uma empresa, construímos um produto e pivotamos quatro vezes! Isso só foi possível devido às pessoas que contribuíram, permitindo-nos mudar, com facilidade, o foco e as táticas de empreendimento rapidamente a cada pivot.

À medida que a empresa prossegue para o estágio Aldeia, e daí em diante, precisa se organizar em equipes maiores, como departamentos com dezenas de funcionários, muitas vezes dispersos por vários escritórios e lugares. Essas equipes maiores não podem operar de maneira espontânea e informal; é possível que um funcionário veja alguns outros membros poucas vezes por ano. Coordenar os esforços de dezenas ou centenas de indivíduos — e alinhá-los com os objetivos de toda a organização — exige planejamento e processos formais, muitas vezes para o desgosto de um fundador idealista mais interessado em uma visão de longo prazo do que nas minúcias da gestão cotidiana.

Wendy Kopp, fundadora da Teach for America, aprendeu essa lição da maneira mais difícil. Em uma entrevista para o *Masters of Scale*, ela nos disse: "Quando ingressei no mundo corporativo, 28 anos atrás, tinha total desdém por questões organizacionais. Pensava que todos deveriam ser guiados pela missão. Não haveria hierarquia e todos ganhariam igual. Cerca de cinco anos depois percebi que, se não tivesse ficado obcecada com uma administração eficaz e prática, nunca teríamos chegado lá!"

No entanto, além da simples logística organizacional, um dos principais desafios que os líderes de organizações adeptas do blitzscaling precisam superar é o efeito psicológico que essa transformação exerce sobre os empregados mais antigos e até sobre os fundadores.

No estágio Família, é comum todos os membros das equipes estarem envolvidos em todas as decisões importantes. Do estágio Aldeia em diante, é quase impossível. Os colaboradores se concentram nas atividades da equipe ou área em que atuam; a maior parte das operações dos outros departamentos é um mistério. Os novos funcionários tendem a achar esse arranjo normal, porém, os mais antigos tendem a estranhar a mudança, sentindo-se excluídos. A tática consiste em não considerar a opinião desses funcionários a respeito de todas as decisões — seria inadequado e logisticamente impossível. Em vez disso, crie sistemas para conectá-los à missão da empresa. O livro *The Alliance* ["A Aliança", em tradução livre] apresenta uma descrição de como a organização dos turnos de trabalho mantém os funcionários engajados. Visite alliedtalent.com [conteúdo em inglês] para obter mais informações e recursos.

Você está adicionando pessoas diferentes à equipe. Uma metáfora que uso consiste em outra analogia militar: os fuzileiros navais tomam o litoral; o exército, o país, e a polícia governa o país. Fuzileiros são *equipes de startup*, acostumados a lidar com o caos e a improvisar soluções. Soldados são *equipes de scale-up*, que sabem como dominar e proteger o território enquanto avançam. E policiais são *equipes de estabilização*, cujo trabalho é organizar, em vez de atacar. Os fuzileiros podem até trabalhar junto ao exército, e o exército à polícia; contudo, raramente os fuzileiros e a polícia trabalharão bem juntos. Ao aplicar o blitzscaling, encontre novos litorais para que seus fuzileiros avancem, em vez de lhes pedir que patrulhem os já conquistados.

A expansão também cria problemas para as expectativas de carreira. Um dos tópicos que discutimos adiante é a necessidade de promover executivos à medida que a empresa cresce. As pessoas têm habilidades e experiências que as direcionam a um cargo específico, e nem todas crescem em sincronia com a organização. Simon Rothman viu isso de perto ao ajudar o eBay a aplicar o blitzscaling. "Os limites das pessoas são elásticos", disse-nos. "Dos primeiros 100 funcionários, poucos progrediram para integrar os 10 mil nas novas proporções. Era difícil prever quem se escalaria. Pessoas mais inteligentes do que eu não necessariamente o fizeram."

No Vale do Silício, é comum que executivos se especializem em guiar uma empresa até o primeiro US$1 milhão, e que outros se dediquem a tocá-la daí até os US$10 milhões.

Esse processo frustra os funcionários mais antigos, principalmente se lideravam um setor e agora estão subordinados a um executivo externo. Por isso é importante definir as expectativas adequadas. Esclareça que os funcionários terão oportunidades de crescer e progredir em suas carreiras, mas isso não significa necessariamente que, se hoje alguns administram o departamento de engenharia, serão vice-presidentes quando a empresa tiver dez mil funcionários e estiver planejando sua IPO. Foque a responsabilidade em vez do cargo. Um funcionário que administra o "departamento" de engenharia no estágio Família pode considerar um rebaixamento ser um dos vários diretores nos de Cidade ou Nação; porém, você pode apontar que no estágio anterior ele gerenciava uma equipe de 3 engenheiros e agora supervisiona 100. Incentive os funcionários a focar a forma como as atividades e experiências de cada turno de trabalho os prepara para maiores responsabilidades, não os cargos.

Esse aspecto da passagem para equipes maiores é o mais difícil de administrar, mas é crucial para o sucesso do blitzscaling. Ninguém gosta de demitir funcionários que estão na empresa desde o início, mas pense da seguinte maneira: se seus executivos não podem se escalar, seu empreendimento também não. A solução ideal é atribuir novas funções aos funcionários mais antigos, que agreguem para suas carreiras e ajudem a empresa; mas, se você tiver que escolher entre perder um funcionário querido e permitir que ele assuma um papel para o qual não está preparado, é melhor uma conversa honesta e uma despedida amistosa do que deixar que o empregado e, em última instância, a empresa, fracassem.

2ª TRANSIÇÃO: DE GENERALISTAS A ESPECIALISTAS

Outra mudança organizacional importante é passar de generalistas a especialistas. Durante os primeiros estágios do blitzscaling, a necessidade de rapidez e adaptabilidade dá margem para a contratação de generalistas sagazes, que realizam diversas tarefas em um ambiente sob constante mudança. Porém, à medida que a empresa cresce, é necessário contratar especialistas, que, embora sejam menos adaptáveis, são experientes em áreas cruciais para escalar a empresa.

Isso não quer dizer que não há lugar para generalistas em organizações voltadas ao blitzscaling. Na verdade, um dos principais benefícios de contratar especialistas é poder redirecionar os generalistas, para que lidem com os desafios mais urgentes.

Quando o LinkedIn ainda estava no estágio Tribo, um dos primeiros funcionários que contratei foi Matt Cohler. Recém-saído da McKinsey, Matt era um jovem brilhante que queria entrar no mundo das startups. Eu o contratei como generalista, e, assim que subiu a bordo, o usei como uma espécie de bombeiro, que resolve emergências. Naquela época, nossa maior carência era o recrutamento, então o primeiro trabalho de Matt foi liderar essa função. Suas experiências não se concentravam nessa área; mas eu sabia que ele era inteligente e persuasivo, por isso confiei nele. Ele cumpriu muito bem a função e passou a enfrentar outros incêndios, tanto para mim quanto para Mark Zuckerberg mais tarde. (Hoje, Matt é sócio geral da Benchmark, uma empresa de capital de risco.)

O Google chegou a codificar o valor dos generalistas com o programa Associate Product Manager (APM) ["gerente de produtos associado", em tradução livre], uma iniciativa que Marissa Mayer instituiu por acreditar que contratar técnicos recém-formados resultaria em generalistas de produto flexíveis e adaptáveis, que preencheriam uma série de lacunas. Dentre os ex-alunos do APM estão o fundador/CEO da Quip (e ex-CTO do Facebook), Bret Taylor, o cofundador da Asana, Justin Rosenstein, e os cofundadores da Optimizely, Dan Siroker e Pete Koomen.

Os especialistas também desempenham um papel fundamental. Considere Pat Wadors, ex-diretora chefe de recursos humanos do LinkedIn. Ela se juntou a nós em 2013, durante o estágio Cidade, e nos levou ao estágio Nação (ela recentemente deixou o LinkedIn para se juntar ao meu amigo John Donahoe, ex-CEO do eBay, na ServiceNow — um retorno ao estágio Cidade). Como Matt, Pat é brilhante e talentosa, e também ocupou cargos de RH em empresas líderes, como Viacom, Yahoo!, Merck e Plantronics. Exercer uma função crucial para uma empresa em estágio Cidade ou Nação requer um conhecimento aprofundado, algo que mesmo um bom generalista não "descobre" em algumas semanas.

Embora contratar especialistas seja uma ferramenta incrivelmente poderosa para a escalabilidade, é perigoso fazê-lo prematuramente. Especialistas estão limitados a suas áreas. Embora possam ser talentosos para lidar com tarefas fora de sua especialidade, seus esforços dificilmente serão tão bem aproveitados da mesma forma. Não tenho dúvidas de que Pat seja inteligente o suficiente para aprender a escrever JavaScript, mas seria insensato lhe pedir para abrir mão de suas habilidades, passar por um treinamento de código e ingressar como engenheira de software novata na equipe de engenharia da ServiceNow. Seria um desperdício imenso de seu talento, e, provavelmente, um mau negócio para a empresa.

Além disso, quando especialistas passam a orientar ou substituem generalistas, o moral da organização pode se desestabilizar. "A demanda por especialização geralmente atropela a capacidade dos funcionários mais antigos de aprender de modo natural", escreveram Ranjay Gulati e Alicia DeSantola, ambos da Harvard Business School, em "Start-Ups That Last: How to Scale Your Business" ["Startups que Prevalecem: Como Escalar Seu Empreendimento", em tradução livre], publicado na edição de março de 2016 da *Harvard Business Review*. "Como consequência, os cargos de liderança se destinam cada vez mais a pessoas de fora, causando ressentimento entre os colaboradores antigos, que podem também se irritar com as restrições de suas novas funções. Nem todo generalista pode ou quer se tornar especialista. Muitas vezes as pessoas se frustram e partem, levando consigo os valiosos relacionamentos e sua compreensão tácita da missão e cultura da empresa."

Dedique-se a conservar os generalistas, tanto por seu conhecimento cultural e institucional quanto por sua capacidade de lidar com novos problemas. Porém, caso não consiga, e os generalistas mais antigos deixem a organização, procure mantê-los perto, cientes do progresso da organização e com um diálogo constante. Nosso livro *The Alliance* aprofunda essas questões.

No estágio Família, você deve contratar apenas generalistas. Você pode buscá-los em universidades de ponta, como a abordagem tradicional recomenda, ou contratar ex-analistas da McKinsey, mas deve focar também em pessoas com experiência em desenvolvimento de startups que listem uma ampla gama de responsabilidades e realizações. Eles podem não ter grandes empresas no currículo, mas são excelentes em aprender novas tarefas e executá-las com afinco. Além disso, negócios em estágio inicial passam por muitas mudanças para alavancar as capacidades refinadas de um verdadeiro especialista.

Contratar especialistas deve ser exceção até o estágio Tribo — apenas se precisar de um profissional com especialização muito restrita, como ciência de dados ou aprendizagem automática. É no estágio Aldeia que se contratam especialistas, como executivos e como colaboradores estratégicos. No estágio Tribo, os funcionários precisam de habilidades adaptáveis, para que pivotem com a empresa; mas, se você tiver centenas de funcionários, é melhor estar seguro da filosofia e dos rumos de seu negócio! Quase todo executivo contratado nos estágios Cidade e Nação é especialista. Porém, mesmo nesses estágios mais avançados e amplos, são necessários alguns generalistas. Pense neles como as "células-tronco" da empresa.

Seu corpo possui uma pequena quantidade de células-tronco que têm a capacidade de se transformar em vários outros tipos de células, conforme necessário. Em uma grande organização, você precisa de um pequeno número de pessoas que podem executar várias funções, explorando novos produtos e tecnologias ou lidando com problemas que não possuem uma solução óbvia.

3ª TRANSIÇÃO: DE COLABORADORES A GERENTES E A EXECUTIVOS

Os termos "gerente" e "executivo" são confundidos com frequência. Acreditamos que sejam funções bem diferentes. Provavelmente, a confusão surge porque nos primórdios das startups esses papéis tendem a ser exercidos pela mesma pessoa; porém, mesmo nesse caso, são papéis independentes.

Os gerentes são líderes de linha de frente que se preocupam com as táticas cotidianas: elaboram, implementam e executam planos detalhados que permitem à organização inovar ou ser mais eficiente.

Já o papel do executivo é liderar os gerentes. Geralmente, ele não gerencia outros colaboradores; mas foca a visão e a estratégia. No entanto, ainda se conecta aos colaboradores da linha de frente, pois também é responsável pelo "espírito de luta" das empresas; ele precisa ser um modelo que inspire as pessoas a perseverarem nas inevitáveis adversidades. Executivos e gerentes são igualmente necessários para o êxito do blitzscaling, mas desempenham papéis diferentes em estágios distintos. Quando uma empresa está no estágio Família, pode não precisar de um gerente formal. E, mesmo que precise, a função é geralmente exercida pelo fundador/CEO. À medida que a empresa avança para o estágio Tribo, os gerentes, que podem ser os fundadores ou contratados externos, precisam administrar os vários departamentos, como engenharia e vendas. Seu principal objetivo é fazer uma pequena equipe ser produtiva todos os dias.

Quando a empresa chega ao estágio Aldeia, precisa de executivos. Não é possível coordenar uma empresa com centenas de funcionários sem executivos que gerenciem e liderem os vários gerentes. Imaginemos uma empresa com seis departamentos: engenharia, vendas, marketing, produto, suporte e administração. Se cada chefe de departamento for responsável por dez gerentes, e cada um deles se reporte diretamente ao CEO, o número máximo de empregados sob este arranjo, sem executivos, seria de 67 (11 em cada departamento, mais um fundador/CEO). Esse ainda é um número razoável para gerir; mas, se a empresa crescer, é importante instituir uma camada executiva para mantê-la funcionando sem problemas.

Uma empresa no estágio Aldeia chega a ter centenas de funcionários. Somente o departamento de engenharia exigiria várias equipes e líderes se reportando a um vice-presidente de engenharia encarregado de coordenar as equipes e o departamento.

Um dos desafios de praxe que discutimos na seção sobre a transição de pequenas a grandes equipes é a necessidade de recrutar executivos de fora da organização. Isso representa uma grande mudança na abordagem de uma empresa que provavelmente, até então, efetuou promoções internamente, recompensando os funcionários mais antigos que se mostraram líderes naturais. No entanto, nessas empresas a transição de gerente para executivo é geralmente muito mais difícil do que a de colaborador para gerente. Os funcionários se reportavam a gerentes com habilidades e estilos variados; quando promovidos a gerentes, podem aproveitar essas experiências para desenvolver o próprio estilo de gestão. Contudo, quando uma empresa precisa de executivos, os gerentes promovidos internamente não podem aproveitar experiências tidas com executivos daquela empresa — porque eles não existiam. Não há modelos para lhes dar direcionamento.

Chamamos essa situação de "vácuo padrão da liderança em startups", e o resultado é que fundadores inexperientes se veem obrigados a contratar executivos externos experientes. A situação se agrava se esses fundadores adiarem as novas contratações até que a pressão sobre a organização se torne insuportável, o que acarreta que todos os líderes ingressem na empresa exatamente no momento em que a tensão e a incerteza estão em alta. O segredo para lidar com essa transição é ter a mente aberta: os internos precisam se manter receptivos às ideias dos novos executivos, enquanto estes precisam buscar aprender com o que aconteceu antes deles chegarem.

Ninguém nasce executivo, e poucos fazem a transição de gerente para executivo sem tropeçar no caminho. A contratação de executivos externos lhe permite aproveitar essa experiência educativa, muitas vezes dolorosa e cara, pela qual seus empregadores anteriores passaram. No entanto, uma organização que aplica o blitzscaling não pode simplesmente contratar alguém com experiência executiva em outra empresa de tamanho semelhante ou ligeiramente maior. Um executivo de uma empresa maior pode não ter nenhuma experiência com blitzscaling ou mesmo startups. Administrar um departamento de 100 pessoas em uma empresa centenária que cresce 5% ao ano não o capacita para administrar um departamento de 100 pessoas de uma empresa que se triplica todos os anos! Ao mesmo tempo, você não deve contratar alguém cuja experiência com blitzscaling advenha de uma empresa muito maior do que a sua. Como discutimos adiante, em vez de contratar visando às habilidades necessárias para o futuro, você deve focar a necessidade atual.

O ideal, claro, é contratar um executivo com experiência em blitzscaling em uma startup que já tenha lidado com os desafios que sua empresa esteja enfrentando. É por isso que os investidores confiam mais nos empreendedores em série. Uma das principais vantagens de que as empresas do Vale do Silício desfrutam são gerações de empresas de rápido crescimento que produziram uma rica oferta de executivos com experiência em blitzscaling. No entanto, mesmo que você não consiga obter um candidato ideal, a segunda melhor opção é contratar um gerente que tenha trabalhado com executivos de sucesso em uma empresa de crescimento rápido ou com um executivo que tenha obtido experiência em uma atividade mais ampla ou mais tradicional, mas que também tenha trabalhado em uma startup de blitzscaling em algum momento da carreira.

Considere o caso do Facebook. Mark Zuckerberg contratou Sheryl Sandberg em parte devido a sua experiência como executiva em blitzscaling, tendo ajudado sua equipe do Google a crescer de um punhado de pessoas para mais de 4 mil funcionários. E uma das principais ações de Sheryl que ajudaram o Facebook a escalar para os estágios Aldeia, Cidade e Nação foi ocupar importantes posições de liderança com outros executivos experientes em escalabilidade, como Mike "Schrep" Schroepfer, VP de engenharia, e David Ebersman, como CFO. Schrep aprendeu na Mozilla a escalar organizações de engenharia, em que supervisionava o crescimento em massa, e havia fundado a própria empresa, a CenterRun. David já havia trabalhado como diretor financeiro do líder de biotecnologia Genentech e foi um dos primeiros a ter experiência com o rápido crescimento associado a medicamentos de grande sucesso, como Herceptin e Avastin.

Martin Lau desempenhou um papel semelhante para Pony Ma (Ma Huateng) e o restante da equipe fundadora da Tencent. Ma e seus cofundadores eram tecnologistas inteligentes, mas careciam de experiência empresarial, principalmente fora da China. Lau tinha essa vivência internacional, oriunda de seu trabalho com a Goldman Sachs, e também uma sólida formação em engenharia, o que propiciava uma boa comunicação com a equipe. Lau apontou as práticas organizacionais necessárias para a Tencent, como metas de receita e planos de longo prazo. "Era uma disciplina urgentemente necessária para uma empresa jovem crescendo extremamente rápido", disse Hans Tung, sócio da empresa de capital de risco GGV Capital, que coinvestiu com a Tencent em Didi Chuxing.

Outra estratégia adequada para amenizar o impacto dessas contratações externas é equilibrá-las com promoções. Mariam Naficy, do marketplace de arte e design gráfico Minted, percebeu que podia combinar ambos os grupos para criar uma equipe de gerenciamento mais eficaz. "Leva anos e anos para capacitar candidatos internos", declarou Mariam em nosso curso de blitzscaling, em Stanford. "Contratamos especialistas externos para departamentos em que não somos fortes, como finanças e RH. Quando se trata de nosso ingrediente secreto, como o crowdsourcing, capacitamos candidatos internos. Nosso vice-presidente de arte e suprimentos cresceu internamente, enquanto o de finanças e CPO vem de contratações externas."

Mesmo que um executivo externo tenha a experiência necessária ao blitzscaling, ainda pode fracassar devido à má adaptação cultural

— o fenômeno da "rejeição". Ao contratar um executivo de outra empresa, há fatores que você deve levar em conta para garantir sua integração ao sistema organizacional.

Um mestre dessas técnicas é John Lilly, capitalista de risco da Greylock Partners e ex-CEO da Mozilla. Quando era CEO, John conduziu um crescimento incrivelmente rápido; durante seus primeiros seis meses na organização, o número de funcionários triplicou. Considerando que a Mozilla era ínfima quando começou, esse crescimento exigiu a contratação de executivos externos, o que foi particularmente desafiador devido à forte cultura da empresa orientada à engenharia, que tendia a rejeitar externos. John seguiu o mesmo processo de três etapas usado para contratá-lo.

1) *Contrate alguém que seja conhecido por pelo menos um membro da equipe.* John foi contratado por Mitchell Baker, seu antecessor como CEO da Mozilla. Os dois se conheceram quando trabalhavam para outra empresa, e o apoio de Mitchell a John foi importante para a equipe da Mozilla. De maneira semelhante, John conheceu Schrep em Stanford e trabalhou com ele em sua empresa, antes de contratá-lo para a Mozilla.

2) *Aloque o novo executivo em um nível mais baixo e deixe-o provar seu valor.* John se denominou "diretor de desenvolvimento de negócios e operações" e só assumiu títulos maiores depois de mostrar seu valor e capacidade. Ele empregou a mesma técnica ao contratar Schrep, o autointitulando "diretor de engenharia". Uma vez que Schrep teve a chance de mostrar seu valor, John observou: "Ficou claro para todos que Schrep logo adquiriu confiança e aprimorou tudo em que esteve envolvido." Esse sucesso notável o promoveu a vice-presidente de engenharia, como se esperava.

3) *Depois que o executivo conquistar a confiança e a credibilidade da equipe, considere promovê-lo.* Outro executivo contratado por John, Dan Portillo, foi contratado para administrar o recrutamento, mas demonstrou tanta habilidade que foi promovido a vice-presidente de departamento pessoal e designado a administrar também o RH. Hoje, Dan exerce um papel similar na Greylock.

À medida que sua empresa avança do estágio Aldeia para Cidade e Nação, é preciso contratar mais executivos, pois o crescimento exigirá que você acrescente camadas superiores aos gerentes de linha de frente, e os executivos nem sempre estão prontos para escalar para a fase seguinte. Porém, uma vez que sua organização tenha executivos profícuos, que sirvam como modelo profissional, essa experiência agregará para a promoção de gerentes promissores, motivados por esses executivos internos. Durante a expansão do Facebook, foi de suma importância a inclusão de executivos experientes, como Sheryl Sandberg, porém, atualmente quase todos os principais líderes de produto do Facebook foram treinados internamente.

Mesmo que certos empreendedores resistam a criar uma hierarquia segmentada em executivos, gerentes e colaboradores, esse tipo de estrutura é essencial para o crescimento, de acordo com Ranjay Gulati e Alicia DeSantola, que escreveram em 2016 na *Harvard Business Review*:

> Ao fundar suas startups, muitos fundadores evitam a hierarquia por causa de seus ideais igualitários. Contudo, à medida que suas empresas escalam, um número menor de líderes tende a gerenciar equipes cada vez maiores. Com isso, certos fundadores buscam manter o comando ao participar de todas as tomadas de decisão. Porém, ironicamente, suas organizações saem do controle à medida que a autoridade centralizada se torna um gargalo que impede o fluxo de informações, a tomada de decisões e a execução. A alta

gerência não consegue supervisionar todo o trabalho cotidiano, cada vez mais especializado; em tal sistema, perde-se a transparência dos objetivos organizacionais.

Gulati e DeSantola citam o exemplo da Cloudflare, cujos fundadores se comprometeram publicamente a construir uma organização inteiramente plana, sem hierarquia ou cargos. Ainda que os fundadores tenham tomado essa decisão por uma razão louvável — o CEO Matthew Prince achava que a extinção dos cargos evitaria que os funcionários mais antigos se sentissem "rebaixados" caso a empresa contratasse profissionais mais experientes —, os resultados, conforme documentado por Tom Eisenmann e Alex Godden em um estudo de caso da Harvard Business School, foram péssimos: "Nos 3 meses que culminaram em julho de 2012, 5 dos 35 funcionários da empresa se demitiram, alguns mencionando a ausência de uma estrutura gerencial e de práticas de RH. Eles descreveram situações em que não tinham a quem recorrer (além dos fundadores) se quisessem sugerir certas mudanças, como atividades relacionadas a padrões de software ou codificação."

As empresas adeptas do blitzscaling precisam de organização, não apenas para coordenar seus muitos recursos e atividades, mas para maximizar a velocidade. Sua taxa de aprendizado coletivo — especialmente dentro da equipe de liderança — determina a capacidade de prever tendências, enquanto a força de sua estrutura interna — principalmente em termos de equipes de linha de frente — determina a capacidade de agir rapidamente em função dessas principais percepções e de aproveitar a vantagem competitiva.

4ª TRANSIÇÃO: DO DIÁLOGO À DIFUSÃO

Uma das áreas que mais sofre alterações durante o blitzscaling é a comunicação interna. À medida que a empresa cresce, as conversas informais tornam-se menos necessárias e os recursos formais e eletrônicos, que impulsionam a difusão e atraem mais clientes via internet, tornam-se cruciais. É necessário também parar o compartilhamento automático de todas as informações e decidir o que deve ou não ser compartilhado. Se você não conseguir desenvolver uma estratégia eficaz de comunicação interna, sua organização ficará desarticulada e se dissolverá.

Durante o estágio Família, toda a organização está sob o mesmo teto, possivelmente com todos trabalhando na mesma sala. Em consequência, as informações se espalham naturalmente, sem necessidade de mediação — provavelmente, até mais do que você gostaria. Quando tem uma dúvida ou precisa de feedback, basta levantar da cadeira e perguntar.

Esse estilo de comunicação "abelha" é orgânico, rápido e eficaz. Todos estão engajados no mesmo propósito; logo, a interrupção provavelmente é relevante e/ou produtiva (ou facilmente ignorada pelo uso de fones de ouvido). O maior desafio que você enfrentará nesse estágio é manter os funcionários virtuais no circuito. Como é muito fácil para o restante da equipe se comunicar, é necessário certo esforço para engajar os membros remotos. Ferramentas de comunicação como a Slack não fornecem apenas um meio que nivela a comunicação da equipe, mas também viabilizam a assincronia, o que ameniza as diferenças de fuso horário. Outra abordagem adotada por algumas empresas é a criação de videoconferências 24 horas por dia, 7 dias por semana, usando ferramentas como o Skype ou o Google Hangouts para simular a presença do colaborador.

Esses laços informais ainda são uma parte crucial do processo de comunicação, mesmo que sua empresa se transforme em uma gigante global. Seres humanos são inerentemente sociais, e os laços entre colegas de trabalho e equipe exigem diálogo constante.

Entretanto, no estágio Tribo, você precisa implementar processos para complementar o diálogo. Quase todas as startups nesse estágio fazem uma reunião semanal, embora com graus de eficácia variados.

A reunião semanal é mais eficaz quando reúne toda a empresa e serve para os líderes se comunicarem com os funcionários com os quais não trabalham diretamente.

Uma reunião do estágio Tribo deve ser bem organizada, com uma agenda e outros materiais fornecidos antecipadamente para que os participantes dialoguem de maneira interativa, em vez de simplesmente ouvir os líderes seniores conversando ou, pior, sofrer com apresentações de PowerPoint cheias de texto. O objetivo dessas reuniões não deve ser a tomada de decisão (a menos que o tópico seja de interesse de todos, como onde realizar a festa de fim de ano); em vez disso, deve ser maximizar a contribuição das pessoas e garantir que todos se sintam ouvidos. Como líder, você deve buscar opiniões de toda a organização a respeito de questões importantes, mas não pode abdicar de sua responsabilidade e confiar apenas no consenso do grupo para tomar decisões complexas.

As melhores reuniões do estágio Tribo são baseadas em padrões que não se pautam em decisões irrefutáveis e ajudam os funcionários a se conhecerem melhor como pessoas, não apenas como trabalhadores. Uma startup em rápido crescimento com a qual Chris trabalhou selecionava uma parte de cada reunião para que um funcionário se apresentasse. Isso permitiu que todos conhecessem os novatos em um nível muito além do típico e-mail de boas-vindas. Obviamente, esse é o tipo de atividade que só funciona no estágio Tribo — no estágio Família não é necessário, e uma empresa maior nunca teria tempo para que todos se apresentassem assim.

Quando uma empresa progride para o estágio Aldeia, a logística dificulta a realização de uma reunião (geralmente chamada de reunião geral). Mesmo que a empresa ainda não tenha se expandido a ponto de ocupar vários escritórios, é difícil encontrar um espaço em que centenas de funcionários possam se reunir. Alugar um auditório para reuniões semanais é caro e impraticável. O certo é diminuir a frequência de tais reuniões, para mensal ou trimestral, e aproveitar de tecnologias como a videoconferência para conectar os vários escritórios.

Uma abordagem interessante é fazer com que *todos* os funcionários usem um serviço de teleconferência, em vez de deixar que os funcionários da matriz tenham uma melhor experiência pessoal do que o restante da empresa. Na empresa de gestão de ativos BlackRock, certas reuniões são realizadas por teleconferência até mesmo com aqueles que poderiam se reunir pessoalmente. Dessa maneira, todos os funcionários ficam em pé de igualdade.

Com a tecnologia amenizando os desafios logísticos, a escalabilidade da empresa se amplia; essas técnicas de difusão funcionam até mesmo nos estágios Cidade e Nação. No LinkedIn, pode-se analisar o crescimento da empresa através das reuniões gerais. À medida que ele se expandiu, essas reuniões passaram da cafeteria para os auditórios, e hoje contam com transmissões de vídeo ao vivo por todo o globo. As reuniões gerais precisam de um período de perguntas bem definido para que os funcionários solicitem informações e se sintam parte do processo da tomada de decisão. No LinkedIn, temos moderadores em cada escritório para levantar questões sobre o gerenciamento.

É nesse ponto também que o fundador/CEO deve se preocupar em desenvolver meios de comunicação para alcançar funcionários mais distantes, que, de outra maneira, não se conectariam diretamente com o líder. É claro que, no estágio Aldeia, a empresa provavelmente excede o número de Dunbar (o número de indivíduos com os quais é possível manter um relacionamento sólido), porém, o fundador não terá tempo para encontros pessoais frequentes. Ainda que reservasse tempo em sua agenda para duas reuniões presenciais diárias, e passasse certo tempo em cada um dos escritórios, ainda assim, só se encontraria com um em cada 500 membros de uma empresa uma vez a cada 8 meses — menos que o suficiente para construir um relacionamento sólido.

Essa comunicação "genérica" nem sempre é confortável para os fundadores e CEOs. Patrick Collison, cofundador e CEO da empresa de pagamentos de rápido crescimento Stripe, descreveu como superou esse desconforto quando visitou nosso curso sobre blitzscaling em Stanford:

A maior transformação origina-se da necessidade de uma comunicação formal, objetiva e amplamente difundida. Por algum motivo, para mim, essa abordagem não parece natural. Para entender isso, é preciso perceber que uma startup não é um ambiente natural. As melhores alternativas nem sempre parecem naturais. Os grupos sociais que você integra não dobram de tamanho anualmente. Os novatos não passaram pelas torturantes discussões anteriores. Isso pode ser bom, mas eles perdem o contexto, o que resulta em um equilíbrio delicado.

Brian Chesky responde a essa necessidade no Airbnb enviando um longo e-mail para todos os funcionários, todo domingo à noite. O e-mail de Chesky não é simplesmente uma amostra dos principais indicadores de desempenho, que podem ser acessados com facilidade em qualquer painel [ou dashboard]; em vez disso, Chesky compartilha sua opinião sobre um assunto que considera importante para a empresa. A amplitude, especificidade e autenticidade dessa comunicação transmitem a todos os funcionários do Airbnb uma compreensão de quem é Chesky e o que pensa ser importante.

E-mails regulares para todos os funcionários são uma boa opção. Os mestres do blitzscaling Patrick Collison e Shishir Mehrotra, do YouTube, também empregaram essa técnica para gerenciar suas organizações, em rápido crescimento. "Acredito muito no potencial do e-mail semanal", disse Shishir em nosso curso sobre blitzscaling, em Stanford. "Líderes que escrevem evitam problemas de comunicação. Você precisa esclarecer seu raciocínio de maneira inovadora. Se houver apenas uma reunião e alguém disser: 'Tudo bem, então todos decidimos que...' As pessoas vão dar mais atenção a seus celulares."

Se você não conseguir superar o desconforto com a escrita, pode distribuir áudios ou vídeos curtos. Essa comunicação pode ser complementada com pequenos eventos, como sessões de perguntas e respostas ao visitar um dos escritórios ou um café da manhã com os funcionários recém-contratados. Mark Pincus, da Zynga, realiza cafés da manhã, às segundas-feiras, com os novos funcionários da semana. As comunicações eletrônicas são ótimas para estabelecer contatos regulares, mas a interação pessoal ainda é importante para estabelecer um relacionamento mais profundo. Reed Hastings atende a essa necessidade abdicando de um escritório e perambulando pelos corredores e salas de conferência da Netflix.

À medida que sua empresa cresce e desempenha um papel cada vez mais importante no setor, você provavelmente sentirá a necessidade de reforçar o sigilo das informações confidenciais da organização. É provável que não compartilhe o balanço contábil com todos os funcionários ou os atualize a respeito dos últimos levantamentos de capital. Culturas mais sigilosas geralmente enfatizam essas questões nos estágios Tribo ou Aldeia; porém, à medida que uma empresa se aproxima da negociação pública, até mesmo as culturas mais abertas devem se ater a essas questões.

5ª TRANSIÇÃO: DA INSPIRAÇÃO AOS DADOS

"Qual é o papel dos dados na escalabilidade de sua empresa?" Em uma entrevista com Reid, Jeff Bezos, da Amazon, contou como transforma os dados em uma parte importante do processo de gerenciamento. "Se uma decisão é baseada em opiniões, minha opinião vence", disse Jeff. "No entanto, os dados superam minha opinião. Então me traga dados." Jeff segue fielmente essa política; em certa ocasião, ele argumentou que os clientes da Amazon nunca responderiam a perguntas de clientes em potencial a respeito de um produto. A equipe de produtos não tentou mudar a opinião de Jeff com retórica ou argumentação; em vez disso, perguntaram para mil clientes da Amazon a respeito de produtos que haviam comprado recentemente e analisaram as respostas. Os dados que o experimento produziu convenceram Jeff, e a seção "perguntas e respostas" resultante trouxe bilhões de dólares em vendas incrementais, aumentando as taxas de conversão.

Os dados são a base para a tomada de decisões de qualquer empresa, mas são particularmente fundamentais se informam a respeito do desempenho do produto ou se o marketing de aquisição for sua principal estratégia de distribuição. Quando estava no Twitter, meu colega da Greylock, Josh Elman, precisava descobrir como manter os usuários utilizando o serviço. Ao analisar os dados, determinou que os "usuários principais", com 90% de probabilidade de estarem ativos mês após mês, usavam o Twitter em pelo menos 7 dias diferentes por mês. Uma análise mais detalhada mostrou que o diferencial entre esses usuários e os menos ativos era que os primeiros seguiam mais de 30 outros usuários. Depois que Elman entendeu esses números, a empresa incentivou novos usuários a seguirem mais contas, e, em 60 dias, a proporção de usuários ativos diários superou a meta mensal, que era de 50%.

A maioria das empresas não realiza análises aprofundadas durante os estágios Família e Tribo (algumas análises podem ser efetuadas para estimar o tamanho do mercado, mas raramente provém de dados de clientes). Nesses estágios, você apresenta um novo produto, e não reconfigura um processo consolidado. Você não precisa de um dashboard analítico para saber se as pessoas usam seu produto. E, caso não o estejam usando, um dashboard lhe indica o que fazer. Desse modo, se não há clientes para consultar, o melhor que você pode fazer é ouvir sua intuição.

Contudo, como Ranjay Gulati e Alicia DeSantola, da Harvard Business School, observaram em "Start-ups That Last" ["Startups que perduram", em tradução livre], essa abordagem não gera escalabilidade: "O improviso é essencial para as jovens empresas; é assim que elas fazem descobertas. Porém, à medida que crescem, precisam de uma estrutura de planos e metas para orientá-las. Dessa maneira, é possível implementar constantes inovações e reagir a mercados dinâmicos, sem perder de vista objetivos maiores e a preservação do empreendimento. De outra maneira, o improviso não passa de uma caminhada em círculos."

Você já lida com uma série de incógnitas à medida que sua empresa cresce a um ritmo intenso, então deve buscar as convicções que forem possíveis. Para facilitar a transição da inspiração (ou improviso) para os dados, é melhor começar com o básico. Acompanhe algumas estatísticas importantes, como o número de usuários (registrados, downloads de aplicativos, compradores de varejo etc.), rotatividade [churn] e engajamento geral. Quando Selina Tobaccowala se juntou à SurveyMonkey, em 2009, precisou construir a infraestrutura de dados da empresa rapidamente. "Não havia análises antes de 2009", disse ela em nosso curso de blitzscaling, em Stanford. "Havia um relatório de caixa diário e só. Acredito que, na realidade de uma empresa, são necessárias pelo menos de três a cinco métricas. As que escolhemos foram usuários gratuitos, gratuitos que passaram a assinar o serviço e engajamento do usuário — número de pesquisas e taxas de retorno."

Às vezes, uma única métrica diz muito. No YouTube, Shishir Mehrotra decidiu que a única métrica seria o tempo de exibição. "Nosso objetivo era chegar a um bilhão de horas por dia", disse. "Na época, estávamos cobrindo 100 milhões de horas por dia. O Facebook tinha quase o dobro. A televisão conseguia 5,5 bilhões... Escolher só uma métrica é muito difícil, mas favorece a tomada de decisão em função do que realmente importa para o sucesso."

Quaisquer que sejam as métricas escolhidas, elas devem ser acessíveis e ter um contexto claro. Particularmente, quando sua empresa ainda é pequena e enxuta, com mão de obra limitada, vale a pena investir na infraestrutura necessária para respaldar a tomada de decisão rápida e orientada a dados. Um arquivo de log baseado em texto pode fornecer todos os dados necessários, mas processá-los manualmente e transformá-los em um gráfico prático a cada vez que for necessário desmotiva seu uso para orientar decisões. O que importa não é o que você coleta, mas o que transmite aos tomadores de decisão.

As principais estatísticas evoluirão conforme sua empresa crescer. Você não pode simplesmente "deixar o circo pegar fogo" quando se trata de dados. As métricas essenciais para prever a viabilidade de longo prazo de seus negócios mudam significativamente à medida que você escala, especialmente se o ambiente estiver se transformando rapidamente. Aliás, sua definição de "longo prazo" mudará muito. No estágio Família, é comum que um mês seja considerado "longo prazo", enquanto uma empresa Nação pode ter planos plurianuais. No LinkedIn, começamos obstinados a fazer do número de registros de usuários nossa principal estatística, mas hoje o envolvimento de longo prazo dos usuários e várias outras estatísticas são mais importantes.

Isso não significa que você deve jogar fora todas as métricas antigas; mantê-las tem seu valor. Como Mariam Naficy, da Minted, falou: "O segredo é levantar perguntas coerentes desde o início e não alterá-las ao longo do tempo, porque essa é a única maneira de comparar as métricas diacronicamente. Usamos o Net Promoter Score (uma métrica de fidelidade do cliente que mede a probabilidade de ele recomendar um produto ou serviço a outros) desde o começo."

Atente para o que Eric Ries apelidou de "métricas de vaidade" — números que apresentam uma imagem otimista da empresa, mas que não refletem, de fato, seus principais impulsionadores de crescimento. Perceba que a métrica de vaidade de uma empresa pode ser o principal impulsionador de outra. As visualizações de páginas, por exemplo, são uma métrica de vaidade para a maioria das startups, mas o principal impulsionador para empresas de mídia.

Em entrevista para o *Masters of Scale*, Ev Williams, fundador do Blogger, Twitter e Medium, relatou que, nos primórdios do Twitter, sua equipe foi pega em uma métrica de vaidade particularmente prejudicial. O Twitter estava sendo elogiado na imprensa por incentivar os desenvolvedores a construir em cima de sua API, e a equipe de Ev comemorou o rápido aumento no volume de chamadas de API com que o Twitter passou a lidar a cada dia. Infelizmente, eles descobriram que o volume de chamadas da API não se relacionava com o sucesso dos negócios. Na verdade, era o oposto; o grande número de chamadas de API estava sobrecarregando a infraestrutura do Twitter e causando problemas de escalabilidade e desempenho. "Descobrimos que muitos dos desenvolvedores que construíram sobre nossa API eram muito ineficientes", lembrou ele. "Havia uma estação de rádio mexicana que tinha um JavaScript particularmente ruim em sua página da web — uma página estava nos derrubando!" O Twitter precisava reforçar suas regras de acesso à API para reduzir o volume de chamadas.

Independentemente das métricas escolhidas, quando a organização ainda é pequena, os dados geralmente se disseminam de forma orgânica entre os funcionários, complementados por uma revisão regular durante reuniões semanais da empresa. Você não precisa de ferramentas sofisticadas de inteligência de negócios (business intelligence, ou BI) ou de uma equipe especializada.

Quando sua empresa atingir o estágio Aldeia, esse tipo de osmose não acontecerá. Seus colaboradores estarão atuando em vários segmentos, e a organização (que excedeu o número de Dunbar) é agora muito grande para que todos se conheçam. Usar um dashboard permitirá que você não apenas veja como os segmentos se interligam, mas também coordene o trabalho dos diferentes grupos. Por meio do dashboard, cada grupo diz aos outros: "É nisso que estamos trabalhando; é assim que estamos fazendo isso; e é assim que nosso trabalho se relaciona ao seu."

Quase todas as empresas Aldeia têm um dashboard para avaliar sua saúde no dia a dia. Esse painel serve para acompanhar e mantê-lo ciente das mudanças repentinas, para que você possa investigar rapidamente quaisquer surpresas e encaminhá-las às pessoas ou grupos responsáveis.

Nos estágios Cidade e Nação, você certamente precisará de uma equipe focada em inteligência de negócios para que os dados necessários cheguem às pessoas que oferecem suporte e tomam decisões críticas. As apostas são tão altas, e os custos das más decisões, tão pesados, que, proporcionalmente, a despesa com uma equipe especializada se torna irrisória.

Mark Pincus investiu pesadamente em sua equipe dedicada a inteligência de negócios, da Zynga, o que possibilitou à empresa rastrear cada clique em seus jogos, em vez de confiar no Google Analytics, como a maioria de seus concorrentes. "As pessoas podem dizer, a Zynga tem 50 pessoas atuando em análises, essa outra empresa só tem 10", lembrou Mark durante uma entrevista para o *Masters of Scale*. "A Zynga deve ser devagar demais. Mas, na verdade, coletar esses dados nos confere maior rapidez para fazer e avaliar nossas apostas." Além de fornecer dados e ideias para as unidades de negócios consolidadas, muitas empresas de alto desempenho criam uma equipe focada no crescimento, que combina marketing, produto e engenharia para orientar e coordenar a reação a essas impressões.

A maioria das empresas, mesmo no mundo altamente competitivo da internet comercial, ainda acha que realizar vários testes A/B e se adaptar conforme seus resultados é suficiente. Essa é uma tática eficaz, mas uma estratégia ruim, já que as otimizações locais não necessariamente levam a um resultado globalmente otimizado. Uma equipe voltada ao crescimento pode olhar para o quadro geral e perceber como as decisões de produto e marketing interagem para produzir (ou não) os resultados desejados. De acordo com Josh Elman, da Greylock: "As melhores equipes de crescimento sabem identificar aqueles detalhes básicos que tornam os usuários 'curiosos' em 'ativos frequentes' e criam todos os recursos e programas do produto — incluindo os que não o integram —para fazer essa transição dos usuários mais rapidamente."

Uma equipe dedicada ao crescimento também ajuda, para torná-lo a prioridade número um. Elman compara as equipes de marketing típicas aos órfãos dickensianos, implorando às equipes de produtos e engenharia por recursos: "Por favor, senhor, posso trocar a página de aterrissagem?" Toda alteração de produto ou infraestrutura de engenharia necessária para impulsionar o crescimento, não importa seu potencial valor, geralmente acaba ficando em segundo plano nos roteiros do próprio produto ou da equipe de engenharia. Em contrapartida, os engenheiros de uma equipe de crescimento avançam de modo muito mais rápido, porque a criação da infraestrutura de testes escalável e extensível é uma parte fundamental de seu trabalho.

Um dos desafios que você enfrenta ao desenvolver a utilização dos dados é que sua estratégia pode desaparecer atrás dos números. Nem sempre os números indicam a saúde real do negócio ou revelam as principais ameaças que enfrenta. Imagine se o LinkedIn enviasse um e-mail a todos os seus membros toda semana para lembrá-los de atualizar seus perfis, a iniciativa resultaria em um aumento de curto prazo nas edições; mas seria também uma estratégia tenebrosa, porque incomodaria e degradaria a experiência do usuário.

Jonathan Rosenberg, do Google, contou a história de como a gestão cega dos números descarrilou o Excite@Home. Ele mensurava os cliques em todos os elementos de sua página inicial. Se parecesse que um elemento não atingiria a meta de cliques, o Excite@Home o destacava visualmente. Dessa forma, ao tentar atingir seus números, a equipe da página inicial acabou ressaltando os elementos menos interessantes e escondendo os mais chamativos!

É por isso que você precisa mesclar a análise quantitativa e a qualitativa. Nosso amigo John Lilly costuma distinguir entre "design orientado a genialidade" (como a Apple) e "design orientado a dados" (como o Google). Ambas as abordagens têm seus pontos fortes e fracos. O design orientado a dados é ótimo para otimizar produtos com alterações incrementais, mas pode localizá-lo em vez de levá-lo a uma escala mais geral. O design orientado a genialidade pode ser a única maneira de criar um produto revolucionário, mas geralmente precisa ser complementado com um refinamento orientado a dados.

6ª TRANSIÇÃO: DO CENTRALIZADO AO DIFUSO

À medida que a empresa cresce, o foco do produto também passa por uma grande mudança, de uma abordagem centralizada para uma abordagem difusa. O que queremos dizer com isso é que as startups nos primeiros estágios do blitzscaling são geralmente empresas de um único produto que se concentram em fazer algo extremamente bem. Mas, para manter a empresa crescendo nos estágios posteriores, as scale-ups precisam gerenciar várias linhas de produtos ou até mesmo de unidades de negócios.

Não conhecemos uma única startup bem-sucedida que não tenha começado com um foco restrito; esse é o segredo para vencer concorrentes maiores nos primórdios de uma empresa. Por anos, Drew Houston, do Dropbox, foi alertado de que o Google aniquilaria sua empresa com seu secreto "Project Platypus" (que acabou sendo lançado como Google Drive). Houston achou esses avisos mais irritantes do que assustadores, porque conhecia o poder do foco. Em entrevista para o *Masters of Scale*, ele explicou:

> Para uma empresa como o Google, que atua em centenas de frentes, há uma longa fila para conseguir o próximo bom engenheiro contratado. E, se você é o projeto n° 35, que é onde o Google Drive estava na lista, levará muito tempo até que a equipe seja preenchida com pessoas extraordinárias. Ao se considerar os 11 jogadores que coloca em campo versus os que seu colega consegue em uma grande empresa, você pode ter uma enorme e significativa vantagem em talentos. Não porque o Google não tenha ótimos engenheiros; eles provavelmente têm melhores do que você. Mas o líder do projeto é um gerente de produtos de nível médio, que é apenas o próximo degrau da hierarquia. Como fundador, você está muito mais comprometido e sua equipe, também.

Hoje, anos após o lançamento do Google Drive, o Dropbox continua a crescer em usuários pagantes e não pagantes — uma afronta ao seu suposto "aniquilador".

Até as empresas que pivotam várias vezes, como o PayPal em seu primeiro ano, precisam manter o foco, especialmente quando transferem sua atenção e esforços de uma iniciativa para outra. Meu colega da Greylock, Joseph Ansanelli, cofundador e CEO da empresa de software de atendimento ao cliente Gladly, diz aos empreendedores: "Não teste um segundo canal até que seu principal impulsionador esteja funcionando. A maioria das empresas de sucesso domina um canal."

A adoção da abordagem difusa geralmente ocorre durante o estágio Cidade. Quando a empresa tem mais de mil funcionários, é grande o suficiente para suportar a criação de várias divisões ou unidades de negócios. Embora a descentralização dificulte a coordenação das diferentes divisões ou unidades de negócios, a principal motivação para a mudança é que ela permite que cada grupo se concentre em seu segmento específico. Suas equipes precisam de capacidade — e de força de trabalho — para buscar implacavelmente um objetivo específico; pedir a uma equipe para dividir seu tempo entre duas linhas de negócios resulta no fracasso de ambas.

Isso é especialmente válido quando o segmento principal é uma linha de negócios que amadureceu. Em seu artigo para a *Harvard Business Review* "The Ambidextrous Organization" ["A Empresa Ambidestra", em tradução livre], Charles A. O'Reilly III e Michael L. Tushman distinguem "adentrar" e "explorar". Linhas de negócio maduras focam inovações incrementais que as inserem em um mercado consolidado, enquanto os novos segmentos se concentram em inovações e exploram novas oportunidades de mercado. Eles examinaram 35 tentativas de criar novos segmentos em 9 setores. O que descobriram foi que esses esforços tinham mais chances de sucesso em empresas "ambidestras", em que os novos segmentos eram organizados como unidades estruturalmente independentes, mas integrados à estrutura de gestão. Trocando em miúdos, os líderes dos novos segmentos não apenas têm a liberdade de inovar, mas também a capacidade de coordenar com a liderança sênior a alavancagem dos recursos e a excelência de segmentos mais maduros.

A abordagem difusa facilita a resolução de problemas resistentes a uma abordagem de foco restrito. No LinkedIn, sabíamos que precisávamos abordar o engajamento do usuário. O LinkedIn é extremamente valioso como um banco de currículos, mas é ainda mais valioso como a principal comunidade de profissionais. O desafio era descobrir como desenvolver o interesse do uso diário para ajudar os usuários em suas vidas profissionais e os encorajar a usar o serviço continuamente, em vez de apenas quando quisessem mudar de emprego ou contratar alguém.

Fizemos várias tentativas com a abordagem restrita para enfrentar o desafio. Lançamos recursos em sequência, como um mecanismo de recomendação de pessoas que nossos usuários deveriam conhecer e um serviço de perguntas e respostas profissional. Nada foi suficiente para resolver o problema. Concluímos que alguns problemas exigem uma abordagem canivete suíço, com vários casos de uso para vários grupos de usuários. Afinal, algumas pessoas podem preferir um feed de notícias; outras, acompanhar seu progresso na carreira, e algumas podem se interessar por educação continuada. Felizmente, o LinkedIn cresceu o bastante para suportar vários segmentos. Reorganizamos a equipe de produtos para que cada diretor se concentrasse em uma abordagem diferente para tratar do engajamento. Mesmo que nenhum desses esforços tenha sido uma solução milagrosa, sua combinação melhorou significativamente o engajamento do usuário.

A abordagem difusa tem um custo óbvio. Algumas pessoas ficam ansiosas para adotá-la, porque acham que ela confere maior margem para a competitividade. Na realidade, você deve ser analítico e cuidadoso ao tomar essa decisão. Empresas como o Google asseguram uma grande liberdade às unidades individuais e, como resultado, os diferentes produtos e serviços não se combinam perfeitamente.

Muitos dos serviços do Google são fortes o suficiente para ter sucesso sozinhos, mas isso significa que são bem-sucedidos apesar da, e não por causa da, abordagem difusa.

Por outro lado, a abordagem altamente centralizada da Apple lhe permite produzir produtos fortemente integrados e aperfeiçoados; mas, como resultado, restringe-se a uma linha de produtos bem menor. Claro, isso é intencional; Steve Jobs sempre buscou o foco restrito para manter a unidade de propósito da Apple. Uma de suas primeiras ações quando retornou à Apple, como CEO, em 1997, foi reduzir a linha de produtos de dúzias para uma simples matriz dois por dois: desktop pessoal, desktop profissional; notebook pessoal, notebook profissional. "Decidir o que não fazer é tão importante quanto decidir o que fazer", disse ao biógrafo Walter Isaacson. Outra história famosa de Steve envolve uma estratégia externa da Apple em que seus 100 melhores colaboradores trabalharam o dia todo para reduzir a estratégia da empresa a 10 prioridades fundamentais, e então Steve riscou 7 itens e disse: "Só podemos nos concentrar em 3."

Geralmente, você adiciona segmentos quando for estrategicamente necessário, com uma avaliação realista do impacto negativo que a abordagem difusa terá no foco organizacional, na eficiência dos recursos e assim por diante.

No LinkedIn, tomamos uma decisão estratégica para segmentar nosso modelo de receita, embora o senso comum vigente no Vale do Silício recomende manter um único modelo de receita. Fomos criticados pela mistura de fluxos de receita, como assinaturas profissionais, taxas de listagem de empregos e licenciamento corporativo para nosso produto de recrutamento. É verdade que havia um custo para essa estratégia em termos de foco, mas eu acreditava que não tínhamos informações suficientes para escolher um único fluxo e que isso era suficiente para construir a escala de negócios pretendida. A abordagem difusa para suportar várias linhas de receita reduziu o risco estratégico e nos ajudou a aumentar a escala.

Uma técnica importante para tomar essa decisão é considerar tanto a magnitude da oportunidade quanto o potencial de ganho. Se você tem uma oportunidade de bilhões de dólares, é justificável investir mais recursos e obter um ganho de 5% (US$50 milhões) em vez de aumentar uma oportunidade nascente de US$1 milhão por um fator de 1.000% (US$10 milhões). É por isso que geralmente é melhor ter seus dez melhores funcionários em um único projeto importante, em vez de dividi-los para atacar duas oportunidades diferentes. Por exemplo, o AdWords é um impulsionador de receita tão gigantesco para o Google que até mesmo pequenos aumentos percentuais geram uma diferença enorme no resultado.

Por outro lado, quando o potencial de ganho associado à oportunidade principal diminui, a abordagem difusa é muitas vezes a resposta para atacar melhores oportunidades de crescimento. O eBay pode ser entendido como uma coleção de mercados. Embora tenha começado com colecionáveis, sua abordagem difusa para se expandir para diferentes mercados, como automóveis e vestuário, foi essencial para alcançar sua escala atual. Um exemplo recente de abordagem difusa agressiva foi a criação do WeChat, pela Tencent.

Supondo que você opte pela abordagem difusa para sua organização, o método de gestão ideal é pensar em cada segmento como uma empresa diferente. Para cada segmento, você precisará identificar uma equipe de liderança ("cofundadores") e criar uma estrutura de incentivo que permita operar com muita independência e colher os benefícios do sucesso, sem gerar tanta inveja entre os gerentes atuais a ponto de fragmentar a empresa. Isso é sempre um desafio!

Para complicar ainda mais, pessoas com o ímpeto empreendedor necessário para adotar a abordagem difusa de forma bem-sucedida normalmente querem fundar as próprias empresas ou dedicar suas habilidades ao segmento principal da empresa. Uma forma de manter esses funcionários motivados é transformar os vários segmentos em projetos distintos — o equivalente a "apps" sendo executados na "plataforma" do segmento principal. Isso facilita responder à pergunta: "Por que eu não deveria fundar minha empresa?", apontando os benefícios de expandir a plataforma. Essa estrutura também facilita o gerenciamento de múltiplos segmentos, pois é menos provável que segmentos específicos entrem em conflito.

O incentivo para essa abordagem deve retratar o sucesso de cada segmento, mantendo as lideranças individuais investidas no sucesso dos demais. Sem esse equilíbrio, os diferentes segmentos se envolvem em uma disputa interna por recursos, e as equipes de liderança tendem a priorizar o sucesso de um segmento secundário sobre a integridade da empresa. Você deve dar à liderança uma razão para fazer com que cada segmento funcione, mas não à custa dos outros; em outras palavras, você precisa fazer com que os "proprietários" de cada segmento pensem como um proprietário da empresa. Incentivos mal concebidos impossibilitam o fechamento dos segmentos, mesmo que seu desempenho seja ruim, já que sua liderança pode lutar com unhas e dentes para que ele permaneça aberto.

Você pode ficar tentado a simplesmente tratar cada segmento como uma empresa separada dentro de uma holding global. Afinal, isso não funciona para Warren Buffett, da Berkshire Hathaway? A diferença é que as empresas da Berkshire Hathaway são negócios separados, não competitivos e geradores de caixa com um histórico de operações independentes e equipes de gerenciamento completas. Em contrapartida, quando uma empresa adepta do blitzscaling inicia a criação de vários segmentos, eles ainda estão conectados, podem competir, provavelmente consomem o mesmo caixa e não têm históricos de operações independentes.

Uma das pessoas que pessoalmente vi lidar com esses problemas com excepcional habilidade foi Deep Nishar, ex-chefe de produto do LinkedIn e agora do SoftBank. Desenvolvemos com profundidade os diferentes segmentos de produtos do LinkedIn e gerenciamos habilmente os líderes de produtos para criar um senso mais amplo de propriedade por meio de uma rede de alinhamento. Cada líder de produto era o proprietário de um segmento principal, mas também era parcialmente responsável e compensado por seu trabalho em apoiar um líder como um segmento secundário. Isso produziu uma camada adicional de alinhamento, que reforçou o alinhamento de todos os que faziam parte da "holding" do LinkedIn.

7ª TRANSIÇÃO: DE PIRATA A MARINHEIRO

Essa transição decisiva diz respeito à tática, que se torna ao mesmo tempo ofensiva *e* defensiva. Mais poeticamente, é como deixar de ser pirata para integrar a marinha. Isso requer um desenvolvimento da estratégia, bem como da cultura corporativa.

Por décadas, os empreendedores de tecnologia tiveram certa afinidade com os piratas. Como a maior parte das alegorias clássicas do mundo das startups, a associação entre startups e piratas foi feita por Steve Jobs. Andy Hertzfeld, um lendário empreendedor em série que trabalhou na Apple e ajudou a projetar o Macintosh original, relatou a história em seu site, folklore.org. Quando Jobs reuniu remotamente a equipe do Macintosh logo após o lançamento do Lisa, ficou famoso por apresentar três "provérbios do presidente Jobs" como princípios orientadores do projeto.

1) Artistas de verdade estão sempre prontos a embarcar.

2) É melhor ser um pirata do que se juntar à marinha.

3) Mac em um livro de 1986.

Inspirada pelas palavras de Steve, a equipe do Macintosh fez uma bandeira de pirata tradicional, com o crânio e os ossos cruzados clássicos, com um decalque da Apple como tapa-olho. A imagem de pirata continuou a ser tão amplamente associada a startups que, em 1999, quando a TNT lançou um filme sobre a acirrada rivalidade entre Steve Jobs/Apple e Bill Gates/Microsoft, chamou-o de *Piratas da Informática*.

A realidade é que muitas startups são como piratas: não têm processos formais e estão dispostas a questionar, e até mesmo quebrar, as regras. Essa flexibilidade é fundamental na formação de uma grande empresa. Os piratas não convocam uma reunião de conselho para decidir o que fazer quando um navio inimigo se aproxima — eles agem de forma rápida e decisiva, e estão dispostos a assumir riscos, porque sabem que o resultado padrão é a morte.

As startups em estágio inicial também estão em plena ofensiva, travando uma batalha contra concorrentes maiores e estabelecidos. Elas se acostumaram a atacar rapidamente, usando a surpresa como arma e assumindo riscos que as empresas estabelecidas não podem ou não querem. É mais fácil assumir riscos durante os estágios iniciais do blitzscaling — Família e Tribo —, porque você não tem o que perder. Como escreveu Kris Kristoferson e cantou Janis Joplin (entre outros): "A liberdade é só outra palavra para nada a perder."

Entretanto, se você for bem-sucedido como pirata, acabará conquistando riqueza e território suficientes para atingir os estágios Aldeia, Cidade e Nação. Nesse ponto, mesmo os piratas mais inveterados terão que trocar seu navio pirata pela bandeira de uma marinha legítima e disciplinada. Se não, suas organizações se transformarão em caos.

Em algum momento o capitão Jack Sparrow tem que crescer e começar a agir como o sóbrio e responsável Capitão Picard.

Essa transição pode ser um desafio. Os fundadores e os primeiros empregados muitas vezes resistem a mudar sua abordagem; afinal de contas, ela não levou ao sucesso inicial? Além disso, os empresários têm uma tendência à rebeldia; os que são intrinsecamente seguidores de regras nem sempre se saem tão bem em um ambiente caótico das startups, estilo "aja rápido e quebre coisas". Mas não fazer a transição do pirata para o marinheiro pode ser desastroso.

Uma Observação sobre o Pirata Ético

Antes de prosseguirmos, precisamos esclarecer algumas conotações pejorativas da palavra "pirata". Na arte digital e física, os piratas são retratados de duas maneiras: (1) rebeldes adoráveis ou (2) criminosos sociopatas. A principal distinção do rebelde, além de ocupar pôsteres de filmes, é que, mesmo que ele questione e quebre as regras da moral social vigente, segue um código pessoal de ética e tenta não prejudicar os outros. O rebelde tem uma predisposição para quebrar as regras, mas seu caráter é inabalável. Ele é um pirata ético, ou "bom". Já o criminoso, como o nome sugere, comporta-se de uma maneira puramente egoísta e inconsequente, quebrando regras e prejudicando os outros a fim de obter benefícios materiais.

Embora as startups e seus fundadores se beneficiem desse comportamento do pirata ético, nunca devem agir como criminosos sociopatas. Além de tal abordagem ser condenável, na prática, você não pode construir uma empresa que mude o mundo como um fora da lei, e é difícil abandonar a postura desviante para adotar uma socialmente aceitável. E isso é particularmente válido em um mundo em que as mídias sociais são rápidas em atacar práticas antiéticas que mancham a reputação de uma empresa para sempre. Entre em conflito com a lei, e seus clientes não o perdoarão nem se esquecerão.

Uma das principais maneiras de avaliar se você é um pirata ético ou um sociopata é perguntar: "Estou tentando mudar as regras para todos ou apenas arrumando desculpas para me safar?" No PayPal, nós quebramos as regras, mas o fizemos porque queríamos reformulá-las para o bem-estar geral. Sentimos que nossas ações eram éticas porque, embora tecnicamente violassem certos regulamentos bancários (argumentamos coerentemente que não éramos um banco, mas nem todos concordavam!), acreditávamos que, em longo prazo, estaríamos em conformidade com as novas regras, e que elas tornariam o mundo um lugar melhor. A história demonstrou que estávamos certos. Todos que ficaram incomodados com nossa dita filosofia pirata

— eBay, bancos, autoridades regulamentadoras — veem o valor do PayPal hoje. Ao alterar as regras para todos, ajudamos a preparar o caminho para outras empresas de pagamento, como a Square and Stripe, que melhoraram ainda mais o mundo do pagamento móvel.

Regras não são sagradas escrituras — elas existem para tornar o mundo um lugar melhor, e, portanto, se você puder melhorá-las, deve fazê-lo. Por outro lado, as regras geralmente existem por um motivo. Você precisa ser humilde ao quebrá-las e reconhecer que talvez não entenda todas as consequências. Quebrar as regras nem sempre é uma atitude trapaceira, mas é sempre uma atividade marginal, daí a necessidade de ter cautela e complacência.

Um exemplo atual de um campo, de rápido desenvolvimento, em que há piratas éticos e antiéticos é o de criptomoedas, como o Bitcoin, e o de ofertas iniciais de moeda (OICs) para financiamentos. As startups que criam moedas e retêm OICs operam em uma fronteira legal difusa e, provavelmente, quebram regras. Algumas dessas startups são piratas éticos que trabalham para mudar as regras para todos. Outras são criminosos sociopatas que tentam levantar o máximo de dinheiro possível antes que as consequências cobrem seu preço. Ambas podem ganhar dinheiro em curto prazo se o mercado estiver bastante aquecido, mas apenas os piratas éticos construirão negócios duradouros e terão um impacto positivo no mundo.

Ingressando na Marinha

Quando sua empresa atinge o estágio Aldeia, é hora de começar a pensar menos como pirata e mais como marinheiro.

O que isso significa? Bem, você precisa começar a seguir as regras e deve considerar a defesa. Até agora, seu único foco foi o ataque. Se você não tem clientes, por que precisa se preocupar em retê-los? Agora deve perguntar: "Como podemos bloquear a concorrência?" Geralmente a resposta é se aprofundar no blitzscaling.

Ser precursor o ajuda a conquistar clientes, e atrair investidores e os melhores talentos.

Gosto de elaborar formas renovadas e inovadoras de defesa perguntando à minha equipe: "Se estivéssemos tentando competir conosco, o que faríamos? E se fôssemos uma startup? Google? Facebook? Microsoft?" Você também pode buscar perspectivas externas, consultando um membro do conselho ou levantando opiniões de sua rede de contatos.

Durante o estágio Cidade, a defesa geralmente está em foco. Estabelecer uma nova vantagem competitiva é muito difícil, então você deve se concentrar em fortalecer sua posição vigente de mercado. Existem várias práticas recomendadas para isso.

Primeiro, estabeleça um padrão. Uma das táticas clássicas do Vale do Silício é passar de um aplicativo para uma plataforma a fim de atrair pessoas para construí-la e utilizá-la (aproveitando, assim, os efeitos de rede da compatibilidade). O ecossistema force.com, da salesforce.com, é um ótimo exemplo disso. Ao possibilitar a criação de aplicativos de terceiros sobre a plataforma Salesforce, ela se beneficia de um "automultiplicador". Existem mais de 2.800 aplicativos no Salesforce AppExchange, e um estudo da International Data Corporation (IDC) mostrou que seu ecossistema gera 2,8 vezes a receita do próprio salesforce.com. Isso significa que, enquanto a Salesforce.com fatura "apenas" US$8,4 bilhões, sua plataforma lhe dá o impacto econômico de uma empresa de US$32 bilhões.

Segundo, ofereça uma solução mais completa e encurrale a concorrência. Costumo dizer: "Ambos os jogadores seguram copos com água enquanto tentam derrubar o do outro." Em outras palavras, se seu concorrente de repente oferecesse o produto principal dele de graça, você ainda ganharia dinheiro com *seu* produto principal?

É curioso notar que esse foco na defesa no estágio Cidade é diferente na China e no Vale do Silício. Na China, as empresas orientam as equipes em função de qualquer fator que as impulsione; no Vale do Silício, o talento é tão precioso e há tantas frentes de ataque

que as empresas muitas vezes não podem contar com uma estratégia de seguidores rápidos. Isso significa que, em um sentido prático, a China é ainda mais competitiva do que o Vale do Silício, embora eu espere que, com o tempo, ela se equipare nesse aspecto.

No estágio Nação, a transformação do pirata em marinheiro se completa. (Se não for assim, você não tem uma Nação ou não conseguiu implementar as transformações, e sua Nação está jogada ao caos — veja a Uber em 2017.)

Nesse estágio, as aquisições se tornam importantes, se não essenciais, para a estratégia defensiva. Você pode desenvolver uma tecnologia e uma equipe inovadoras, e, em seguida, alimentá-las com volumosos recursos à medida que as escala. Foi assim que o Google aplicou o blitzscaling ao Android. O Google o adquiriu em 2005, quando ainda era uma pequena startup de 22 meses trabalhando em um novo sistema operacional para celulares. O Google deixou o fundador do Android, Andy Rubin, contratar engenheiros adicionais para concluir o produto, usando seu poder de mercado e reputação para estabelecer a Open Handset Alliance, um consórcio para promover o Android que incluía as fabricantes de hardware Samsung, HTC e Motorola, as fabricantes de dispositivos móveis Sprint e T-Mobile, e as de chips Qualcomm e Texas Instruments. Com esse apoio, o Android cresceu rapidamente após seu lançamento, no outono de 2008. O Android, que superou o iPhone em celulares vendidos em 2010, e em mais de um bilhão de telefones por ano, hoje representa quase 80% das remessas globais de smartphones.

Aquisições são as principais táticas ofensivas e defensivas no guia estratégico do estágio Nação. Pense em como certas aquisições críticas conquistaram um grande mercado para quem as fez. As aquisições do YouTube, Instagram e WhatsApp foram defensivas e ofensivas. Adquirir o YouTube permitiu ao Google se recuperar de sua iniciativa fracassada no mercado de vídeos, além de tirar o YouTube do alcance de concorrentes como a Microsoft. As aquisições do Instagram e do WhatsApp ajudaram o Facebook a se defender das incursões em celulares e também o tornaram o líder em dispositivos móveis.

A estratégia financeira é também competitiva. O acúmulo de caixa da Apple lhe permite avançar rapidamente e pagar todas as aquisições em espécie — duas vantagens importantes em um processo competitivo de licitação.

Por fim, você pode ordenar que sua força-tarefa naval lance ataques alternativos que produzam pouca vantagem tática, mas que ajudem a situação geral. A Microsoft precisa lançar um mecanismo de busca para competir com o Google, mesmo que seja improvável obter uma participação de mercado significativa, porque o Google está lançando aplicativos de produtividade para competir com a Microsoft. Nessa fase, você deve tentar fazer com que seus oponentes defendam cada pedacinho de seus territórios, porque, se tiver sucesso, eles estarão desarticulados demais para impedir os ataques que você considera significativos.

Basta se lembrar de resguardar alguns navios para afastar os ataques daqueles piratas azucrinantes!

De Capitão a Almirante

Quando este livro foi escrito, a Uber era a empresa mais valiosa do Vale do Silício (e a segunda do mundo, perdendo para sua rival, a chinesa Didi Chuxing), apesar de ter passado a maior parte de 2017 nos noticiários por diversos problemas e escândalos consideráveis.

Algumas dessas questões se devem a um comportamento claramente antiético; incluindo problemas internos, como o assédio sexual sofrido pela engenheira Susan Fowler quando ainda trabalhava na empresa; e as várias tentativas externas de subverter a livre concorrência, a regulamentação e a imprensa, como a criação de falsas alegações para roubar motoristas de sua rival Lyft (como relatado pelo The Verge), o desenvolvimento de softwares (Greyball) para impedir que policiais e autoridades reguladoras acessassem o serviço, e a sugestão do então COO, Emil Michael, de que a empresa investisse na contratação de pesquisadores da oposição para intimidar jornalistas.

Esse tipo de comportamento é inaceitável, independentemente do porte ou estágio da empresa que o adota, e foi legitimamente condenado. No entanto, mesmo que a Uber nunca tenha se envolvido nos comportamentos antiéticos descritos anteriormente, a empresa ainda teria enfrentado questões substanciais por causa de sua relutância em abandonar suas estratégias de pirata (muitas inicialmente benéficas) apesar de suas grandes proporções e escopo.

Quando o conselho da Uber escolheu Dara Khosrowshahi como novo CEO da empresa em setembro de 2017, sua merecida reputação por dirigir uma operação sem escândalos foi muito útil (em outras palavras, um clássico oficial da marinha). Mas tão importante quanto foi sua experiência em expandir com sucesso a Expedia para uma gigante lucrativa de US$20 bilhões e 20 mil funcionários, que recebeu elogios como uma das empresas mais bem administradas do setor e um ótimo lugar para se equilibrar trabalho e vida pessoal.

Ao mesmo tempo que Dara estará lidando com os muitos escândalos públicos da Uber, seu maior desafio — e oportunidade — será guiar a empresa pela transição difícil, mas decisiva, de "pirata" a "marinheiro". Para criar uma cultura mais agradável e parar a deserção em massa de grandes talentos, reconquistar a lealdade de condutores e outros agentes, e pôr fim às batalhas legais que assolaram a empresa, o novo executivo-chefe da Uber precisará começar a se comportar mais como um almirante e menos como um capitão pirata. Todas as startups reconhecem que ser pequeno tem seu valor: inovação, agilidade, foco, resultado versus processo. Todos os empreendedores bem-sucedidos têm o desejo de permanecer pequenos nesse sentido. Mas as scale-ups mais bem-sucedidas são aquelas que conseguem equilibrar o melhor dos dois mundos.

Dara estava tentando atingir esse equilíbrio quando redefiniu as diretrizes culturais da Uber, em novembro de 2017. Ele anunciou as mudanças em um post no LinkedIn.

> Ao passarmos de uma era de crescimento a todo custo para uma de crescimento responsável, nossa cultura precisa se desenvolver. Em vez de abandonar tudo, preservo o que funciona e mudo rapidamente o que não funciona.
>
> Essa é a abordagem que adotamos para nossos novos valores culturais, que anunciamos aos funcionários hoje. Eles definem quem somos e como trabalhamos, mas ouvi de muitos funcionários que alguns deles simplesmente não representam a empresa que queremos ser.

Acreditando firmemente que, em termos hierárquicos, a cultura se faz de baixo para cima, Dara não apresentou apenas um novo conjunto de valores, atrás das portas fechadas de uma sala de conferências. Em vez disso, pediu aos funcionários que lhe mandassem ideias sobre como melhorar a cultura da Uber. Mais de 1.200 pessoas enviaram sugestões, que passaram por mais de 22 votações.

As novas diretrizes culturais que Dara revelou refletem sua abordagem diferenciada, mesmo na simplicidade de sua linguagem. Em vez de se basear em lemas com a ideia do "lobo solitário", como "Seja sempre realizador", a nova cultura se concentra na coletividade ao iniciar cada norma com a palavra "nós":

> Nós valorizamos as diferenças.
>
> Nós tomamos as atitudes certas.
>
> Nós agimos como proprietários.
>
> Nós fazemos apostas grandes e ousadas.

Dara merece o crédito por trabalhar arduamente em prol do acréscimo de valores de "marinheiro", como responsabilidade e atitude correta, à ética "pirata" de ousadia e agressividade da Uber.

No entanto, a mudança cultural, embora necessária, não é suficiente para transformar uma corja de piratas em um corpo da marinha. Quando o CEO de uma grande empresa, como a Uber, faz a transição de capitão de um único navio pirata para um almirante que comanda uma frota com disciplina naval, há técnicas e abordagens consolidadas que a tornam mais tranquila e eficaz. Se você estiver construindo uma empresa global, há três elementos principais que precisa implementar.

1) Uma equipe de gerentes globalmente responsáveis por seus mercados com forte controle executivo sobre ele.

2) Uma compreensão das particularidades desses mercados, o que leva a uma variedade de planos sobre como crescer em cada um deles.

3) Uma equipe executiva unificada para coordenar as operações globais, incluindo a atividade dos gerentes que lideram as operações em cada país.

Os dois primeiros elementos dizem respeito a uma estrutura de comando descentralizada, que permite a cada "capitão" operar com vigor empreendedor. A terceira envolve uma equipe centralizada que ajuda o "almirante" a coordenar as ações da frota para obter o maior impacto possível.

A Uber soube trabalhar bem os dois primeiros elementos. Seus gerentes-gerais são como capitães, e sua capacidade de agir de forma autônoma fez a empresa desenvolver inovações como a tarifa dinâmica (que era um experimento independente realizado no mercado de Boston). A Uber fracassou no comprometimento com o terceiro elemento, uma equipe executiva unificada. Quando você tem fortes capitães e um almirante que não pode nem vai criar uma equipe para ajudá-lo a gerenciar a frota, você acaba com uma multidão de piratas.

O fracasso em unificar uma equipe executiva é lamentavelmente comum. Alguns empresários têm dificuldade em aceitar a expansão da estrutura e a redução da liberdade dos funcionários formais; muitos fundaram empresas justamente por não gostarem do sentimento de trabalhar em uma grande organização. Em seu livro sobre a Uber, *Wild Ride* ["Direção Selvagem", em tradução livre], o jornalista Adam Lashinsky descreve como Travis Kalanick, da Uber, entendeu seu papel conduzindo sua gigantesca empresa:

> "Eu ajo como se fôssemos de pequeno porte", diz [Kalanick], retomando a metáfora favorita: que ele lida com seu dia como uma série de problemas a serem resolvidos... "Eu diria que você precisa fazer sua empresa se sentir pequena constantemente", diz ele. "Precisa criar mecanismos e valores culturais para sentir essa proximidade. É assim que você se mantém inovador e ágil. Mas o modo como faz isso difere conforme a proporção da empresa. Quando sua empresa é superpequena, você se guia rapidamente apenas pelo conhecimento da Tribo. Mas aplicá-lo quando ela atinge proporções gigantescas seria caótico e o desaceleraria completamente. Então você tem que viver buscando essa linha tênue entre ordem e caos."

As palavras de Kalanick revelam o desconforto de um pirata em administrar uma grande empresa. "Ele obviamente pensa em si mesmo como um especialista em problemas tanto quanto um CEO", escreve Lashinsky. Mas, embora atuar como chefe solucionador de problemas seja uma boa opção para sua personalidade, no estágio Cidade ou Nação, dedicar-se demais a detalhes de problemas específicos é um péssimo uso do tempo dos CEOs.

Na prática, Kalanick estava fazendo o que era bom para ele, e não o que a organização precisava.

O objetivo de contratar uma equipe de gerenciamento é resolver os problemas da organização de maneira mais escalável. O CEO deve ser o centro, e a equipe executiva, os raios que o conectam aos gerentes e funcionários da linha de frente que atuam em situações críticas. Kalanick tentou ser o centro e os raios em vez de capacitar a equipe para agir sem sua supervisão. Outro sintoma dessa disfunção foi o hábito de Kalanick de cancelar as reuniões da equipe executiva. É difícil uma equipe de gerenciamento instituir uma cultura de grupo ou coordenar as muitas iniciativas da empresa sem se reunir com frequência. Uma equipe executiva forte se encontra regularmente e se concentra nas iniciativas e questões mais importantes, incluindo planejamento ativo para o futuro.

De acordo com um artigo da *Forbes*, de 2018: "Inside Uber's Effort to Fix Its Culture Through a Harvard-Inspired 'University'" ["Esforços da Uber para Reformular Sua Cultura através de uma 'Universidade' Inspirada em Harvard", em tradução livre], o SVP de liderança e estratégia da Uber, Frances Frei, descreveu a falta de coesão da gerência como um dos maiores problemas enfrentados pela empresa. O artigo relata que "os executivos seniores da Uber não trabalhavam em equipe e só tinham um relacionamento pessoal com Kalanick, que supervisionava a todos".

Kalanick está absolutamente correto quando argumenta que o pequeno porte possibilita às empresas inovarem e terem celeridade, mas essa limitação nem sempre está disponível. É melhor construir uma estrutura organizacional replicável, em vez de evitar escalar a organização o máximo possível e fazer as transformações de uma única vez "um dia".

Em outras palavras, você precisa criar estratégias de gerenciamento escaláveis. Até mesmo alguém tão inteligente quanto Larry Page aprendeu isso nos primeiros dias do Google; ele tentou administrar o departamento de engenharia sem gerenciamento, tendo todos os 400 funcionários subordinados diretamente ao então vice-presidente de engenharia Wayne Rosing. O fracasso desse experimento o convenceu a permitir que o então CEO Eric Schmidt construísse uma estrutura organizacional real no Google.

Todas as estruturas de gestão são temporárias. Você não pode administrar uma Aldeia da mesma maneira que uma Tribo, nem uma cidade da mesma forma que gerencia uma Aldeia. Mas, sem estrutura, você não chega ao estágio seguinte de crescimento.

Parece que o desconforto de Kalanick com as "grandes proporções" da Uber resultou em uma estrutura organizacional disfuncional, em que ele se agarrava a seus métodos passados. Na ausência de uma equipe de gerenciamento coesa, a Uber parecia operar em um modelo que Susan Fowler descreveu em seu blog pessoal como "uma disputa política no estilo *Game of Thrones*" com os gerentes lutando pelo avanço:

> As ramificações dessas disputas foram significativas: os projetos foram abandonados a torto e a direito, os OKRs foram alterados várias vezes por trimestre, ninguém sabia quais seriam nossas prioridades organizacionais no dia seguinte e muito pouco era feito. Todos vivíamos com medo de que nossas equipes fossem dissolvidas, houvesse outra redefinição, e de que tivéssemos que iniciar outro projeto com um prazo impossível. Era uma organização atirada ao completo e implacável caos.

Quando a Uber tentou escalar sua gestão contratando executivos experientes como Jeff Jones, da Target, eles acabavam se demitindo ao invés de transformar a empresa. Só no primeiro semestre de 2017, a Uber perdeu oito vice-presidentes e chefes de departamento.

Em contrapartida, empresas como Facebook e Amazon, e líderes como Mark Zuckerberg e Jeff Bezos, encontraram maneiras de ter sucesso no recrutamento de uma liderança interna, misturando-a com os membros da equipe formada para mudar e fortalecer a empresa. O Facebook promoveu internos como o Chief Product Officer, Chris

Cox (que entrou para o Facebook como engenheiro de software em 2005, depois de abandonar Stanford), mas também contratou externos compatíveis, como Sheryl Sandberg e Mike Schroepfer.

Os principais representantes de Jeff Bezos, como Jeff Blackburn e Andy Jassy, são interinos da Amazon, mas ele também contratou externos importantes, como Jeff Wilke, da AlliedSignal, e o ex-diretor de informações Rick Dalzell, do Walmart. Essas contratações ajudam até mesmo em escala maciça; um dos benefícios para a Microsoft de ter comprado o LinkedIn foi adicionar Jeff Weiner e CTO Kevin Scott à sua equipe executiva.

À medida que sua frota de navios e seguidores piratas cresce, você precisa organizá-los em uma armada disciplinada. Uma frota demanda capitães fortes *e* uma equipe centralizada e forte, capaz de coordenar e aproveitar seu vigor empreendedor.

Todo fundador de sucesso e toda organização de sucesso passa por essas transformações. Mas, como a Uber descobriu, o blitzscaling as torna ainda mais difíceis (devido à rapidez com que devem acontecer) e importantes (por causa do risco inerente de investir em velocidade em detrimento da eficiência).

8ª TRANSIÇÃO: ESCALE A SI MESMO: DE FUNDADOR A LÍDER

Todos os fundadores precisam de algumas habilidades universais para conquistar o sucesso. Eles precisam se dispor a assumir riscos audaciosos em busca de uma visão que não seja óbvia para os outros. Eles precisam se abrir para o aprendizado (já que estão tentando fazer algo revolucionário). E, para exercer uma função continuada, precisam ser diligentes em conviver e resolver os paradoxos inerentes à sua posição. Quando pedi ao fundador do Dropbox, Drew Houston, para avaliar suas vivências, ele me disse: "Acho que os empreendedores começam muito inseguros frente ao desconhecido. Essa sensação não deve paralisá-lo, é preciso aproveitá-la — usar essa inquietação para aprender e se aprimorar. Você precisa manter sua curva de aprendizagem pessoal à frente da corporativa."

Manter uma certa humildade e um senso de perspectiva o ajuda a navegar pelas mudanças em sua função à medida que desenvolve o blitzscaling em sua empresa. Se realmente deseja seguir a metodologia, a velocidade tem que ser priorizada acima de tudo — incluindo o seu próprio ego.

Existem apenas três maneiras de escalar a *si mesmo*: delegação, expansão e aprimoramento.

Delegação

Você consegue encontrar, contratar e gerenciar pessoas competentes, e, além disso, delegar tarefas para elas, a fim de que consiga enfrentar desafios que são responsabilidade exclusivamente sua? Muitos fundadores são tão talentosos que têm dificuldade em delegar as tarefas quando começam a realizá-las. Eles costumam pensar: "Os outros conseguirão fazer isso tão bem quanto eu?" A resposta é quase certamente: "Não, especialmente no começo, mas provavelmente eles descobrirão com o tempo, assim como você."

As startups decolam graças ao talento e ao trabalho árduo de fundadores como Mark Zuckerberg e Brian Chesky, mas elas conseguiram passar por blitzscaling e se tornar gigantes, como o Facebook e o Airbnb, graças à capacidade desses fundadores de delegar.

Um dos principais aspectos da delegação, e frequentemente o mais desafiador para um fundador, é contratar um executivo e delegar a liderança funcional. Muitos grandes fundadores são voltados a produtos. O product/market fit e o sucesso preliminares são alcançados por causa de seus instintos sobre produtos. Mas, à medida que a empresa cresce, esses fundadores precisam contratar um executivo para assumir a liderança da gestão do produto — o que precisa ser o trabalho parcial do fundador.

Uma técnica básica que uso para superar esse desafio é imaginar o contratado como um ser humano, e não como uma função escrita em um papel. Quando você imagina um "chefe de produto" abstrato, é difícil visualizar esse ser impessoal fazendo um trabalho melhor do que você. Entretanto, quando imagina um indivíduo em particular (digamos, Joe Zadeh, do Airbnb), de repente sua ideia muda para: "Nossa, imagine que fantástico ter alguém assim gerindo nossa equipe de produto." É difícil contratar esse arquétipo específico — conseguir captar exímios executivos das atuais empresas em que atuam não é tão simples —, mas não faz mal tentar, e pelo menos lhe confere uma boa referência na qual basear suas reais contratações.

Expansão

Em vez de delegar suas tarefas, você pode contratar pessoas que as *expandam*? O objetivo aqui não é liberá-lo do trabalho para que você se dedique a outras atividades; é tornar tudo o que fizer muito mais impactante. Esse foi um dos aspectos que mais tentei desenvolver e aperfeiçoar na minha vida.

Como muitos fundadores e executivos, tenho uma assistente excepcional, Saida Sapieva, que me ajuda com agendamento e logística. Mas descobri que você pode levar o conceito de expansão muito mais longe. Fui um dos primeiros líderes de startups do Vale do Silício a usar o conceito de "chefe de pessoal", emprestado da política e das corporações já estabelecidas. Diferente de um assistente convencional ou até mesmo de um técnico, o chefe de pessoal expande o impacto comercial: deve ser um executivo que não só toma certas decisões para você, como também filtra aquelas importantes que você precisa tomar.

Um chefe de pessoal também "avisa" a todas as pessoas que você deseja se reunir com elas, para que seu tempo juntos seja o mais eficiente e eficaz possível. Meu primeiro chefe de pessoal, Ben Casnocha, era um célebre autor e empreendedor antes de começarmos a trabalhar juntos; o segundo, David Sanford, trabalhou comigo no LinkedIn e também era empresário (e empreendedor gastronômico!). Acontece que Ben e David eram melhores em organizar minha própria vida do que eu mesmo; fiquei notavelmente mais produtivo desde que começaram a expandir meus esforços. Para saber mais sobre o papel e o valor de um chefe de pessoal, recomendo que leia o ensaio de Ben sobre o tema, "10,000 Hours with Reid Hoffman" ["10 mil horas com Reid Hoffman", em tradução livre], encontrado em seu site pessoal, casnocha.com [conteúdo em inglês].

Quando entender o poder da expansão, você vai encontrar muitas maneiras de escalar a si mesmo. Uma de suas tarefas é processar informações sobre sua empresa, setor e o mundo como um todo. Brett Bolkowy é um pesquisador freelancer da minha equipe que me ajuda a aprender coisas novas e a responder a perguntas críticas para encontrar as melhores informações sobre qualquer assunto específico. Outro membro importante da equipe, Ian Alas, me ajuda com projetos criativos, como os resumos visuais que preparo para meus livros. Os slides que ele criou para *Comece Por Você* foram vistos quase 15 milhões de vezes. Isso é expansão!

Eu não estou sozinho nessa. Mark Zuckerberg também conta com uma equipe substancial para ajudá-lo a gerenciar suas comunicações de mídia social, a fim de que, ao viajar e conhecer pessoas, ele possa maximizar o impacto de suas interações.

Colaboradores, freelancers e até mesmo uma equipe de consultores externa de confiança podem ser seus "expansores". Um apoio certeiro é mais importante do que a relação oficial de trabalho.

Aprimoramento

Conforme sua empresa cresce e se transforma rapidamente à medida que implementa o blitzscaling, é crucial que você descubra como se aprimorar com a mesma rapidez, para não se tornar a barreira que impede a empresa de avançar. Como nosso amigo Jerry Chen gosta de dizer: "Não há tarefas definidas para os fundadores. Se seu papel não mudar, há algo de errado."

Como você enfrenta novos desafios a cada estágio do blitzscaling, precisa **se tornar uma máquina de aprendizado**. Meu amigo Elon Musk é um ótimo parâmetro. Ele abandonou o doutorado em física aplicada, de Stanford, porque achava que aprenderia mais por conta própria! Ele fundou a SpaceX e a Tesla aprendendo na prática a ciência por trás dos foguetes e da fabricação de automóveis. E você, como acelera sua curva de aprendizagem para que aprenda com mais rapidez? O segredo é, como dizia Isaac Newton, "estar sobre os ombros de gigantes".

Muitas vezes, isso representa conversar com pessoas engenhosas, para que você aprenda com seus sucessos e fracassos. Geralmente, é mais fácil e menos doloroso aprender com os erros alheios do que com os próprios. Quando preciso aprender sobre um novo assunto, certamente devoro alguns livros, mas quase sempre complemento essa contraparte teórica conversando com os principais especialistas da área. Brian Chesky, do Airbnb, outra incrível máquina de aprendizado, faz algo parecido, buscando conselhos de mentores como Sheryl Sandberg e Warren Buffett. Brian disse à nossa turma em Stanford: "Se encontrar a fonte certa, você não precisa ler tudo. Tive que aprender a procurar os especialistas. Eu queria aprender sobre segurança, então procurei George Tenet, ex-chefe da CIA. Mesmo que não consiga conhecer de fato os melhores, você ainda pode ler sobre eles." Brian vive esse conselho; muitas de suas ideias surgem ao ler biografias de grandes empreendedores, como Walt Disney.

Outra abordagem útil é procurar orientação de especialistas que podem ser menos famosos do que as Sheryl Sandbergs da vida, mas que já enfrentaram (e resolveram) questões semelhantes. Em entrevista para o *Masters of Scale*, Drew Houston, do Dropbox, descreveu como ele tenta aprender com colegas empreendedores que estão na mesma jornada:

> Converse com outros empreendedores. Não apenas empresários famosos, mas pessoas que estejam um, dois, cinco anos à sua frente. Você aprende coisas muito específicas e importantes com essas pessoas, o que lhe confere uma boa noção diacrônica da curva, porque o jogo muda silenciosamente a cada fase.

Além de buscar ajuda para situações pontuais, acredito que aprender com os outros de forma sistemática seja uma boa ideia. Aconselho os empresários a ter uma diretoria particular de consultores, ou uma "junta de diretores", que ofereça conselhos e o ajude a preencher as lacunas de seu conhecimento. Tenho um grupo de consultores informais que me ajudam a aprender sobre áreas que são importantes para mim, incluindo tópicos muito específicos, como viralização e gestão de pessoas. Se aplicar o blitzscaling à sua empresa for um desejo real, você deve pensar nos mentores da empresa como uma junta de diretores. Os mantenho informados sobre seu progresso e pergunte como você pode agir melhor. Todo mundo precisa de feedback.

Brian Chesky costuma dizer: "Não tenho vergonha de receber feedback." Ele e eu organizamos um jantar todos os meses em que (entre outras coisas) compartilhamos o que aprendemos e fornecemos feedback. Estabelecer uma junta desse tipo o ajuda a gerenciar riscos e a potencializar suas ações.

Isso parece muito trabalhoso, mas é importante dar tempo e espaço para reflexões e feedback. É muito fácil se envolver em uma lista interminável de tarefas e perder de vista o que é essencial. Essa foi uma das sacadas que aprendi com Mark Zuckerberg e Sheryl Sandberg. Eles se encontram no começo de toda segunda-feira e no final das sextas — independentemente de imprevistos e agendas lotadas. A reunião das sextas é especialmente importante porque lhes permite avaliar a semana e refletir sobre o que aprenderam.

Talvez você ache que tirar tempo de seus compromissos para se aprimorar é supérfluo. Afinal, todos estão contando com você. Esse sentimento, embora natural, é contraproducente. O CEO da Netflix, Reed Hastings, alertou nossa turma de Stanford: "(Quando gerenciei a Pure Software) achava egoísmo investir em mim mesmo, que isso era tempo de trabalho perdido. Fui convidado a participar da YPO [Organização do Jovens Presidentes], mas pensei: 'Não posso tirar um dia de folga.' Eu estava muito ocupado andando em círculos. Eu deveria ter passado mais tempo com outros empresários, ter feito yoga ou meditado. Eu não entendia que, ao me aprimorar, ajudo a empresa, mesmo que esteja longe do trabalho." Além disso, quando você adota uma postura de aprimoramento pessoal, incentiva toda a empresa a desenvolver uma cultura de aprendizagem.

AS NOVE REGRAS CONTROVERSAS DO BLITZSCALING

Aplicar o blitzscaling a uma empresa não é fácil; se fosse, todos o fariam. Como a maioria das coisas de valor neste mundo, o blitzscaling é controverso. Para ter sucesso, você terá que violar muitas das "regras" de gerenciamento voltadas à eficiência e minimização de riscos. Na verdade, para atingir suas metas agressivas de crescimento diante da incerteza e da mudança, é preciso seguir novas regras, que fogem do que é ensinado nas escolas de negócios e são completamente controversas em relação às "melhores práticas" aceitas tanto para startups incipientes quanto na gestão corporativa clássica.

1ª REGRA: ABRACE O CAOS

Planos anuais. Previsão de receita. Os negócios tradicionais se esforçam para obter ordem e regularidade na gestão, nas operações e nos resultados financeiros; um desejo que se justifica, porque permite que as empresas adéquem sua abordagem para obter o máximo possível de eficiência e dá aos acionistas uma reconfortante sensação de estabilidade. Mas, quando você vivencia o blitzscaling, escolhe deliberadamente sacrificar a eficiência em prol da velocidade, o que significa que o foco tradicional em ordem e regularidade dá lugar a uma predisposição sem precedentes em abraçar o caos, o terror da maioria dos professores dos programas de MBA de Harvard.

Quando se começa uma empresa, quase tudo é uma incógnita, do product/market fit à concorrência e à composição da futura equipe. Não há como dirimir essas incertezas com um planejamento cuidadoso; a maioria só é solucionada na prática. Como resultado, você precisa agir apesar das pendências (e, às vezes, mesmo sem saber ao certo quais são elas). Muitos empreendedores criam produtos antes de elaborar sua estratégia de inserção no mercado.

No entanto, cruzar os braços dificilmente trará sucesso; sucumbir passivamente ao caos não é uma estratégia vencedora. Abraçar o caos, por outro lado, significa aceitar que a incerteza existe e, portanto, tomar medidas para administrá-la. Se você sabe que vai cometer erros, a atitude ideal não é se sentar e esperar que as respostas o encontrem, ou agir de forma inconsequente e impulsiva. Você ainda pode tomar decisões inteligentes estimando as probabilidades, mesmo em um terreno de incertezas. E, talvez o mais importante, acreditando que você é capaz de corrigir seus erros.

Meu livro anterior, *Comece por Você* (Alta Books, 2019), apresenta o conceito pertinente de "planejamento ABZ": os empresários devem sempre ter um Plano A, um Plano B e um Plano Z. O Plano A é sua melhor opção no momento; o B, um plano alternativo, se baseia no "similar possível", que você adota se a ideia inicial não estiver funcionando ou se descobrir uma oportunidade melhor. O Plano Z se concentra em sobreviver ao pior cenário possível. O planejamento ABZ abre múltiplas oportunidades para você se recuperar de erros e retrocessos.

Na minha primeira startup, a SocialNet, parecia que estávamos sonhando quando conseguimos contratar um engenheiro de servidores brilhante (Plano A). Mas o sonho virou pesadelo quando ele pediu para adiar a data de início em um ano! Desnecessário dizer que uma startup não pode simplesmente ficar parada por um ano — mesmo que você tenha capital para arcar com o atraso, a desmotivação provavelmente faria a maior parte da equipe desistir. Procuramos outros engenheiros de servidores brilhantes (Plano B); mas, como não encontramos, demos seguimento à construção do serviço assim mesmo, pedindo à equipe para fazer o melhor possível, cientes de que precisaríamos o reformular depois (Plano Z).

Mesmo que você consiga contratar as pessoas que deseja, muitas vezes terá que alterar suas funções e cargos enquanto a organização se adapta ao feedback do mercado. No PayPal, pensamos que venderíamos um produto de criptografia móvel e contratamos com base nessa ideia. Depois, nos adaptamos rapidamente para possibilitar transações financeiras via celular, depois PalmPilots, pagamentos entre PalmPilots e, por fim, via e-mail. Não poderíamos ter adotado essa postura se nossos colaboradores estivessem em cargos engessados e limitados, como "engenheiro de criptografia móvel". Pense em Jamie Templeton, um dos primeiros funcionários do PayPal. Nós o contratamos para trabalhar no produto; mas, em apenas três anos, ele passou de produto para engenharia, sistemas e política, de acordo com as necessidades da empresa. Jamie é exatamente o tipo de funcionário de que você precisa no começo — alguém disposto a abraçar o caos de uma startup —, e foi por isso que fiz questão de que ele se juntasse a mim também no começo do LinkedIn.

2ª REGRA: CONTRATE QUEM É ADEQUADO NO MOMENTO

Na maior parte da história do Vale do Silício, a contratação de executivos para startups se pautou no senso comum de empregar rapidamente alguém que as pudesse escalar. Isso representava contratar alguém com experiência em organizações muito maiores, entendendo que essa bagagem seria útil em estágios posteriores.

Hoje em dia, essa regra já não se aplica. A competição darwiniana é tão acirrada que sua empresa precisa se concentrar completamente no estágio em que estiver. Você precisa de gerentes e executivos adequados para cada fase de crescimento; afinal, não terá que se preocupar com a próxima fase se sua equipe não o levar até lá. Contratar alguém acostumado a coordenar mil pessoas para administrar uma empresa de dez é contraproducente, porque as habilidades necessárias para ter sucesso em cada fase são muito diferentes.

O ideal, é claro, é contratar executivos que não se destaquem apenas em sua fase atual, mas que sejam flexíveis para cobrir a fase seguinte com o mesmo traquejo. Porém, essa "escalabilidade" deve ser uma preocupação secundária. A prioridade é o valor atual. Preocupe-se em adaptar ou substituir um executivo específico quando a empresa se aproximar da fase seguinte.

Os empresários às vezes são aconselhados a evitar a contratação de vendedores até que seu vice-presidente de vendas tenha mostrado que pode escalar a empresa para US$100 milhões em vendas. Isso é besteira. Os vendedores de que você precisa para impulsionar o hipercrescimento são totalmente diferentes dos que precisa para escalar. Quando está tentando vender seu produto pela primeira vez, precisa de vendedores ousados e adaptáveis, que não se prendam a regras estanques. Quando atingir a escala, você precisará de vendedores minuciosos e orientados a processos, que saibam manter a engrenagem funcionando sem problemas. Não é possível encontrar uma pessoa extraordinária em tudo.

Uma coisa a se buscar durante a avaliação de um candidato é se a pessoa tem ciência dos estágios do processo em que se destaca e quais prefere. Algumas pessoas se alinham mais a empresas incipientes, em que terão mais oportunidades de assumir um amplo portfólio de responsabilidades. Outras preferem empresas nesse estágio para desfrutar do impacto direto e palpável de fazer a diferença ao contribuir individualmente ou liderar uma equipe, em vez de lidar com o trabalho completamente diferente e mais alienado do todo de ser um gerente ou executivo em período integral. Conheço muitos profissionais talentosos que preferem ingressar em empresas em estágio inicial porque, embora não queiram assumir o desafio de ser fundadores, querem estar, nas palavras de Aaron Burr, em *Hamilton*, "no olho do furacão".

Pouquíssimas pessoas se destacam indiscriminadamente, como colaborador individual, gerente *e* executivo; e até mesmo as raríssimas que conseguem provavelmente têm suas preferências. Profissionais experientes do Vale do Silício geralmente conhecem o estágio e a função que preferem, porque a prevalência desproporcional de empresas de blitzscaling lhes possibilita experimentar os diferentes estágios mais a fundo. Essas experiências reiteradas em diferentes estágios permitem que os funcionários se concentrem no que se adéqua melhor a suas habilidades e desejos.

Parte da tática de contratar a pessoa certa só pensando no momento significa saber quando deixar alguém ir. Um excelente designer pode se destacar trabalhando de forma independente em uma Família ou Tribo, mas ser menos eficiente integrando uma equipe maior.

No LinkedIn, Minna King foi uma das colaboradoras que exemplificou a tática. Minna é uma profissional incrivelmente talentosa, que cria nichos valiosos em um estágio muito específico na vida de uma startup; ela é especialista em pegar um produto de software bem sucedido e globalizá-lo. Minna tem habilidades muito particulares, que adquiriu ao longo de uma longa carreira que remonta à era das pontocom. Ela sabe exatamente o que uma equipe de desenvolvimento de software e produto precisa fazer para que um software da internet funcione em diferentes idiomas e mercados, em áreas que vão desde esquemas de banco de dados à interface do usuário. Ela então trabalha com uma equipe multifuncional para implementar esses detalhes antes do lançamento global.

Não é fácil encontrar pessoas que se enquadrem tão perfeitamente em suas necessidades; você não pode simplesmente entrar no site do LinkedIn e selecionar o filtro "estágio preferencial de blitzscaling" para encontrar profissionais. (Apesar de que, pensando bem, isso não parece uma má ideia...) Você provavelmente terá que confiar em sua rede de contatos para obter recomendações, uma situação com a qual seus investidores e diretoria podem colaborar. Mas, quando você encontra a pessoa perfeita para um momento específico, ela adiciona um valor substancial à organização.

Foi exatamente isso que Minna fez por mim no LinkedIn, assim como fizera para a Overture e o eBay anteriormente; e como fez para outras duas empresas de sucesso, SurveyMonkey e Nextdoor, depois que saiu do LinkedIn. Em todos os casos, ela entrou nas empresas no início da fase Aldeia, porque, para que seu trabalho agregasse o máximo de valor, a empresa precisava ser grande e bem-sucedida o suficiente para precisar se globalizar, mas pequena o suficiente para não ter ainda habilidades internas para fazê-lo.

3ª REGRA: TOLERE UMA GESTÃO "CAPENGA"

No blitzscaling, a velocidade é mais importante do que uma "boa gestão" empresarial. Em circunstâncias normais, você deve buscar a coerência e a estabilidade organizacional. Empresas instáveis e caóticas deixam os funcionários ansiosos e reduzem o moral. No entanto, quando você cresce na velocidade da luz, às vezes é necessário reorganizar a empresa três vezes em um único ano ou trocar repetidamente membros da equipe de gerenciamento. Quando sua organização cresce 300% ao ano, às vezes é preciso promover as pessoas antes que estejam prontas e, em seguida, substituí-las, se elas não vestirem a camisa. Você não tem tempo para ser paciente e esperar que as coisas "funcionem"; tem que agir de forma rápida e categórica. Há sempre muitas transformações em curso, e a maior parte não é opcional. Você está construindo as equipes e a empresa ao mesmo tempo. Visando à velocidade, você pode até mesmo surpreender ou confundir seu pessoal reduzindo o tempo necessário para tomar e implementar decisões importantes.

Problemas relacionados a cargos são um sintoma comum desse caos. Nos estágios Família e Tribo, você não tem tempo para planejar um processo cuidadoso de promoção, nem para discutir se o cartão de visitas de alguém deve conter "chefe de engenharia" ou "VP sênior de produto" (nesses casos, não tem tempo sequer para criar e solicitar cartões de visita). Pode manter os títulos dos colaboradores, mesmo que não reflitam o progresso organizacional nem o nível de responsabilidade, ou pode agir como nenhuma empresa racional faria, promovendo deliberadamente os cargos para deixar as pessoas felizes e contar com a capacidade de corrigir a situação "mais tarde". De qualquer maneira, você assume riscos organizacionais para concentrar seus esforços totalmente no crescimento.

Considere o exemplo do PayPal. Embora tenha alcançado um grande sucesso, a empresa foi mal administrada — e escrevo como um de seus gerentes seniores. Tomamos boas atitudes, certificando-nos de que todos os funcionários tivessem uma atividade principal bem definida e permanecessem focados ao trabalhar em projetos importantes; mas a maior parte do gerenciamento do PayPal consistia em uma ausência de gerenciamento. Não houve conversas individuais sobre desenvolvimento de carreira com os colaboradores. Não houve trabalho para formar equipes além de simplesmente escolher quem pertenceria a elas. As poucas regras que tínhamos tratavam mais de incentivos individuais do que de gestão de equipes. Quando as pessoas se atrasavam para uma reunião, a última pessoa a chegar era multada em US$100 a fim de impor a disciplina. No entanto, embora soubéssemos que as reuniões eram importantes, não designamos ninguém para anotar pontos-chave e itens de ação, uma prática básica e comum no Vale do Silício.

Mas a gestão "capenga" do PayPal proporcionou vários pontos fortes contraditórios enquanto realizávamos o blitzscaling. Durante os momentos críticos em que o PayPal estava desenvolvendo inovações em seu modelo de negócios e ampliando a escala, vimo-nos enfrentando uma série de desafios decisivos ou, como gosto de chamá-los: "Momentos agora f$#@&!"

Agora f$#@&, temos um problema envolvendo fraude e estamos perdendo milhões de dólares que não temos. Agora f$#@&, a Visa diz que temos que mudar o produto ou vai nos deixar. Agora f$#@&, o eBay, nosso principal parceiro de negócios, acaba de iniciar um empreendimento próprio para competir diretamente conosco.

Por causa de nossa gestão "capenga", não tínhamos projeções de como "a empresa deveria estar daqui a três anos". A natureza caótica de nossa administração, na prática, nos manteve alertas diante dessas graves e inesperadas minas terrestres. Quando as funções de todos são indefinidas e dinâmicas, é mais fácil dizer: "Sei que você tem trabalhado nisso nos últimos quatro dias, mas agora estamos fazendo algo diferente." O caos interno fez nossa equipe naturalizar mudanças bruscas, o que a tornou apta a se adequar às profundas transformações a que o mundo exterior nos impunha. Sabíamos que estávamos passando por uma mistura de campo minado com pelotão de fuzilamento.

Parafraseando Bruce Banner/O Incrível Hulk, no filme *Os Vingadores*, o segredo por trás de nosso superpoder era que estávamos sempre mudando. Nós também fomos afortunados em nosso tempo. Algo que une as equipes na ausência de uma gestão mais direcionada é a possibilidade de vencer.

Depois que a bolha pontocom estourou, muitas empresas de tecnologia faliram, mas o PayPal ainda tinha uma chance de sucesso. Tudo o que você precisava fazer era olhar para o gráfico que mostrava o aumento contínuo no volume de transações diárias! Assim, nosso pessoal se dedicou mais do que o normal porque queria vencer e gostava de integrar uma equipe de agentes de alta potência e QI. A "boa" gestão e o planejamento clássicos pressupõem uma certa estabilidade que nem sempre se consegue no blitzscaling.

Um dos equívocos do empreendedorismo é que você desenvolve um plano e depois o executa. Pense na metáfora inerente à ideia de "construir" um negócio — a própria linguagem sugere seguir um plano arquitetônico. No entanto, ao criar e escalar um modelo de negócios inovador, você nem sempre tem um plano detalhado. A situação se assemelha mais a: "Acho que um prédio ali seria uma boa ideia. Vamos começar a cavar!" Depois que o cimento é despejado, e as paredes sobem, você percebe: "Poderíamos construir um hotel, nesse caso precisamos de uma planta baixa."

Isso é uma gestão "capenga"? Talvez. Mas, se ela o salva de construir um armazém na parte errada da cidade e lhe permite transformar rapidamente a estrutura em um hotel lucrativo (ou evita que tenha prejuízos com dinheiro virtual e o faz dominar rapidamente o mercado de pagamentos globais), pode ser sua melhor abordagem.

4ª REGRA: LANCE UM PRODUTO QUE O INCOMODE

Não é que você deva se esforçar para elaborar um produto ruim. Mas se precisar escolher entre chegar ao mercado rapidamente com um produto imperfeito ou chegar lentamente com um "perfeito", escolha a primeira opção quase sempre. Chegar ao mercado rapidamente lhe propicia receber o feedback necessário para aprimorá-lo. Qualquer produto que tenha refinado cuidadosamente com base em seus instintos, em vez de em reações e dados do usuário real, provavelmente errará o alvo e exigirá uma interação significativa de qualquer maneira. O ideal é fazer um ciclo cuidadoso de OODA — observar, orientar, decidir, agir. A velocidade realmente importa, e o lançamento antecipado lhe permite atravessar a curva de aprendizagem e chegar a um produto excelente de modo mais rápido.

Mark Zuckerberg credita o sucesso do Facebook à rapidez. Em uma entrevista ao *Masters of Scale*, ele nos disse: "Aprenda e avance o mais rápido que puder. Mesmo que nem todas as versões sejam perfeitas, você vai acabar se saindo melhor ao longo de um ano ou dois do que se esperasse um ano para obter feedback sobre todas as suas ideias. O foco da empresa é aprender rápido."

Aprendi essa lição da maneira mais difícil, quando comandava minha primeira startup, a SocialNet. Eu não queria que nosso primeiro lançamento me incomodasse, então a abordagem que adotamos foi concluir o produto antes de abrir as cortinas e deixar as pessoas se inscreverem. Essa abordagem atrasou o lançamento da SocialNet em um ano, e, quando finalmente a lançamos, percebemos rapidamente que metade das funcionalidades que tínhamos implementado meticulosamente não era relevante, e metade daquelas que seriam fundamentais não tinha sequer nos ocorrido. Embora houvesse outras razões para o fracasso da SocialNet, a provável causa de sua morte foi não tê-la lançado antes e feito as iterações com base no feedback do mercado.

Depois de minhas experiências no PayPal e do sucesso que obtivemos com lançamentos rápidos e a iteração de produtos, eu estava determinado a lançar o LinkedIn o mais rápido possível. Nossa equipe definiu uma lista de recursos que acreditávamos ser o mínimo necessário para entrar no mercado. Anos mais tarde, Steve Blank e Eric Ries nomeariam isso como "produto mínimo viável" (MVP - Minimum Viable Product). Para o LinkedIn, o MVP incluía o perfil profissional de um usuário, a capacidade de se conectar a outros, uma função de pesquisa e um mecanismo para enviar mensagens para amigos.

Pouco antes do lançamento, começamos a nos preocupar se o LinkedIn seria útil sem uma massa crítica de perfis. Se um usuário se inscrevesse no LinkedIn, como poderíamos torná-lo útil para ele mesmo que nenhum de seus amigos já estivesse inscrito? Entendemos que o que faltava era um localizador de contatos, uma versão da pesquisa que permitisse a um usuário encontrar possíveis prestadores de serviço. Se você precisasse de um consultor para orientá-lo a globalizar seu serviço, poderia usar o buscador para encontrar Minna King.

Nossa equipe de engenharia estimou que levaria um mês para construir esse recurso. Deparamo-nos com uma escolha difícil — adiar o lançamento em um mês ou lançá-lo sem um recurso que achamos que seria essencial para nosso sucesso. Baseados na regra do incômodo, lançamos sem o buscador. E rapidamente descobrimos um problema muito maior: ao contrário dos usuários de redes sociais pessoais, como o Friendster, que cresciam de forma explosiva à medida que novos usuários convidavam seus amigos para participar, os usuários do LinkedIn não enviavam convite algum. Nosso crescimento de usuários se estagnou. Nosso produto de linha de base nos incomodava porque ninguém o usava! Se tivéssemos atrasado o lançamento para criar o buscador, ainda não haveria pessoas suficientes por perto para usá-lo, o que representaria um mês perdido criando uma característica que não abordava o problema principal. Estimamos que precisaríamos de pelo menos um milhão de usuários antes que a pesquisa (e o buscador) se tornasse útil, e a solução desse problema era a principal prioridade.

Com base nos dados do lançamento, concentramo-nos na viralização, foi esse foco que nos tornou a primeira rede social a permitir que você carregasse seu catálogo de endereços. Esse recurso fez o

LinkedIn obter uma massa crítica de mais de um milhão de perfis de usuários, e o resto é história.

Tenha em mente que você deve se sentir *incomodado* com seu lançamento preliminar — não envergonhado ou culpado! O desejo pela velocidade não é uma desculpa para evitar curvas perigosas. Se você sofre ações judiciais ou gasta dinheiro sem aprender, significa que você *lançou* cedo demais. O motivo para lançar seu produto cedo é aprender o mais rápido possível; mas esse aprendizado é inútil se você não tiver a chance de consertar. Se o seu produto explodir e matar alguém, você provavelmente não terá outra chance. O primeiro lançamento do LinkedIn ficou aquém de nossas expectativas, mas não gerou qualquer dano. Antes de lançar seu produto, saiba o que quer aprender e quanto risco pode correr sem lesar seus clientes ou sua reputação. Empreendedores têm que andar em uma linha tênue entre falhas corrigíveis e fatais!

A fronteira entre um produto passível de correção e um fatal muitas vezes depende de sua natureza. Se considerarmos apenas duas dimensões — grátis (ou freemium) versus pago, e pessoal versus empresarial —, cada uma delas pode ser alocada em um estágio:

- As falhas de um produto de consumo gratuito são altamente toleradas, porque os consumidores tendem a ser complacentes quando se trata de algo que não lhes custa nada.

- Um produto de livre iniciativa precisa ser mais refinado; mesmo que seja gratuito, as apostas são maiores em um ambiente profissional.

- Um produto corporativo pago precisa ser ainda mais refinado, mas ainda pode ter falhas significativas, porque esses tipos de produtos são destinados a usuários especialistas, que podem não ter outra escolha a não ser usar o produto.

- Um produto de consumo pago tem menos espaço para erros. Embora os consumidores sejam muito tolerantes com as falhas nos produtos gratuitos, esperam que os pagos sejam quase perfeitos, e vão expressar em alto e bom tom quaisquer falhas significativas que encontrarem: "Por que estou pagando por isso?"

Em algumas situações, você pode reduzir os riscos e as incertezas conseguindo feedback dos usuários sem precisar lançar o produto. O design thinking costuma demandar protótipos rápidos e testes de usuários por meio de protótipos de papel ou ferramentas de demonstração, como o InVision, e ferramentas de teste, como o UserTesting.com. No entanto, até essas técnicas aderem à regra — o objetivo é testar o mais cedo possível, em vez de buscar a perfeição antes de apresentá-lo aos usuários.

Depois de lançar o produto, você precisa aprender as lições pertinentes com o feedback do mercado. Como mostra o exemplo do lançamento preliminar do LinkedIn, as principais lições podem não estar no que os clientes dizem, mas no que fazem. Os primeiros usuários do LinkedIn foram em grande parte nossos amigos e familiares, e eles não nos disseram: "Essa porcaria é inútil sem mais usuários!" Em vez disso, eles nos disseram coisas como: "Parece que vai ser muito útil" — mesmo que nem eles enviassem convite algum. Sim, você precisa ouvir atentamente o que seus usuários têm a dizer, mas também precisa saber quando ignorá-los seletivamente.

Quando comentários e dados empíricos de usuários se contradisserem, ouça os dados. As pessoas geralmente são ruins em prever sua reação a mudanças. A explicação científica é a inconsistência entre o comportamento previsto e o observado. Quando o Facebook estava considerando adicionar um recurso que usaria o reconhecimento facial para marcar automaticamente os rostos dos usuários em fotografias, os participantes do grupo de foco foram muito negativos em relação ao conceito, considerando-o "assustador" e uma invasão de privacidade. No entanto, quando o Facebook testou o recurso, a codificação automática impulsionou o envolvimento, e os usuários o adoraram!

Quando ofereço esse conselho, às vezes ouço a objeção: "Não foi assim que Steve Jobs agiu." Bem, espere um minuto. Em primeiro lugar, ao contrário do que o senso comum pensa, nem todos os produtos de Steve foram perfeitos desde o início. O Mac original não tinha disco rígido. O iPhone original não tinha uma App Store. Verdade seja dita, existem empresários que lançaram um produto excelente de primeira. Quando Elon Musk lançou o Tesla Model S, ele imediatamente se tornou o carro mais bem classificado na estrada, sendo eleito pela *Motor Trend* o carro do ano já na estreia, e alcançando uma classificação mais alta no *Consumer Reports* do que qualquer outro carro testado por eles.

No entanto, para fazer isso, você tem que acreditar que consegue acertar o product/market fit de um novo mercado antes de lançar e investir quantias substanciais de capital com base unicamente nessa confiança. Elon apostou a própria fortuna e centenas de milhões de dólares de dinheiro de investidores e do governo que a Tesla poderia produzir um carro melhor do que qualquer um de seus concorrentes centenários. O número de empreendedores capazes e dispostos a apostar de forma tão ousada é baixo. O número que pode fazer isso com sucesso é menor, e o número que pode fazê-lo com sucesso mais de uma vez, ainda menor.

Então, sim, se você é um gênio raro e pode prever com precisão e coerência o que o mercado quer, confiar em seus instintos será mais rápido do que usar um processo de tentativa e erro para iterar seu caminho rumo a um produto melhor. Boa sorte com essa abordagem! Como um mero mortal, prefiro o feedback do mercado.

5ª REGRA: DEIXE ACONTECER

Costumo dizer aos empresários que começar uma empresa é como saltar de um penhasco e montar um avião na descida. A consequência típica para qualquer startup é a morte, o que significa que você tem que agir de forma rápida e decisiva para evitá-la a todo custo. Isso não deixa muito tempo para colocar todos os pingos nos *is*.

Em todos os estágios do blitzscaling, sempre há muito mais problemas que clamam por sua atenção do que recursos para resolvê-los. Você pode se sentir como um bombeiro; mas, em vez de tentar extinguir um incêndio localizado, você vê focos de incêndio espalhados a seu redor — e não tem tempo para apagar todos. Uma das táticas de sobrevivência do blitzscaling é deixar certos incêndios queimarem para que possam se concentrar naqueles que, se não forem impedidos, atacarão descontroladamente e destruirão a empresa. Meu colega de Greylock, Joseph Ansanelli, diz: "As coisas para as quais você diz 'não' são mais importantes do aquelas para as quais diz 'sim'."

Você não pode ignorar esses incêndios para sempre — eles são realmente perigosos e acabarão exigindo atenção, mas não são relevantes nos principais momentos do blitzscaling, pois sua extinção não afeta o resultado esperado. Imagine uma cirurgiã de emergência tentando salvar a vida de uma vítima de trauma; como está realizando uma cirurgia de emergência, ela pode notar uma massa de aparência suspeita, mas vai se concentrar em remendar as artérias do paciente primeiro — haverá tempo para biópsias e exames mais tarde. Afinal, se o paciente morrer na mesa de operação, até um possível tumor será irrelevante.

O macete, é claro, é saber quais fogos deixar queimar. Saber quais incêndios priorizar vem de uma combinação de diferentes fatores. O primeiro é a *urgência*: qual incêndio vai danificar ou aniquilar seu negócio de modo mais rápido? Isto não precisa se limitar aos incêndios que ameaçam a existência da sua empresa; para uma startup, um incêndio que lime sua capacidade de crescer é quase tão mortal em longo prazo quanto um que possa retirá-la do mercado amanhã. Normalmente, o primeiro passo é decidir se você pode simplesmente analisar o problema e resolvê-lo mais tarde.

Quando Selina Tobaccowala entrou na SurveyMonkey, um dos primeiros incêndios que considerou combater foi o design do produto. Ele era feio, desatualizado e, honestamente, um pouco constrangedor; mas, ao mesmo tempo, tinha sido extremamente eficaz e bem-sucedido — o envolvimento do usuário foi bom, e os clientes estavam satisfeitos. Selina decidiu adiar o redesenho do produto para se concentrar em incêndios mais urgentes. Essa decisão tornou mais difícil para ela recrutar engenheiros com um senso estético apurado, mas não aniquilou a empresa.

Em alguns casos, se os incêndios em sua startup estiverem queimando dinheiro, mas não atingirem o cliente, e se você puder arcar com o desperdício, pode ganhar tempo e ignorá-los. Geralmente, levantar mais capital é uma maneira fácil (embora, muitas vezes, cara) de conter incêndios menos urgentes.

O segundo fator que precisa avaliar é a *eficácia*: quais são os incêndios que você consegue dissipar agora e quais serão mais fáceis de apagar mais tarde (e vice-versa)? Se a questão é urgente, mas você não consegue combater o incêndio, talvez seja necessário ignorá-lo e esperar que as circunstâncias externas o eliminem. Da mesma forma, se não for algo necessariamente urgente agora, mas que gere um dano muito maior caso se espalhe, pode ser melhor evitar dores de cabeça no futuro e cortar o mal pela raiz.

O último fator a ser considerado é a *dependência*: a extinção do Incêndio A facilitará a extinção dos Incêndios B e C? Esses efeitos colaterais são cruciais, porque sempre há mais incêndios queimando do que seu tempo lhe permite combater em um dado momento.

Acredito que exista uma hierarquia das necessidades de Maslow para esses incêndios, que se aplique às startups em rápido crescimento, cujos principais incêndios a serem apagados estão no topo da lista:

Distribuição

Produto

Modelo de receita

Operações

Concorrência

Qual é o próximo?

O que isso significa é que, para a maioria das startups de internet, o fogo mais importante é a distribuição; se sua distribuição estiver em chamas, sua empresa está condenada. Se você for capaz de conter esse incêndio, no entanto, será muito mais fácil combater os outros. Conquistar usuários propicia feedback sobre como aprimorar seu produto. A aquisição de milhões de usuários ou milhares de clientes facilita muito a geração de receita. A geração de receita leva ao pagamento da infraestrutura e do pessoal para ampliar suas operações, seja por fluxo de caixa ou por meio do aumento dos investimentos. E, se tiver uma empresa bem-sucedida e em crescimento, preocupar-se com a concorrência é justificável.

No caso do LinkedIn, depois que corrigimos o problema da distribuição promovendo a viralização e gerando uma base de usuários significativa, algumas pessoas insistiram no incêndio do modelo de receita. Se eu tivesse recebido um centavo a cada vez que ouvi: "Como o LinkedIn vai ganhar dinheiro?" nessa época, provavelmente não teria precisado de outro modelo de receita! Mas eu sabia que deveríamos ignorar o fogo, porque (1) a falta de receita não seria a causa imediata da aniquilação a menos que nos impedisse de levantar dinheiro e (2) o incêndio do produto era muito mais urgente e exigia toda a nossa concentração. Se não encontrássemos a distribuição para adquirir uma massa crítica de pelo menos um milhão de usuários, e elaborássemos um produto que eles considerassem convincente o suficiente para se tornar usuários regulares do serviço (ou, pelo menos, para responder às solicitações do LinkedIn), o modelo de receita seria irrelevante.

Na época, potenciais investidores da Série A queriam ver um modelo de negócios que mostrasse como o LinkedIn obteria lucro. Eu disse a esses investidores que não geraríamos receita até o final da rodada de financiamento seguinte, e que, portanto, isso não deveria importar para eles. Eles insistiram mesmo assim, então a equipe e eu produzimos um modelo financeiro que incluía fontes de receita. Eu nem lembro o que colocamos nele! Em vez de perder semanas, simplesmente reservamos uma única noite, bebemos algumas taças de vinho e montamos o modelo (eu poderia ter ficado aborrecido por ter gastado mesmo que seja uma única noite, mas o vinho estava maravilhoso, então não foi um desperdício completo).

Essa história também enfatiza por que você precisa de pessoas em sua equipe que tolerem caos, riscos e incertezas. Em geral, estamos dispostos a combater incêndios; mas há uma quantidade menor de pessoas capazes de notar incêndios que podem rapidamente bloquear todas as rotas de fuga sem que as distraiam de seus esforços superconcentrados para combater aqueles ainda mais urgentes. Os membros da equipe do LinkedIn estavam confortáveis com essa incerteza e ainda conseguiam trabalhar com total eficácia, embora não tivéssemos um modelo de receita definido. Além disso, se seus funcionários não conseguirem deixar os incêndios queimarem, passarão o tempo todo lutando com eles, o que não dará margem para agarrarem oportunidades inovadoras que farão os negócios avançarem.

6ª REGRA: IMPLEMENTE AÇÕES NÃO ESCALÁVEIS (TRABALHO PROVISÓRIO)

Paul Graham, cofundador da Y Combinator, escreveu um ensaio famoso no qual aconselha os empreendedores a implementar ações não escaláveis. Esse conselho é perfeito para jovens startups, mas é ainda mais fundamental para startups adeptas do blitzscaling.

Os engenheiros odeiam fazer trabalho provisório. Além de ser um desperdício, agride seu senso de eficiência. Eles acreditam piamente no senso comum de que é melhor elaborar seu produto logo de uma vez, para não ser preciso refazê-lo. Mas quando você está praticando o blitzscaling, a ineficiência é a regra, não a exceção. Para priorizar a velocidade, você precisa investir menos em segurança, escrever códigos que não são escaláveis e esperar que seus produtos comecem a dar problema antes de criar ferramentas e processos de controle de qualidade. É verdade que todas essas decisões levarão a problemas futuros; mas, se você demorar muito para criar o produto, esse futuro pode não chegar. Um atalho que leve um décimo do tempo é mais útil do que uma solução cuidadosamente projetada, mesmo que tenha que ser descartado depois.

A mesma lógica se aplica a quase todos os aspectos do seu negócio. Em muitos momentos você terá que implementar ações não escaláveis no tocante a vendas (como o fundador Marc Benioff, que conseguiu o primeiro cliente da Salesforce.com, a Blue Martini Software, cobrando um favor de seu CEO, Monte Zweben), operações (como Paul English, que usou seu celular pessoal como a primeira linha de atendimento ao cliente da Kayak) etc.

O mundo também não compreende uma cisão maniqueísta entre "ações não escaláveis" e "ações escaláveis", em que a primeira opção cede natural — e permanentemente — lugar à segunda. O código ou processo escalável durante um estágio de blitzscaling pode se desintegrar no estágio seguinte, e o que quer que você implemente em substituição pode não ser escalável a princípio. Considere como os fundadores do Airbnb resolveram o problema das fotos de baixa qualidade que os anfitriões postavam de suas propriedades: eles passaram a fotografá-las. Como Brian Chesky me disse: "Pegamos câmeras emprestadas de nossos amigos da RISD (Escola de Design de Rhode Island), no Brooklyn, e então literalmente batemos nas portas de todos os nossos anfitriões."

Juntos, Brian e o cofundador Joe Gebbia fotografaram cerca de dez casas por dia (o outro cofundador, Nathan Blecharczyk, teve que ficar no apartamento que servia de escritório, mantendo o site no ar). Implemente ações não escaláveis! Certa vez, um anfitrião perguntou a Brian quando seria pago; Brian sacou o talão de cheques corporativo da mochila e lhe fez um cheque. "Vocês não são uma empresa muito grande, né?!", retrucou o anfitrião enquanto embolsava o cheque.

Como o Airbnb decolou, essa função de fazer fotografias escalou-se consideravelmente. Então os fundadores contrataram fotógrafos da Craigslist, chamaram seus amigos do RISD e recrutaram até mesmo anfitriões do Airbnb que tinham listado fotografia como hobby. Ao contatar essas fontes, a empresa constituiu uma equipe de cinco a dez fotógrafos que recebiam US$50 por casa, e a quem acompanhava usando uma sofisticada planilha de gerenciamento com os fotógrafos e suas atribuições.

Não demorou muito para que esse esquema também ficasse sobrecarregado. Por isso, eles contrataram Ellie Thiele como estagiária, da Universidade de Syracuse, e lhe incumbiram a tarefa de gerir os fotógrafos. Ao se concentrar apenas na gestão do processo, Ellie ampliou o número de fotógrafos ativos para cerca de 50. Foi só nesse momento que o Airbnb buscou uma solução verdadeiramente escalável: o software. Nathan escreveu um código, adicionando dois botões ao site; um para os anfitriões solicitarem um fotógrafo e outro para Ellie acionar o pagamento do fotógrafo depois que ele terminasse a tarefa. Por fim, os fundadores contrataram Joe Zadeh como engenheiro de nível básico e pediram a ele que trabalhasse com Ellie para automatizar totalmente o processo de fotografia.

O Airbnb lidou com a questão da fotografia de três maneiras antes de criar qualquer código, e o reescreveu várias vezes desde então. Não era interessante para o Airbnb construir um sistema de fotografia automatizado e escalável desde o início; quando a empresa começou sua jornada, o site recebia apenas dez visitantes por dia, e o único profissional da área de engenharia era Nathan Blecharczyk. Qualquer trabalho que ele fizesse nesse sentido atrasaria todos os outros de que o Airbnb precisava para fazer suas atividades crescerem. Ao implementar ações não escaláveis, a empresa conseguiu crescer apesar das limitações de recursos e do trabalho "desperdiçado" de criar planilhas que teriam que ser jogadas fora mais tarde.

7ª REGRA: IGNORE SEUS CLIENTES

A regra fundamental do atendimento ao cliente tem sido: "O cliente tem sempre razão." Mas, para muitas empresas adeptas do blitzscaling, a regra crucial é: "Ofereça o atendimento que você puder, contanto que não o atrapalhe... e isso também pode significar que não haverá atendimento!" Muitas startups que implementam o blitzscaling oferecerão suporte apenas por e-mail, ou nem isso, confiando que os usuários vão se encontrar e ajudar nos fóruns de discussão.

Em larga escala, ignorar seus clientes raramente será positivo. Os clientes gostam de ser ouvidos, e ignorá-los acabará esgotando sua boa vontade. Mas, para as empresas adeptas do blitzscaling, deixar os clientes se sentirem ignorados costuma ser um dos menores incêndios para deixar queimar até que você tenha terminado de apagar os incêndios maiores e mais letais.

Nossas experiências no PayPal são um exemplo revelador de como o hipercrescimento demanda mudanças rápidas na abordagem do atendimento ao cliente. Em fevereiro de 2000, o volume de transações aumentava de 3% a 5% ao dia, de forma combinada. Todos os dias, perdíamos milhares de e-mails não respondidos, o que agravava o problema, porque os usuários que não recebiam uma resposta ao primeiro e-mail enviado escreviam outro. O senso comum nos diria para alocar o maior número de pessoas possível no atendimento ao cliente. Mas foi o oposto do que fizemos.

De uma equipe de 40 pessoas, designamos duas para o atendimento (e nosso chefe de escritório dedicou metade de seu tempo para ajudá-las). Tínhamos incêndios muito mais urgentes para extinguir. Durante o mesmo período, estávamos (1) levantando nossa primeira grande rodada de capital de risco, (2) começando a competir com a Billpoint, a tentativa do nosso principal parceiro, o eBay, de replicar nossos negócios, e (3) negociando uma fusão com a X.com, de Elon Musk. Basta dizer que estávamos sobrecarregados e não tínhamos condições de cuidar do atendimento ao cliente. Então, ignoramos nossos clientes! Afinal, nenhuma de suas queixas impediu que o volume de transações crescesse exponencialmente.

É claro que ignorar nossos clientes teve seu preço. Mesmo que o telefone do PayPal estivesse listado apenas no diretório local de Palo Alto, uma quantidade significativa de pessoas procurava o número e discava ramais aleatórios, o que fazia o telefone tocar a qualquer hora do dia com um cliente zangado do outro lado. Nós paramos de atender os telefones.

Ignorar clientes é uma solução *provisória*. Só depois que levantamos uma rodada significativa de capital de risco e anunciamos a fusão com a X.com, tivemos tempo e recursos para lidar com o problema. Estabelecemos uma aliança com o governador de Nebraska e divulgamos vagas para cargos de atendimento ao cliente em Omaha. Por que Omaha? A X.com já tinha uma pequena equipe de atendimento no local. E por que a X.com escolheu Omaha? A irmã de um de seus primeiros funcionários morava lá e se dispôs a ajudar a recém-chegada a fazer o atendimento.

Acabamos voando com a maior parte dos funcionários para realizar entrevistas em grupo a fim de contratar e treinar em 30 dias 100 novos funcionários de atendimento. A funcionária do PayPal que contratamos para liderar a tarefa, Sarah Imbach, acabou se mudando para Omaha por um ano e meio. Felizmente, houve um final feliz para a história de todos os envolvidos: nosso produto foi útil o suficiente para que mantivéssemos nossos clientes até que pudéssemos começar a atendê-los. Superamos a Billpoint, abrimos o capital e acabamos vendendo a empresa para o eBay por US$1,5 bilhão. Quanto a Sarah, seus 18 meses em Omaha foram produtivos em vários níveis; além de construir uma organização de serviços e operações que ainda emprega mais de mil pessoas no local, ela também conheceu seu marido lá.

8ª REGRA: LEVANTE O MÁXIMO DE CAPITAL POSSÍVEL

Os empreendedores geralmente evitam levantar mais capital do que precisam. Levantar montantes excessivos de capital dilui sua participação na empresa e acarreta um excesso de preferência (todo esse dinheiro volta para os investidores antes que os fundadores e funcionários colham seus benefícios). No entanto, quando estiver implementando o blitzscaling, você deve sempre levantar mais — de preferência, muito mais — capital do que precisa.

O dinheiro "em excesso" permite que se prepare melhor para o imprevisível — e a única certeza do blitzscaling é que, em algum momento, você encontrará o imprevisível. Isso inclui tudo, desde uma quebra do mercado de ações e despesas externas, até oportunidades que você não podia prever em um mercado que não existia quando começou.

O fato é que a maioria dos empreendedores é muito mais propensa a levantar pouco do que a gastar muito dinheiro. O Nobel em economia Daniel Kahneman e seu colaborador de longa data, o falecido Amos Tversky, descreveram esse fenômeno geral na "falácia do planejamento", em seu artigo de 1979 "Intuitive Prediction: Biases and Corrective Procedures" ["Predição intuitiva: Tendências e procedimentos corretivos", em tradução livre].

A falácia do planejamento é que você faz um plano, que geralmente representa o melhor cenário possível. Então pressupõe que o resultado se desenvolverá como planejou, mesmo não conhecendo a realidade a fundo.

Quase todo empreendedor com quem já trabalhei foi vítima da falácia do planejamento, especialmente os de primeira viagem!

Ter capital "extra" o protege quando os resultados destoam do plano. Além disso, aumenta suas opções — se você precisa investir em crescimento, pode fazer muito mais sem ter que passar pelo demorado processo de levantar outra rodada de capital. Como Mariam Naficy, CEO da Minted, me disse: "Aja como se tivesse metade do valor que tem no banco, porque você tem que levar em conta todos os fracassos e as otimizações que aniquilam grandes empreendedores e empresas o tempo todo. Nós dois conhecemos muitas pessoas que tinham boas ideias e estavam no caminho certo, mas ficaram sem dinheiro."

Tanto no PayPal quanto no LinkedIn, levantamos grandes rodadas de financiamento logo antes do colapso do mercado (2000 e 2008), e, sem dúvida alguma, foi a melhor atitude que tomamos. No caso do PayPal, o dinheiro nos permitiu continuar crescendo durante a quebra das pontocom; sem ele, não teríamos chegado à nossa IPO. No caso do LinkedIn, a situação não era tão grave, mas o valor de se ter opções, algo proveniente do financiamento adicional, superava em muito os potenciais negativos da diluição de ações.

Mesmo que o dinheiro não seja necessário, uma boa rodada de financiamento é um indicativo que convence o resto do mundo de que sua empresa provavelmente emergirá como líder de mercado, além de desestimular os investidores em apoiar seus concorrentes.

A maioria das startups adeptas do blitzscaling tem uma alta burn rate. Isso ocorre porque os impulsionadores do crescimento, como vendas e marketing, geralmente demandam investimentos significativos, que excedem o dinheiro proveniente das vendas de produtos. Em geral é preciso muito dinheiro para tornar uma empresa matadora, e é por isso que temos capitalistas de risco!

No entanto, embora seja justificável queimar dinheiro para crescer (e financiar a diferença com o capital levantado pelos investidores), você deve fazer esse investimento com uma rentabilidade de longo prazo em mente. Se a economia unitária for positiva em longo prazo, e o capital estiver disponível a baixo custo, captar capital de investimento para estimular o crescimento rápido é uma atitude coerente. A empresa não será lucrativa em curto prazo, mas construirá uma base de clientes que impulsionará o valor em longo prazo sob a forma de maiores receitas e lucros em um futuro distante.

Para startups de tecnologia, a quantidade de dinheiro que você precisa levantar tende a ser uma função de dois fatores principais: os custos de pessoal e os da conquista ativa de clientes. A boa notícia é que esses custos são amplamente previsíveis, o que lhe dá a chance de agir de modo pensado, em vez de apenas reagir. A regra clássica do Vale do Silício é levantar dinheiro suficiente para segurar de 18 a 24 meses de operações. Isso acontece porque geralmente se leva cerca de 6 meses para levantar a rodada de capital de risco seguinte, o que significa que, a menos que você tenha 18 meses de "reserva", terá menos de um ano para crescer o suficiente para convencer os capitalistas de risco a fazer outra rodada de investimentos.

Isso é importante porque tudo que envolve o financiamento funciona melhor em longo do que em curto prazo. Não fomos os primeiros a observar que os investidores sempre preferem investir em quem não precisa. Um dos melhores reforços positivos pavlovianos para um capitalista de risco são as palavras: "Não precisamos levantar dinheiro algum." Infelizmente, falar é mais fácil do que agir.

Quando você está fazendo o blitzscaling em sua startup, o crescimento é tão rápido, e os limites são atingidos de tantas maneiras, que é comum surgirem vários problemas. É tentador solucioná-los com dinheiro, mas você tem que resistir a essa tentação. Gaste com os erros que estiverem no caminho para alcançar o próximo estágio; todo o resto pode esperar. Como já contei, no PayPal, evitamos gastar dinheiro com atendimento ao cliente porque sabíamos que esse não era um caminho essencial. Quanto mais jogo de cintura você tiver e adiar os gastos, maior será a probabilidade de conseguir levantar dinheiro sem a pressão de correr contra o tempo.

Lembre-se, iniciar uma empresa é como pular de um penhasco e montar um avião no trajeto. Se você ficar sem dinheiro para o combustível e as peças de que precisa para voar, ninguém vai se importar em descobrir se o dinheiro foi bem empregado!

9ª REGRA: DESENVOLVA SUA CULTURA

Quase todos os fundadores, gurus de negócios e acadêmicos concordam que a cultura corporativa é crucial. Embora haja muitas ineficiências que você pode tolerar e incêndios que pode deixar se alastrar durante a jornada de blitzscaling, ignorar sua cultura não é uma opção. Brian Chesky, do Airbnb, define a cultura de uma maneira simples e concisa: "Uma orientação comum para agir." Definir claramente a maneira como uma organização deve atuar é importante, porque o blitzscaling demanda ação agressiva e focada, e uma cultura confusa e ambígua atrapalha profundamente a implementação da estratégia. O cofundador e CEO da Netflix, Reed Hastings, afirma: "Culturas frágeis são difusas; as pessoas agem arbitrariamente e não se entendem, e isso se torna uma questão política."

Mark Zuckerberg e Sheryl Sandberg fizeram maravilhas com o Facebook, e uma delas foi a construção de uma cultura unificada, fortemente baseada em empiria e em tomada de decisões baseadas em dados, conforme resumido no lema original de Mark: "Aja rápido e quebre coisas." A cultura do Facebook incentiva os funcionários a não terem medo de testar ideias que podem falhar. Isso permite que o Facebook avance e consiga corrigir experimentos fracassados rapidamente.

Imagine se alguém fizesse as seguintes perguntas a um colaborador aleatório de sua startup:

> Quais são os objetivos de sua empresa? Como você tenta alcançá-los?
>
> Em quais riscos aceitáveis você tem incorrido para atingir esses objetivos mais rapidamente?
>
> Quando você precisa negociar certos valores, quais deles têm prioridade?
>
> Que tipo de comportamento faz você contratar, promover ou demitir alguém?

Ele seria capaz de respondê-las? Se questionassem outro colaborador, ele daria as mesmas respostas? Quando as empresas têm culturas fortes, seus funcionários dão respostas e têm atitudes coerentes.

Um forte compromisso com a cultura, por vezes, significa passar a contratar "agentes A" que não se enquadrem nela. No PayPal, Max Levchin formulou um teste de solução de problemas como parte do processo de contratação para nossa área de engenharia. Ele queria uma cultura que se concentrasse em resolver problemas gerais, não em simplesmente escrever um bom código. Se um candidato fosse um programador exímio, mas não tivesse um bom traquejo para resolver problemas, não o contratávamos. No LinkedIn, tentamos recrutar pessoas que trabalhavam pesado, mas também voltadas à família. Os membros de nossa equipe fundadora tinham famílias, e queríamos tornar uma norma que os colaboradores fossem para casa jantar com suas famílias (e depois trabalhar remotamente no final da noite). Candidatos que acreditassem que uma startup precisa que todos estejam no escritório até as 22h inevitavelmente frustrariam os colegas e a si mesmos, então não foram selecionados. Por outro lado, aqueles que pretendiam trabalhar em horário comercial também foram excluídos, mesmo que fossem absurdamente talentosos.

A cultura é crucial porque influencia o comportamento das pessoas na ausência de diretivas e regras específicas, ou quando elas atingem seus limites. Em um exemplo notório de 2017, agindo a pedido da United Airlines, os funcionários do Departamento de Aviação de Chicago retiraram a força o passageiro David Dao de um voo lotado, processo que lhe rendeu um nariz quebrado, dois dentes a menos, e uma concussão. Na manhã seguinte, o CEO da United, Oscar Munoz, enviou um e-mail um tanto intrigante a seus funcionários.

> Nossos funcionários seguiram os procedimentos estabelecidos para situações como essa. Embora eu lamente profundamente o que aconteceu, também os apoio fortemente, e quero elogiá-los por continuarem rompendo fronteiras para garantir que voemos da melhor forma possível.
>
> Acredito, no entanto, que há lições que podemos aprender com essa experiência, e estamos examinando atentamente as circunstâncias desse incidente. Tratar nossos clientes e uns aos outros com respeito e dignidade é a essência de quem somos, e devemos sempre nos lembrar disso, não importa o quanto a situação seja desafiadora.

O incidente com David Dao é um exemplo clássico de como uma má articulação dos valores da empresa enfraquece a cultura. Os funcionários do local acreditavam que precisavam retirar os passageiros do voo para que a United pudesse alocar outra tripulação no avião (ou seja, "voar da melhor forma possível") e que a adequação às métricas, como partidas no horário e cancelamentos de voos, fosse mais importante do que tratar os clientes com "respeito e dignidade" (o que, a maioria de nós concordaria, não inclui quebrar nariz e dentes).

Em contrapartida, a Southwest Airlines não é apenas assertiva quanto a seus valores, mas também os prioriza na contratação e gestão. Sua filosofia não é: "Vamos avaliando no dia a dia", mas: "Essa pessoa já vive como nós?" A empresa faz perguntas comportamentais na entrevista para saber se os candidatos se adéquam à cultura. Para determinar se alguém é altruísta, podem lhe pedir que descreva uma ocasião em que já rompeu barreiras para ajudar um colega a ter sucesso.

A companhia aérea reconhece que certas posições exigem habilidades específicas. Como diz a Southwest: "Não vamos contratar um piloto que tenha um caráter ilibado, mas não saiba pilotar!" Contudo, quando se trata de dois candidatos nivelados, aquele que vive os valores da Southwest recebe a oferta. E quando a Southwest encontra um candidato qualificado, mas que não compactua com seus valores, continua procurando até encontrar quem se alinhe com eles — não importa quanto tempo o cargo fique vago.

As práticas de desenvolvimento e promoção da Southwest também estão intimamente ligadas a seus valores. As avaliações de desempenho dos funcionários não se baseiam apenas nos resultados, mas também na forma como eles os obtiveram; na verdade, eles são analisados em critérios como "espírito guerreiro", "coração servil" e "boas energias". Em outras palavras, a cultura não está apenas em uma declaração de missão no site da Southwest; está entrelaçada nos processos e práticas da companhia aérea.

Em ambos os casos, a cultura tem implicações funcionais nos negócios. No caso da United Airlines, uma cultura sem valores bem definidos levou a um desastroso fiasco de relações públicas. Para a Southwest Airlines, os valores "coração servil" e "boas energias" aparecem nas métricas concretas de satisfação do cliente. Embora o desempenho da Southwest em métricas como pontualidade de chegada esteja entre razoável e acima da média, a companhia tem sempre o menor número de reclamações por passageiro.

A cultura corporativa desempenhou um papel fundamental na ascensão do Vale do Silício. A maioria das empresas icônicas que formou e definiu o setor de tecnologia — Hewlett-Packard, Intel, Apple, Google, Facebook — é conhecida por suas culturas particulares, independentemente da época. O mesmo se aplica a startups líderes de mercado, como o Airbnb e a Salesforce.

Normalmente, o crédito por essas culturas vai para seus fundadores. Bill Hewlett e David Packard são ícones do Estilo de Vida HP. Bob Noyce, Gordon Moore e Andy Grove são conhecidos como a Santíssima Trindade da Intel. Steve Jobs, Larry Page e Sergey Brin, e Mark Zuckerberg são vistos como a origem das culturas da Apple, do Google e do Facebook, respectivamente. Porém, embora as personalidades dos fundadores tenham um papel fundamental na definição da cultura de uma empresa, é mais correto dizer que ela se forma com o tempo, com base nas ações de muitas pessoas, não apenas nas dos fundadores.

A cultura primária de uma organização geralmente se origina na área funcional mais crítica para o sucesso da empresa. Logo no início, a engenharia predominou, e a cultura da engenharia formou a base de conceitos como o Estilo de Vida HP. À medida que o setor de tecnologia amadureceu, as vendas assumiram uma importância maior, e as culturas voltadas para vendas surgiram em empresas como Oracle e Cisco. As empresas hoje em dia também têm culturas de produto, design, marketing, finanças e até mesmo uma cultura de operações. Todas essas culturas podem ser bem-sucedidas, mas você deve se concentrar nas funções fundamentais para que sua empresa obtenha êxito. Além do papel que essa escolha desempenha nos valores da empresa, o executivo responsável pela área funcional que impulsiona a cultura também tende a ser o sucessor mais provável do CEO.

O desenvolvimento da cultura corporativa está intimamente ligado ao branding. A cultura é fundamental para a história que contamos a nós mesmos e aos outros sobre quem somos e sobre nosso lugar no mundo, bem como para as histórias que os outros contam sobre nós! Você pode listar todos os valores que deseja em seu site, mas a única maneira de torná-los a base de sua cultura é integrá-los a sua estratégia, para que você e outras pessoas possam contar histórias (fundamentadas em evidências e detalhes concretos) sobre a vivência desses valores.

Assim sendo, como você promove uma cultura forte em sua empresa? Acredito que a melhor abordagem seja o meio-termo entre a esperança de que a cultura se desenvolva organicamente, por meio de uma negligência intencional, e a tentativa de definir uma cultura completa de antemão. A primeira opção arrisca desenvolver uma cultura fraca, ou que não se enquadre nas necessidades da empresa; a outra é muito rígida e inflexível.

A maioria das culturas começa a se formar de maneira orgânica. Como já discutimos, os fundadores da empresa as influenciam fortemente, apenas por serem quem são. Se um fundador acredita que certas crenças e práticas são fundamentais para vencer, elas tendem a ser transmitidas para as pessoas que trabalham com ele. Isso pode ocorrer também pela triagem do processo de contratação, como resultado do trabalho em conjunto ou ambos.

Larry Page, do Google, é um tecnologista com uma sólida formação acadêmica. Como resultado, o Google desenvolveu uma cultura acadêmica voltada para a tecnologia, que se assemelhava muito ao Departamento de Ciência da Computação de Stanford. Os engenheiros da empresava sentavam-se em mesas para quatro pessoas porque a Stanford organizava os escritórios dos pós-graduandos assim. O Google contratou Eric Schmidt para agregar uma experiência corporativa mais forte, sabendo que seu próprio histórico acadêmico (ele é doutor em engenharia elétrica e ciência da computação [EECS] pela UC Berkeley) permitiria que ele se alinhasse culturalmente com Larry e o cofundador Sergey Brin.

À medida que as empresas de blitzscaling crescem, a cultura se torna cada vez mais importante — e difícil de manter. Nos primórdios da empresa, o vínculo que os funcionários formam é uma força poderosa para a criação da cultura, mas isso se torna desafiador conforme mais pessoas entram em cena e as interações espontâneas dão lugar a estruturas mais formais.

A transmissão orgânica da cultura demanda interação pessoal e tempo. Essa osmose funciona durante os estágios Família e até mesmo Tribo, mas se dissipa em fases posteriores. Se os fundadores não interagirem pessoalmente com todos os funcionários, ou se essas interações forem breves e esporádicas, a osmose não funcionará. E, quando uma empresa está dobrando ou triplicando de tamanho a cada ano, nem essas interações dão conta do recado!

Quando uma empresa atinge o estágio Aldeia (pelo menos 100 funcionários), a malha de interações pessoais é insuficiente, especialmente se a cultura precisa ser sincronizada por vários escritórios.

Drew Houston conscientiza a todos os funcionários do Dropbox de que eles precisam recriar a cultura. "Dizemos às pessoas: você pode ter entrado na empresa na semana passada; mas, mais cedo ou mais tarde, também será um dropboxer da velha guarda. Então, lembre-se do que gosta neste lugar agora, porque é sua responsabilidade preservá-lo."

Nem sempre é fácil passar da transmissão cultural orgânica para a planejada. A experiência de Reed Hastings é típica. "Quando fomos [a Netflix] a público, contávamos com 150 pessoas. As pessoas estavam preocupadas se nessas condições tudo mudaria — se instituiríamos muitos processos e pararíamos de correr riscos. O que fizemos foi promover a liberdade dos funcionários. Se quiser atuar com pouquíssimas regras, você precisa definir o contexto." Porém, embora os primeiros funcionários frequentemente tenham medo de que o desenvolvimento cultural deliberado gere burocracia, como argumenta Reed, a cultura é, na verdade, um substituto dela e das regras. Quanto mais você fortalecer sua cultura, menos terá que direcionar o comportamento das pessoas com regras rígidas.

Os dois gatilhos essenciais para a transmissão da cultura são a comunicação e a gestão de pessoas. A comunicação é importante porque cria um canal direto de troca dos fundadores com todos os funcionários. Ela pode ser estabelecida de várias formas, com reuniões presenciais formais, comunicações eletrônicas e até com detalhes aparentemente neutros, como o layout e o design do escritório.

O Airbnb emprega uma ampla gama de canais para maximizar a transmissão cultural. O e-mail semanal do cofundador Brian Chesky, enviado para todos os funcionários, é poderoso. "Você tem que ficar repetindo as coisas", disse Brian à nossa turma em Stanford. "Cultura é repetição constante de tudo o que realmente importa para sua empresa." O Airbnb também reforça essas mensagens verbais com impacto visual. Brian contratou um artista da Pixar para criar um storyboard de toda a experiência de um hóspede do Airbnb, enfatizando o design thinking centrado no cliente, que é uma marca registrada de sua cultura. Até mesmo as salas de conferências da empresa contam uma história; cada uma é uma réplica de uma sala disponível para aluguel no serviço. Toda vez que as equipes do Airbnb se reúnem nessas salas, são lembradas de como os hóspedes se sentem.

Na Amazon, Jeff Bezos é famoso por ter banido as apresentações de PowerPoint e insistir em memorandos escritos, que são lidos em silêncio no início de cada reunião. Essa política de memorandos é uma das formas como a Amazon incentiva uma cultura de dizer a verdade. Os memorandos têm que ser específicos e abrangentes, e aqueles que os leem têm que responder na mesma moeda, em vez de simplesmente passar por alguns tópicos amplos no PowerPoint concordando com ideias vagas. Bezos acredita que os memorandos incentivam perguntas mais inteligentes e pensamentos mais profundos. Além disso, como eles são independentes (em vez de exigir que uma pessoa faça uma apresentação), são mais facilmente distribuídos e lidos por uma população maior dentro da Amazon.

O falecido Steve Jobs usou a arquitetura como núcleo de sua estratégia de comunicação na Pixar. Ele projetou a sede da Pixar para que as portas, escadas e teatro principais, e as salas de projeção levassem ao átrio, que continha o café e as caixas de correio, para que os funcionários de todos os departamentos e especialidades vissem os outros regularmente, reforçando, assim, a cultura colaborativa e inclusiva da Pixar. Na biografia de Steve Jobs, escrita por Walter Isaacson, John Lasseter, diretor de criação da Pixar, afirma: "A teoria de Steve funcionou desde o primeiro dia. Eu encontrava pessoas que não via há meses. Nunca vi um prédio que promovesse a colaboração e a criatividade como aquele."

Construindo um "Navio de Teseu"

O outro gatilho essencial para o desenvolvimento cultural são as práticas de gestão de pessoal da empresa. Afinal, o que mais afeta a cultura corporativa é quem você contrata, promove e demite.

Quando participou de nosso curso sobre blitzscaling, em Stanford, Eric Schmidt compartilhou como a estratégia de contratação do Google definiu sua cultura. "As pessoas que você contrata fazem sua cultura", falou. "Contratamos pessoas que são especiais de alguma forma. Você não contrata pessoas comuns — contrata aquelas que tiveram batalhas e realizações." A cultura também é um critério fundamental no processo de contratação do Airbnb. Todo candidato passa por uma entrevista sobre seus valores, realizada por um funcionário do Airbnb que não seja o gerente de contratação. Isto garante que os valores sejam considerados independentemente do quanto a organização precise das habilidades profissionais daquele candidato específico.

Quando uma empresa cresce rapidamente, seus responsáveis geralmente ficam desesperados, e pode ser tentador simplesmente pagar o que for necessário para colocar gente para dentro. O problema é que você acaba contratando mercenários em vez de missionários. E, se estiver triplicando o tamanho da empresa anualmente, isso pode transformar sua cultura em um único ano.

Outro efeito colateral do rápido crescimento é que muitos, senão a maior parte, dos funcionários se reportam a gerentes inexperientes. Uma abordagem sistemática, como a apresentada em *The Alliance*, ajuda os gerentes a alinhar melhor os valores e missões pessoais dos funcionários com a cultura corporativa.

É difícil priorizar a cultura quando há vários focos precisando de atenção ao mesmo tempo. Durante os estágios de blitzscaling Família e até mesmo Tribo, o RH não é um departamento separado e pode ser terceirizado para uma empresa de RH, como a Tri-Net, ou deixado como um trabalho de meio período que um gerente ou assistente administrativo trata como secundário. Como resultado, os hábitos e padrões inconscientes dos primeiros empregados na cultura corporativa se formam e se cristalizam sem terem vivenciado supervisão alguma. E, mesmo depois que a empresa acrescenta uma função de RH, sua prioridade é normalmente contratar mais funcionários o mais rápido possível, em vez de se concentrar em cultura e valores. Se os fundadores e a liderança de uma empresa desejam que a cultura seja a prioridade do RH, precisam disponibilizar tempo e recursos à equipe para tal, e gerenciar, avaliar e recompensar as novas contratações.

Esses mecanismos precisam desenvolver-se à medida que a empresa crescer, e suas necessidades se transformarem. Reed Hastings e a Netflix são bem conhecidos pelo Netflix Culture Deck, uma apresentação de mais de 100 slides que explica sua cultura de alto desempenho. Reed e Patty McCord criaram o Netflix Culture Deck para filtrar candidatos que não queiram participar da cultura da Netflix. Mas ele não é definitivo; a Netflix o revisa regularmente.

Uma das razões para desenvolver sua cultura é o paradoxo do "navio de Teseu". O antigo historiador Plutarco cunhou a expressão como uma analogia ao navio no qual o herói mítico Teseu retornou para Atenas depois de matar o Minotauro. Segundo o mito, os atenienses preservaram a afamada embarcação, substituindo partes quebradas por madeira nova, até que, por fim, nenhuma madeira original permaneceu. Plutarco relatou que os filósofos discutiam enfaticamente, sem chegar a solução, se o navio com as peças trocadas ainda era o de Teseu. (Brincando, o filósofo Thomas Hobbes complicou a questão perguntando o que aconteceria se as madeiras retiradas tivessem sido usadas para construir um segundo navio!) Todas as empresas são como o navio de Teseu.

Colaboradores ingressam, permanecem por um ou mais projetos e saem, para serem então substituídos por outros. Esse ciclo em uma empresa estável e de baixo crescimento pode demorar décadas ou mais, com uma substituição lenta de funcionários, mantendo o mesmo porte e um forte senso de continuidade.

Em outras palavras, as "tábuas" do navio permanecem essencialmente inalteradas a cada década. Por outro lado, empresas que aplicam o blitzscaling, como o Facebook, podem passar de Família para Nação em uma única década, dobrando ou triplicando de tamanho a cada ano, de modo que a totalidade de funcionários que compôs o navio no dia de Ano-Novo se torna uma minoria na virada seguinte. Ao mesmo tempo, como discutimos em "Contrate quem é adequado no momento", muitos dos primeiros funcionários provavelmente sairão em algum momento da jornada, o que significa que menos "tábuas" originais integrarão o navio. No entanto, essas mudanças são necessárias ao blitzscaling: à medida que você cresce, precisa de novas pessoas com novas habilidades.

Os colaboradores, os produtos e os escritórios de uma empresa podem, vão e devem mudar à medida que ela passar por blitzscaling. A cultura é um dos poucos mecanismos que permitem que o navio mantenha sua identidade. É ela que faz a Apple manter sua

"Applenecência" mesmo sem Steve Jobs, e a Intuit manter sua "Intuitividade" mesmo quando parou de vender software de finanças pessoais para fornecer processos de contabilidade em nuvem. A cultura corporativa tornou-se um assunto em pauta nesta época de blitzscaling porque ela é ainda mais importante quando há crescimento e mudança rápidos, em vez de estabilidade e equilíbrio.

Você tem que seguir uma linha tênue à medida que desenvolver sua cultura — aja lentamente, e não conseguirá se adaptar a novos negócios e ao mundo em constante transformação. Desenvolva-a rapidamente, e o paradoxo do navio de Teseu se desfaz, fazendo as pessoas perderem a sensação de pertencimento.

Nas palavras do historiador holandês Johan Huizinga: "Se quisermos preservar a cultura, devemos continuar a criá-la."

Falta de Diversidade e Outras Armadilhas da Cultura

Considerando a popular ênfase na cultura da empresa, é importante ponderar algumas reflexões sobre as potenciais armadilhas que surgem quando se tenta constituir uma cultura sólida.

Primeiro, há uma linha tênue entre uma cultura sólida e uma seita. Por definição, a cultura restringe, em certo sentido. Buscar formar uma cultura ao fazer contratações significa excluir pessoas de propósito, e é preciso ter cuidado para não resumir a contratação à homogeneidade total. Organizações profícuas precisam encontrar o equilíbrio entre consonância e diversidade. O tipo certo de consonância (como sagacidade, motivação, inteligência, dedicação, alinhamento à missão) cria uma vantagem para a empresa, como certamente foi o caso do PayPal. Mas a mesmice excessiva resulta em pensamento uniforme, preconceito e estagnação.

Muitas empresas interpretam mal o que significa contratar buscando uma "adaptação cultural". Em muitos casos, isso leva a equipes dominadas por homens jovens, brancos e formados em uma pequena lista de universidades de elite, o que dificulta a capacidade da organização de inovar ou atender a um mercado mais amplo. Mas mesmo sem tais práticas problemáticas, contratar visando à "adaptação" não deveria significar: "Você se encaixa nesse padrão?"

Por exemplo, muitas startups têm uma cultura corporativa em que os colaboradores chegam ao escritório depois das 10h, trabalham até tarde e passam as noites socializando em bares. Em outras palavras, uma versão tardia da universidade! Se sua startup tem essa cultura, você pode evitar a contratação de funcionários que queiram chegar cedo e sair antes das 18h, ou que raramente socializam ou saem à noite. Essa postura pode ser positiva para gerar uma "adaptação cultural", mas também significa que você não vai contratar pessoas que não bebem álcool por motivos religiosos ou outros; que têm filhos; nem, provavelmente, contratará pessoas casadas (ou pelo menos aquelas que desejam permanecer casadas).

Em vez de contratar pessoas que "se enquadrem" superficialmente em sua cultura — com base em gênero, raça ou em questões pessoais —, diversifique-a. Quando Belinda Johnson ingressou no Airbnb, em 2011, levou um histórico e experiência muito diferentes para a jovem empresa. Os fundadores tinham 20 e poucos anos; Belinda era advogada desde quando se entendia por gente e passou 12 anos como executiva do Yahoo!, e foram precisamente essas diferenças que ajudaram tanto Belinda quanto o Airbnb a ter sucesso como equipe. Brian Chesky a chama de "Secretária de Estado" do Airbnb, e sua diplomacia e conhecimento levaram a empresa a desenvolver relações produtivas com autoridades regulamentadoras e locais. Novas contratações são uma oportunidade para refinar sua cultura e ampliar suas capacidades. Elas devem ser compatíveis com sua cultura, mas também agregar elementos que a aprimorem. A tática é encontrar pessoas que se integrem ao sistema organizacional.

As empresas de blitzscaling são particularmente suscetíveis a constituir uma cultura homogênea devido à incansável ênfase na velocidade. A maneira mais rápida e fácil de contratar é pedir aos funcionários que consultem seus amigos. Mas a contratação baseada em endogrupos quase inevitavelmente leva à homogeneidade. Assim como as startups incorrem em uma "dívida técnica", adotando atalhos para seus códigos, podem incorrer em uma "dívida de diversidade", adotando atalhos para a contratação.

Essa dívida com a diversidade é um problema sério para as empresas e para a sociedade como um todo. A homogeneidade é nociva para as empresas porque o senso comum reduz sua resiliência e adaptabilidade, e também é ruim para a sociedade, se as oportunidades oferecidas pelo blitzscaling não estiverem totalmente abertas a todas as pessoas qualificadas, independentemente de gênero, orientação sexual, religião e ancestralidade.

Uma das manifestações mais repugnantes desses problemas é a cultura do sexismo e do assédio sexual, descoberta em várias empresas. Em quase todos os casos, esses problemas surgiram porque os funcionários que pertenciam a um grupo que representava a esmagadora maioria detinha o poder sobre os que estavam em minoria. Muitas vezes, os executivos abusaram de seu poder, passando um exemplo vergonhoso para os outros funcionários. Tomar medidas contra essa situação inaceitável é urgente. Em 2017, pedi que o Decency Pledge tentasse abordar os sérios problemas do setor de capital de risco quanto aos homens que abusam de seu poder e posição para prejudicar as mulheres (e alguns outros homens).

Com sorte, a maioria das empresas de blitzscaling nunca chegará ao ponto em que suas culturas tolerem tal comportamento deplorável, mas a melhor maneira de garantir isso é construir culturas inclusivas desde o início. Essa é uma área em que deixar as culturas se expandirem organicamente não basta. Mesmo no estágio Família, uma empresa deve ser explícita sobre a diversidade e declarar por escrito que se esforça para ser inclusiva em termos de gênero, orientação sexual, religião, ancestralidade e idade. E deve priorizar a diversidade ao contratar os primeiros dez funcionários, especialmente em funções essenciais, como produto, engenharia e marketing.

Nos estágios Tribo e Aldeia, a contratação de funcionários demanda uma abordagem mais sistemática da diversidade. Recomendamos implementar pelo menos três políticas principais: primeiro, avaliar seus dados demográficos e disponibilizá-los com transparência, interna e externamente. Como com qualquer métrica, você não pode gerenciar o que não é avaliado. Segundo, instituir uma política que exija que as equipes entrevistem (mas não necessariamente contratem) pelo menos um candidato das minorias para qualquer posição sênior. E, terceiro, alinhar pelo menos uma parte da remuneração dos executivos ao progresso da empresa rumo a essa diversidade.

Em um universo ideal, todas as empresas abririam diversas frentes de mão de obra desde o início. Mas quanto mais pessoas uma empresa emprega, mais importante se torna a diversidade. Não espere para tornar a diversidade uma prioridade. É muito mais difícil passar de um refúgio de "brogrammers" — programadores bonitões, que fogem ao estereótipo nerd da área — para uma cultura verdadeiramente inclusiva quando a empresa tem 10 mil pessoas.

Outra armadilha é a hipocrisia cultural. Se você pregar os valores de uma cultura sólida, tem que viver de acordo com eles, ou o saldo negativo prevalecerá. Quando você adota uma postura, mas suas ações destoam dela, os colaboradores reconhecem a hipocrisia. A credibilidade tem que ser conquistada, não simplesmente afirmada. Isso se aplica particularmente aos fundadores, que normalmente têm autoridade moral dentro de uma startup, e aos CEOs, cuja posição amplia o impacto de suas palavras e ações. Fundadores e CEOs são modelos culturais; se não retratarem a cultura, inevitavelmente perderão o domínio.

A NECESSIDADE PERENE DE MUDANÇAS

O que as oito transições decisivas e as nove regras controversas têm em comum? Elas refletem o fato de que, quando você está fazendo o blitzscaling, a necessidade de mudança é perene. Depois que faz uma transição crítica ou aplica com sucesso uma regra controversa, o jogo vira, e você tem que fazer tudo de novo.

Nenhum setor permanece valioso para sempre, o que significa que mesmo as empresas que chegam gloriosas ao estágio Nação, dominando uma atividade importante, precisam continuar procurando o próximo mercado para fazer blitzscaling. Toda nova tecnologia ou mercado empolgante, que em algum momento fomentou a riqueza desmedida, acaba se tornando estável e sem graça. Em vários pontos da história, os setores de cargueiros, ferrovias e automóveis criaram empresas e inovações que mudaram o mundo e produziram fortunas geracionais. Hoje, eles estão basicamente às moscas (embora, ocasionalmente, empresas como a Tesla consigam revitalizá-los), um destino que é ainda melhor que o ostracismo, mas sem grandes oportunidades estimulantes de crescimento em grande escala.

O mesmo padrão ocorreu, em menor escala, no Vale do Silício, em que os mercados de memória dinâmica de acesso aleatório (Dynamic Random-Access Memory — DRAM), discos rígidos e PCs propiciaram a empresas como Intel, Seagate e Compaq aumentar seu valor antes de se tornar commodities de baixa margem. (A Intel continuou a crescer, graças à sua mudança para CPUs de alta margem, enquanto a Seagate e a Compaq continuaram no mercado, e, no caso da Compaq, acabou sendo adquirida e desaparecendo.)

Empresários e empresas de alto nível usam proveitosamente o blitzscaling em um mercado para alcançar outro. A Intel saltou de DRAMs para microprocessadores e impulsionou inovações ainda maiores. A Microsoft usou seu domínio em sistemas operacionais para desenvolver o Microsoft Office, ainda mais soberano. O blitzscaling digital da Amazon a tornou líder em computação em nuvem, com o Amazon Web Services. Talvez o Facebook faça algo parecido com a VR (Virtural Reality [Realidade Virtual]).

A necessidade ininterrupta de gerar mudanças deve enchê-lo de medo e esperança. Medo, porque você não pode descansar nem parar nunca. Esperança, porque novos mercados estão sempre surgindo, dando a todos, do Vale do Silício a Xangai (e em todos os lugares nesse caminho), a oportunidade de construir nada menos do que um novo foguete.

No clássico livro de Lewis Carroll, *Alice através do espelho*, a Rainha Vermelha diz a Alice: "Agora, aqui, você vê, é preciso correr muito para ficar no mesmo lugar. Se você quer chegar a outro lugar, corra duas vezes mais!" Às vezes, escalar uma empresa se assemelha a correr o máximo que você pode simplesmente para acabar no mesmo lugar. Mas a diferença entre o nosso mundo e o da Rainha Vermelha é que o blitzscaling é uma corrida para construir coisas que tornam o mundo um lugar melhor. Não importa se seu novo mercado será o aprendizado de máquina, um tipo inovador de computação sem fio ou algo que ainda não foi inventado, a palavra para o subproduto do blitzscaling é "progresso".

PARTE V

O Amplo Alcance do Blitzscaling

Muitos dos exemplos deste livro mencionam empresas de tecnologia do Vale do Silício, mas o alcance dos princípios do blitzscaling vai além. Nesta seção, vamos abordar essa grande esfera de aplicação do blitzscaling, inclusive sua dinâmica em outros contextos geográficos e outras indústrias, bem como seu significado para o futuro da economia global. Por ser um tópico importante, vamos dedicar uma seção inteira deste capítulo para examinar o blitzscaling na China.

O BLITZSCALING ALÉM DA ALTA TECNOLOGIA

Embora o blitzscaling provavelmente seja mais aplicável ao mundo da alta tecnologia, suas técnicas podem incrementar qualquer indústria que crie oportunidades para desenvolver fatores de crescimento intensos (tamanho do mercado, distribuição, margens brutas e efeitos de rede) e superar limitadores de crescimento (falta de product/market fit e escalabilidade operacional).

Considere a Zara, uma rede espanhola de lojas de roupa. Aparentemente, esse é um setor muito distante do mundo das empresas de internet, como o Google e o Facebook. No entanto, embora a Zara tenha demorado mais para se expandir (a empresa foi criada em

1975, por coincidência, a Microsoft, também), a escala e o domínio da rede sobre o setor só se comparam com a atuação das grandes empresas de alta tecnologia, e fizeram do seu fundador, Amancio Ortega, o terceiro homem mais rico do mundo (atrás apenas de Jeff Bezos e Bill Gates, mas à frente de Warren Buffett).

A Zara atua em um mercado enorme; em 2016, as vendas globais de vestuário superaram a marca de US$1,4 trilhão, e mesmo que a margem bruta da rede em 2017 tenha sido a pior em 10 anos, ainda registrava um valor robusto de 57% (contra 61% do Google e 35% da Amazon). Sua rede global de lojas viabiliza uma ampla distribuição, e, embora o setor de vestuário não produza efeitos de rede intensos, a venda de roupas desenvolve uma fidelidade razoável junto aos clientes, criando uma vantagem de longo prazo para a Zara.

No entanto, o mais importante é que a Zara aplica as técnicas do blitzscaling na gestão dos seus negócios. A velocidade é a base da estratégia comercial de "fast fashion" adotada há várias décadas pela Zara, que pode ser resumida em uma única frase: "Dê aos clientes o que eles querem e faça isso mais rápido do que seus concorrentes."

Todos os elementos da estrutura comercial da Zara visam a essa velocidade. Os resultados são impressionantes: ela demora apenas duas semanas para desenvolver um produto e colocá-lo nas lojas (a média do setor é de seis meses) e lança dezenas de milhares de peças por ano, um ritmo muito maior do que o das concorrentes, como a H&M e a Gap. A Zara mantém apenas seis dias de estoque, enquanto sua rival H&M armazena dez vezes mais. Nos anos 1970, Ortega estabeleceu como regra que os pedidos de vestuário feitos pelas lojas deveriam ser atendidos em menos de 48 horas. Hoje, a Zara ainda adota esse procedimento, embora tenha expandido suas atividades e transformado uma cadeia de lojas de departamentos da Espanha em um império global com lojas na África e na Ásia.

Para obter esses resultados, a Zara equilibrou o limitador de crescimento da escalabilidade operacional e a adoção de regras controversas, como abraçar o caos e implementar ações não escaláveis. Diante dessa escala massiva, você pode imaginar que a Zara recorre à China para incrementar suas margens, como a Apple com o iPhone. Mas, diferente de seus concorrentes, a Zara ainda fabrica a maior parte de suas roupas na Espanha. Graças à sua excelente estrutura financeira, construiu 14 fábricas automatizadas, em que robôs criam "produtos em tecido cru" — roupas novas que não são alvejadas nem tingidas. Em seguida, mobiliza uma rede de parceiros, formada por mais de 300 pequenos ateliês na Espanha e em Portugal, para processar esses produtos e desenvolver as peças finais. Embora esses custos sejam mais elevados do que na China, e, assim, menos "eficientes", o ganho em velocidade e responsividade é incrível.

A fabricação responsiva é um elemento crítico no modelo de negócios da Zara. As peças são criadas por pequenas equipes colaborativas em seu centro de design, contando com designers, modelistas e especialistas em vendas. Os gerentes das lojas encaminham feedbacks diariamente, que são analisados pelos especialistas e, em seguida, apresentados aos designers e aos modelistas, que começam a esboçar designs no mesmo instante, criando, em média, o volume impressionante de três itens por dia. Depois, as peças são enviadas às fábricas, que produzem as versões que serão finalizadas nos ateliês parceiros.

O modelo de logística da Zara também prioriza a responsividade em vez da eficiência. Seus produtos são distribuídos em pequenos lotes, o que exige fretes frequentes. Os custos da logística são maiores, mas isso permite à Zara entregar roupas em suas lojas na Europa, no Oriente Médio e na América do Norte em menos de 24 horas, e em menos de 48 horas na Ásia e na América Latina.

Esse foco na velocidade resulta da influência do fundador e anima toda a organização. Em um perfil publicado em 2013, a Fortune contou a história de como, enquanto esperava o sinal abrir, Ortega viu um motociclista com uma jaqueta jeans coberta com remendos estilo anos 1970. Ele pegou o celular, ligou para um assessor, descreveu a jaqueta e ordenou que o design fosse posto em produção no ato. Loreto García, chefe do departamento de tendências de moda feminina, explicou para a Fortune por que é necessário responder às tendências na velocidade da luz: "O que parece excelente hoje, em duas semanas será a pior ideia de todos os tempos."

Apesar de todo o caos e da ineficiência associados à fabricação e ao transporte de pequenos lotes, suas margens brutas continuam maiores do que as de seus concorrentes, como a H&M (55%) e a Gap (29%). Isso porque a Zara aproveita a ineficiência gerada pelo foco na velocidade para evitar um dos maiores obstáculos impostos às empresas do setor quando se trata de margem bruta: o acúmulo de peças não vendidas no estoque. Ortega concebeu esse modelo aos 16 anos: não se trata de criar estoque e esperar pelas vendas; em vez disso, descubra o que as pessoas querem e produza.

Outro exemplo da aplicação do blitzscaling em uma área impensada foi o crescimento acelerado da indústria do óleo de xisto e do gás natural nos EUA, nos anos 2000. O setor de energia tem um bom desempenho nos fatores de crescimento que definimos anteriormente. O de óleo e gás é uma indústria imensa, com grandes margens e um sistema de distribuição muito eficiente. Além disso, embora não produza muitos efeitos de rede, a indústria do xisto é uma fonte de excelentes vantagens competitivas de longo prazo. No setor de energia, em vez da compra direta dos terrenos, a prática mais comum é arrendar os direitos de exploração por 90 anos, mediante o pagamento da parcela da locação e dos royalties. Ou seja, arrendar o terreno certo equivale a exercer um monopólio absoluto sobre o petróleo e o gás no subsolo dessa área, pelo menos durante o arrendamento. Com o blitzscaling, as empresas produtoras de xisto cresceram a um ritmo incrível. Em 2002, a Chesapeake Energy, uma das maiores do setor, anunciou uma receita de US$738 milhões. Quatro anos depois, ela divulgou US$7,3 bilhões em receitas e passou a figurar no índice

S&P 500. Todo esse crescimento extraordinário ocorreu no tempo de uma passagem pelo ensino médio.

Os cofundadores da Chesapeake, os sócios Aubrey McClendon, já falecidos, e Tom Ward, não tinham experiência em exploração e refinamento, um requisito básico. Em vez de atuarem em plataformas de perfuração e refinarias, McClendon e Ward eram agentes de "terra firme", especialistas que se deslocavam até cada local para negociar arrendamentos e direitos de exploração com os proprietários. Essa experiência foi essencial para sua incursão no blitzscaling.

No final dos anos 1990, uma combinação de perfuração horizontal com melhorias nas técnicas de fraturamento hidráulico viabilizou economicamente a extração de hidrocarbonetos das formações rochosas de xisto. Essencialmente, as empresas do setor passaram a perfurar poços horizontais em formações rochosas para, em seguida, bombear líquidos de alta pressão nos poços, fraturando a rocha e liberando volumes maiores de petróleo e gás. Como as técnicas tradicionais de perfuração não funcionavam nas formações rochosas de xisto, os terrenos na superfície dessas formações nunca haviam sido arrendados; logo, quando o fraturamento hidráulico viabilizou o acesso a esses hidrocarbonetos, também abriu completamente o mercado para a aquisição dos respectivos direitos de exploração mineral.

Embora não tenha sido a primeira a utilizar o fraturamento hidráulico (a precursora foi a Mitchell Energy, na formação do Barnett Shale, no Texas, em 1997), a Chesapeake soube combinar essa inovação tecnológica com a inovação empresarial proposta por McClendon e se transformou na empresa de energia de maior crescimento na história.

A Chesapeake foi muito mais ágil do que as outras empresas do setor, mobilizando um exército de agentes em terra firme para arrendar a maior quantidade possível de terrenos, todos com a ordem de pagar o que fosse necessário, mesmo sem saber se os depósitos de gás justificavam o preço. Contratar um exército de agentes em terra firme e pagar quantias exorbitantes por arrendamentos às cegas parecia uma medida ineficiente... até que os poços começaram a produzir. A determinação da Chesapeake em aplicar o blitzscaling foi a decisão certa, pois o desenvolvimento do fraturamento hidráulico elevou a rentabilidade dos seus poços a níveis incríveis, em um primeiro momento.

O caso de McClendon e da Chesapeake também ilustra os riscos de se sacrificar a eficiência em prol do hipercrescimento. O blitzscaling gera grandes vitórias e derrotas, às vezes na mesma empresa. A Chesapeake continuou contratando empréstimos para arrendar mais terrenos a preços cada vez mais altos. McClendon agia como se o blitzscaling fosse uma garantia, e a Chesapeake acabou sendo bastante prejudicada pela recessão de 2008. Após registrar um pico de US$62,40, em junho de 2008, suas ações caíram acentuadamente, chegando a US$2,61 no início de 2016 (em 2017, a cotação estava entre US$4 e US$8). McClendon também assumiu muitos riscos em suas finanças pessoais ao contratar empréstimos para comprar ações da Chesapeake. Em 2008, para atender a uma chamada de margem, teve que vender 94% delas, sofrendo uma perda massiva.

McClendon foi pressionado a renunciar ao cargo de CEO em 2013, mas continuou sendo um blitzscaler obstinado. Na ocasião da sua morte, em 2016, McClendon estava à frente da American Energy Partners, empresa que fundara após sua saída da Chesapeake e para a qual levantara US$15 bilhões de vários investidores.

Mesmo que não seja possível aplicar integralmente os modelos de negócios do mundo da alta tecnologia e dos softwares, uma análise atenta dos fatores e dos limitadores de crescimento o orienta para encontrar uma oportunidade para aplicar o blitzscaling e obter os melhores resultados. Afinal, se você pode utilizá-lo para vender camisas e perfurar poços de petróleo, pode aplicá-lo a qualquer setor.

O BLITZSCALING EM EMPRESAS DE GRANDE PORTE

Embora o hipercrescimento seja muitas vezes associado a startups altamente competitivas, o blitzscaling também pode ser implementado em empresas de grande porte e já estabelecidas no mercado. Os fatores e limitadores de crescimento, e os padrões e modelos de negócios de eficácia comprovada não exigem que a empresa tenha uma estrutura societária fechada e privada, nem que seja financiada por investidores de capital de risco. Mesmo que sua empresa não ofereça opções sobre ações para enriquecer seus funcionários caso o blitzscaling dê certo, você pode e deve adotar e adaptar suas lições para acelerar seu crescimento e obter a vantagem do precursor.

Aplicar o blitzscaling a uma empresa de grande porte tem vantagens e desvantagens contra a implementação em uma startup. É importante adotar uma postura realista: as startups têm vantagens inerentes quando se trata de implementar o blitzscaling. O blitzscaling consiste essencialmente em agir com rapidez e assumir riscos; logo, por terem bem menos a perder, as startups são bem mais ágeis. Para implementar o blitzscaling, as empresas já estabelecidas devem encontrar vantagens expressivas para superar as desvantagens inerentes que as impedem de ganhar velocidade e assumir riscos.

1ª VANTAGEM: ESCALA

Pode parecer óbvio, mas você só pode aproveitar algumas oportunidades se já tiver a escala de um agente estabelecido e um porte expressivo. A Amazon não poderia ter lançado o AWS se seus centros de dados não tivessem atingido uma escala massiva e se a empresa não fosse a líder mundial na gestão desses centros. Tentar desenvolver o produto do zero, sem aproveitar as economias de escala e a boa reputação da Amazon por sua excelência operacional, seria quase impossível. De fato, os principais concorrentes do AWS são produtos de outras empresas de escala, como a Microsoft, o Google e a IBM.

Fora do setor de tecnologia, a escala pode ser uma vantagem ainda mais importante. Quando foi lançado pela Quicken Loans, o Rocket Mortgage, um serviço online de contratação de financiamentos que faz avaliações em menos de dez minutos, atraiu clientes ao se beneficiar da experiência da Quicken Loans com marketing para consumidores e custeou os financiamentos contratados através das parcerias financeiras da empresa. Como resultado, no seu primeiro ano de operação (2016), o Rocket Mortgage viabilizou US$7 bilhões em empréstimos, um valor que colocaria o serviço no ranking das 30 maiores empresas do setor no país se ele fosse uma organização independente, levando o volume total de empréstimos contratados por meio da Quicken Loans para US$96 bilhões, um crescimento acentuado em relação aos US$79 bilhões registrados em 2015.

Por outro lado, se uma startup for capaz de entrar no jogo, a escala pode não ser tão vantajosa, a menos que haja uma diferença massiva entre o porte das empresas. Quando o Airbnb estava implementando o blitzscaling, seu concorrente era o HomeAway, um agente consolidado com uma escala muito maior. Contudo, o HomeAway tinha chegado a essa escala depois de 21 aquisições, que utilizavam plataformas tecnológicas diferentes e atendiam a diferentes clientelas. De fato, a escala do HomeAway era uma desvantagem! O HomeAway acabou sendo comprado pela Expedia, como parte da resposta da empresa diante da ameaça competitiva imposta pelo Airbnb.

2ª VANTAGEM: ITERAÇÃO

Outra vantagem das empresas consolidadas é sua capacidade de fazer várias tentativas e usar o método iterativo para implementar o blitzscaling. Por ser uma estratégia de risco, talvez o sucesso não venha na primeira tentativa. Você deve ter capital suficiente para permanecer no jogo. A Microsoft ficou famosa por usar a iteração para dominar o mercado depois de ter começado com produtos plagiados. A primeira e a segunda versões do Microsoft Windows foram tentativas frustradas de imitar o sistema operacional do Macintosh, da Apple; a terceira versão, embora ainda inferior ao original, tinha uma qualidade razoável, e a Microsoft iniciou uma campanha de marketing estilo blitz para promover as versões seguintes, como o Windows 95 e o Windows NT, que consolidaram o domínio da empresa. Depois, a Microsoft adotou de novo a estratégia com o Xbox, que evoluiu para o Xbox 360 e hoje corresponde ao Xbox One.

Para fazer uma analogia, você precisa dar vários chutes a gol até marcar. Os agentes estabelecidos financiam uma série de chutes com mais facilidade. Essa vantagem não se restringe à tecnologia. Na indústria do óleo de xisto, a estrutura financeira teve um papel importante no sucesso de pioneiras como a Chesapeake Energy. Em 2012, Aubrey McClendon fez o seguinte comentário à Rolling Stone: "Poder pegar empréstimos durante dez anos e suportar ciclos de vacas magras e gordas foi uma sacada tão importante quanto a perfuração horizontal... Se algo desse errado durante um tempo, podíamos nos recompor e encontrar algo que funcionasse."

3ª VANTAGEM: LONGEVIDADE

Embora fazer várias tentativas para implementar o blitzscaling seja vantajoso, ser paciente ao empreender, também é. As empresas de grande porte (que contam com acionistas pacientes) têm horizontes temporais mais extensos do que as startups, que devem apresentar resultados imediatos para atrair mais recursos. O Google costuma apostar nesse jogo de longa duração para desenvolver tecnologias que vão de carros autônomos à cura para o envelhecimento. O Facebook também faz essa aposta com o Oculus Rift e a VR. O segredo é saber quando aumentar a escala. A Microsoft tentou escalar sua presença no setor de smartphones com o Windows CE, mas se precipitou; o smartphone moderno só ficou viável quando, seguindo a Lei de Moore, as CPUs dos dispositivos móveis chegaram a uma capacidade suficiente, e a Apple combinou seu software com touchscreens capacitivas, o vidro de alta resistência Gorilla Glass da Corning e as linhas de montagem de alta produtividade da China.

4ª VANTAGEM: FUSÕES & AQUISIÇÕES (M&A)

A última vantagem dos agentes estabelecidos é sua capacidade de fazer aquisições para promover o blitzscaling. Adquirir uma empresa que o esteja implementando ou que tenha potencial para tal pode transformar uma organização. A Priceline, célebre por sua política de "pague quanto quiser" para passagens áreas, adotou perfeitamente essa estratégia ao adquirir o Booking.com e obter uma vantagem sólida no mercado das reservas de hotéis. Muitos consumidores norte-americanos, que só conhecem a Priceline por conta dos comerciais estrelados por William Shatner com o bordão "Priceline Negotiator", provavelmente não têm ideia de que cerca de dois terços de sua receita vêm de reservas em hotéis situados fora dos EUA. Em 2015, a Priceline registrou o maior retorno sobre as ações em um período de dez anos entre todas as empresas listadas na Fortune 500.

Como no blitzscaling direto, o sucesso de uma estratégia de M&A depende de uma sacada excepcional e singular sobre o mercado; se todos os agentes do setor de viagens soubessem do valor dos serviços online de reservas de hotéis, a Priceline não teria adquirido o Booking.com. Os agentes consolidados também podem fazer inúmeras aquisições para aplicar o blitzscaling, mas devem realizar uma integração melhor do que a do HomeAway. As aquisições do Facebook, Instagram e WhatsApp contiveram um concorrente perigoso, o Snapchat, e conquistaram uma posição dominante nas redes sociais voltadas às gerações mais jovens. Mas as empresas estabelecidas também têm diversas desvantagens (além de serem menos velozes e ágeis) que devem ser consideradas no blitzscaling.

1ª DESVANTAGEM: INCENTIVOS

Uma grande desvantagem dos agentes estabelecidos é dispor de incentivos que favorecem mais uma expansão cautelosa do que um blitzscaling agressivo. Como as empresas bem-sucedidas geralmente acreditam que já têm algo de valor, tendem a arriscar menos. Se você fizer uma aposta e falhar, terá destruído algo valioso. Esse tipo de situação não assusta as startups; sem passado e com um futuro incerto, elas não têm nada a perder. As empresas também lidam com pressões de acionistas, analistas e da imprensa. Uma coisa é certa: os líderes das grandes empresas não estão errados em ser cautelosos! Um fracasso estrondoso prejudica bastante o preço das ações de um agente estabelecido, bem como sua reputação. Além disso, as potenciais recompensas têm que ser imensas para fazer diferença. Uma oportunidade de US$10 milhões pode ser crucial para a sobrevivência de uma startup, mas insignificante para uma grande empresa.

Os incentivos que movem os funcionários também minam as tentativas de aplicar o blitzscaling em uma empresa estabelecida. O funcionário ou executivo que propõe uma iniciativa de blitzscaling arriscada é o agente que mais se beneficiará do sucesso da proposta (recebendo promoções, bônus, influência etc.). Por outro lado, os demais funcionários ganharão pouco e podem até mesmo sair perdendo se o sucesso de sua proposta criar condições para que o profissional receba promoções ou bônus antes deles. E se a iniciativa for malsucedida e custar muito caro para a empresa, todos os funcionários terão que pagar o preço do fracasso. Sendo assim, surpreende que muitas iniciativas audaciosas sejam vetadas pelos comitês?

2ª DESVANTAGEM: APLICAÇÕES NÃO REALIZADAS

Outra desvantagem das empresas de grande porte (na maioria das vezes, causada por elas mesmas) é sua incapacidade ou relutância em fazer investimentos por estágios. Essa situação é produzida pela dinâmica dos incentivos internos, que tende a recompensar os gerentes com base no que supervisiona, punindo o fracasso e ignorando o potencial das oportunidades de crescimento. Investimentos realizados em estágios permitem que os gerentes minimizem os potenciais prejuízos ao realizarem experimentos. Mas, como a maioria deles fracassa, os gerentes das grandes empresas tentam reduzir esse risco aplicando mais recursos. Infelizmente, a maioria das oportunidades de blitzscaling é tão arriscada e incerta, e exige tanto capital para produzir resultados positivos, que uma aplicação não realizada em estágios é uma aposta com a vida da empresa. Isso pode não ser um grande problema para uma startup, que deve vencer ou morrer, mas é um dilema intenso para uma empresa em boas condições financeiras com anos ou décadas de lucros pela frente!

Por inclinação pessoal, os gerentes seniores também podem preferir anúncios bombásticos e investimentos de grande escala a pequenos experimentos, que, se forem bem-sucedidos, serão objeto do blitzscaling. Além disso, empresas grandes costumam ter estruturas gerenciais mais complexas; até você obter aprovação para uma proposta, o mercado talvez já tenha sido dominado pela concorrência.

Não chega a surpreender que a Amazon, uma empresa imensa, continue a valorizar e encorajar aplicações realizadas em estágios e experimentos. Jeff Bezos mencionou esse ponto em uma das suas célebres cartas aos acionistas. Bezos quer que a Amazon conserve uma mentalidade de startup, algo que ele chama de "Dia 1": "Para se manter no Dia 1, você deve ser paciente em seus experimentos, aceitar fracassos, plantar sementes, proteger suas crias e dobrar a aposta quando os clientes estiverem satisfeitos."

3ª DESVANTAGEM: PRESSÃO DO CAPITAL ABERTO

Por fim, as empresas de capital aberto consolidadas ainda têm que lidar com pressões específicas por resultados financeiros em curto prazo (trimestrais, especificamente). O blitzscaling exige o sacrifício da eficiência em curto prazo (e, portanto, dos resultados financeiros) para criar valor em longo prazo. Como as empresas de capital fechado costumam ter sócios bastante envolvidos em suas atividades, é mais fácil convencer seus principais acionistas a realizarem investimentos arriscados e de longo prazo, se eles estiverem interessados em correr riscos para obter uma recompensa mais expressiva. Mas uma empresa de capital aberto com um amplo quadro de acionistas tem que lidar com rebeliões de investidores ativistas e outros motins ao implementar uma estratégia de blitzscaling. Isso pode até mesmo levar ao pior dos cenários: cobrir suas despesas iniciais sem o compromisso e o acompanhamento necessários para obter as recompensas de longo prazo. Muitos blitzscalers de capital aberto, como o Google e o Facebook, evitam a pressão dessa configuração emitindo duas classes de ações para concentrar o poder decisório em um pequeno número de pessoas (Larry, Sergey e Mark, no caso).

Agora que você já conhece essas vantagens e desvantagens, confira a seguir algumas técnicas de gestão específicas ("hacks") utilizadas por empresas de grande porte para aplicar o blitzscaling.

HACKS DO BLITZSCALING

Um hack produtivo que ajuda sua empresa a aplicar o blitzscaling consiste em encontrar formas de aproveitar a experiência de outros profissionais e empresas. Uma jogada óbvia é estabelecer uma parceria com uma startup que esteja aplicando o blitzscaling. A GM reagiu ao sucesso da Uber e à crescente ameaça que ela representa para o setor de condução humana investindo US$500 milhões na Lyft, rival da Uber e adepta do blitzscaling. A GM também reforçou suas apostas ao comprar a Cruise e sua tecnologia de carros autônomos.

Uma técnica menos óbvia consiste em recorrer ao conhecimento dos investidores de capital de risco, fãs incondicionais do blitzscaling e do retorno que ele gera, mesmo se não conhecessem o termo até a publicação deste livro. Se você lhes oferecer uma participação minoritária no seu projeto, eles apresentarão uma avaliação realista de sua situação. Muitas empresas de grande porte avaliam mal seus ativos, superestimam suas vantagens e tentam aplicar o blitzscaling mesmo que um observador objetivo recomende o oposto. Abordar investidores de capital de risco é um modo rápido de obter uma avaliação sobre o valor dos seus ativos elaborada por profissionais experientes.

Um outro modo de mitigar os riscos inerentes ao blitzscaling no âmbito de uma organização de grande porte é considerar a iniciativa como uma empresa dentro de outra. Quando seu projeto estiver em andamento, você terá que o administrar de maneira diferente dos regulares. O ritmo acelerado do blitzscaling e sua eficiência reduzida parecem imprudentes e inúteis em comparação com as iniciativas convencionais, criadas para gerar um crescimento constante.

Por isso, o projeto de blitzscaling deve ser separado das outras estruturas da empresa para que o executivo responsável o administre de modo eficiente. O exemplo clássico é a abordagem de Steve Jobs para a gestão da equipe original do Macintosh, que tinha escritórios separados e inacessíveis para os funcionários regulares da Apple. Mais recentemente, Larry Page aplicou essa mesma técnica ao Android, permitindo que a equipe de Andy Rubin trabalhasse em escritórios separados (as credenciais dos funcionários do Google não permitiam o acesso aos escritórios do Android) e adotasse práticas de contratação diferentes do padrão da empresa matriz. Essa prática também foi adotada pela Sony no projeto do PlayStation, pela Amazon no projeto do Kindle e pela IBM na equipe do Watson.

O BLITZSCALING ALÉM DO MUNDO DOS NEGÓCIOS

Até aqui, abordamos a implementação do blitzscaling no mundo corporativo, mas o princípio básico de sacrificar a eficiência pela velocidade em meio à incerteza é aplicável a qualquer contexto. Analisemos como os fatores e os limitadores de crescimento do blitzscaling podem ser aplicados a situações não empresariais.

TAMANHO DO MERCADO

No mundo das ONGs, precisamos encontrar novas medidas para o tamanho do mercado, já que não podemos utilizar métricas financeiras como receita. Muitas vezes, a melhor medida corresponde ao número de pessoas beneficiadas pelo incremento na qualidade de vida; mas outras medidas, como os "anos de vida saudável" e as "toneladas de carbono sequestrado", também dão conta do recado. As métricas mudam, mas o princípio continua sendo aplicável, pois, sem um mercado grande, não faz muito sentido implementar o blitzscaling. Um dos fatores que levaram a Bill & Melinda Gates Foundation a promover ações de tratamento e prevenção da malária foi a imensa extensão do "mercado" da malária. Em 2012, 207 milhões de pessoas foram diagnosticadas com a doença, com 627 mil mortes; 77% desses óbitos foram de crianças com idade inferior a 5 anos. Esses números expressam uma redução de 42% nas mortes anuais registradas no período de 2000 a 2012, o que, em parte, se deve às iniciativas da Gates Foundation. Nesse grande mercado, a habilidade de implementar o blitzscaling faz toda a diferença.

DISTRIBUIÇÃO

A distribuição é tão importante fora do contexto comercial quanto para as empresas que disputam determinados mercados. Mesmo que seu "produto" (um serviço social, candidato a um cargo político ou qualquer outra coisa) tenha um alto potencial para melhorar a qualidade de vida, seu impacto será diretamente proporcional à eficácia da distribuição. A Mozilla Foundation não só foi a única empresa de código aberto a criar um navegador da web (Firefox), como também foi a única organização sem fins lucrativos capaz de mobilizar uma estrutura de distribuição para conquistar uma expressiva participação no mercado. Em 2008, Barack Obama foi eleito presidente, em parte, devido à sua campanha ter sido pioneira na utilização da internet como canal de distribuição, inclusive na mobilização de comunidades e na criação de posts virais em redes sociais.

MARGEM BRUTA

Como as ONGs não cobram nada de pessoas a que atendem, a margem bruta não é aplicável. Contudo, podemos usar métricas que tenham afinidade com a ideia de margem bruta, como o impacto econômico. Em termos gerais, ela é uma medida do impacto por dólar; um grande impacto indica uma alta propensão da organização sem fins lucrativos para aplicar o blitzscaling. A International Civil Society Support estima que cada US$1 gasto com ações de prevenção e tratamento da malária gere US$20 de benefício econômico; entre essas ações, os mosquiteiros borrifados com inseticida são a forma de intervenção com o melhor custo-benefício. Um impacto como esse é páreo até para as margens brutas das empresas de software.

EFEITOS DE REDE

Os efeitos de rede são relativamente raros no mundo das ONGs. Embora haja grandes organizações, como a Cruz Vermelha e a United Way, sua posição no mercado é produto, em grande parte, de economias de escala e não de autênticos efeitos de rede. Mas ainda vale a pena definir se é possível extrair bons resultados dos efeitos de rede, pois isso pode causar um grande impacto.

A Khan Academy começou quando seu fundador, Sal Khan, passou a dar aulas para um primo pela internet. Quando os outros primos também apareceram, ele decidiu postar as aulas no YouTube e disponibilizá-las para o mundo inteiro. A decisão fundamental de utilizar o YouTube resultou em um mercado enorme (todos que o acessavam, ou seja, a maior parte da humanidade) e em uma poderosa plataforma de distribuição (todos que procurassem conteúdo educacional no YouTube provavelmente a encontrariam). À medida que conquistava uma base de usuários massiva, ela também se beneficiava de efeitos de rede indiretos e baseados em padrões. Os educadores começaram a incorporar os vídeos aos currículos das suas disciplinas e a compartilhar com os colegas os planos de aula que criavam. Hoje, a Khan Academy é utilizada por 40 milhões de estudantes e 2 milhões de educadores por mês (nos EUA, há apenas 50,7 milhões de alunos na educação básica), e seus vídeos já foram traduzidos por voluntários para 36 idiomas.

FALTA DE PRODUCT/MARKET FIT

Na dinâmica comercial, a lógica desumana da economia de mercado elimina rapidamente as empresas que não desenvolvem o product/market fit. Como não saem do lugar, elas não conseguem gerar receita suficiente para sobreviver e têm dificuldades para obter recursos extras de investidores. Por outro lado, as organizações sem fins lucrativos geralmente recebem fundos e doações sem objetivos econômicos, e o fluxo de recursos nem sempre se relaciona a sua eficácia. As pessoas atendidas são os "clientes", e os financiadores, os "patronos". Porém, o product/market fit ainda é importante para que elas apliquem o blitzscaling. Em geral, a eficiência de uma organização sem fins lucrativos em atender a seus "clientes" é proporcional à capacidade de levantar recursos com seus "patronos". A Charity: Water é uma ONG que viabiliza o acesso à água potável para os habitantes de países em desenvolvimento. Ela também é um modelo de product/market fit para seus usuários, os beneficiários dos 23 mil projetos hídricos que financia, e para seus financiadores, que acompanham as fotos dos poços construídos com a certeza do destino de suas doações (os custos operacionais da organização são cobertos por fundações e patrocinadores). Como resultado, nos 10 anos desde sua fundação, em 2006, a Charity: Water arrecadou mais de US$252 milhões de mais de 300 mil doadores.

ESCALABILIDADE OPERACIONAL

De fato, a escalabilidade operacional é um grande desafio fora do mundo corporativo. À medida que uma empresa escala, passa a dispor de receitas ou de recursos de capital de risco e investe pesado em infraestrutura escalável e na contratação de funcionários. Como o mundo dos negócios está repleto de empresas que já escalaram com sucesso, é mais fácil atrair profissionais para ajudar na gestão do crescimento rápido. Por outro lado, as ONGs não dispõem desse tipo de capital financeiro nem têm acesso a um capital humano com experiência desse nível. Por isso, é muito importante desenvolver um modelo de negócios que não exija tantos recursos para escalar, como a organização de código aberto Mozilla Foundation.

Além dos fatores e limitadores de crescimento, o modo como as ONGs e organizações de impacto encaram a concorrência é uma diferença relevante. No mundo dos negócios (e em algumas organizações não comerciais, como comitês de campanhas políticas), a concorrência (especificamente, arrasar os concorrentes) é uma das principais motivações do blitzscaling. Por outro lado, a Gates Foundation receberia de braços abertos agentes que destinassem bilhões de dólares para concorrer com ela em seu objetivo de erradicar a malária. Isso talvez explique por que o blitzscaling é incomum fora do mundo corporativo. Mas, diante da escala dos desafios que precisamos encarar, como mudanças climáticas, pobreza e reforma do sistema educacional, acreditamos que está na hora de aplicar soluções tecnológicas escaláveis a questões tradicionalmente não escaláveis.

Vamos examinar dois exemplos bem específicos, mas muito diferentes, para conferir como você pode aplicar os princípios do blitzscaling fora do mundo dos negócios.

1º Exemplo: Dress for Success

A Dress for Success (DFS) ajuda mulheres de baixa renda a conseguirem empregos oferecendo vestuário profissional composto por peças doadas e formação para o processo de entrevista. Dos fundos operacionais da organização, 99% são provenientes de concessões, financiamento governamental e doações.

Sem acesso ao dinheiro de investidores nem receita para financiar sua expansão, a fundadora da DFS, Nancy Lublin, desenvolveu alternativas inteligentes para superar os desafios da escalabilidade operacional sem desfalcar o caixa da empresa. Uma estratégia bastante engenhosa foi aproveitar as limitações da infraestrutura para resolver as limitações da mão de obra. Para ganhar escala, a DFS precisava filtrar possíveis clientes (para garantir que a organização atendesse aos mais necessitados) e contratar funcionários para sua "loja" de roupas; essas duas ações normalmente seriam realizadas por funcionários pagos ou voluntários recrutados após um extenso processo. Em vez disso, Lublin fechou parcerias com empresas que atendiam aos mesmos clientes, como abrigos para vítimas de violência doméstica, e resolveu os dois pontos a custo zero. A DFS só aceitava clientes recomendados por seus parceiros, que, em troca, mobilizavam voluntários para atuarem nas lojas. Essa solução permitiu que a DFS escalasse o número de pessoas atendidas e a mão de obra necessária para prestar esse serviço sem gastar nenhum centavo!

A Lublin também adotou um modelo de distribuição inovador ao criar as "franquias" da DFS. Quem quisesse abrir uma loja da DFS estava convidado para ir até Nova York e ficar em um sofá-cama no apartamento de Lublin. Ela instruiu esses empreendedores e os recrutou para abrir novas lojas da DFS em suas cidades. Quando saiu da DFS, em 2002, Lublin havia expandido o número de lojas da organização para 76. Hoje, a DFS ampliou suas atividades e atua em 21 países, e já ajudou quase 1 milhão de mulheres.

2º Exemplo: Barack Obama para Presidente

Em 2008, a campanha presidencial de Barack Obama usou o poder do blitzscaling (especialmente a inovação do modelo de negócios) e as ferramentas do Vale do Silício para catapultar um senador pouco conhecido, e em seu primeiro mandato pelo estado de Illinois, para a Casa Branca, mesmo concorrendo contra políticos de expressão nacional, como a ex-primeira-dama e então senadora Hillary Clinton.

A principal inovação do modelo de negócios utilizado na campanha audaciosa de Barack Obama para presidente foi um uso sem precedentes da conectividade para desenvolver e coordenar um movimento descentralizado. Obama anunciou sua candidatura em

10 de fevereiro de 2007. Segundo o assessor Steve Spinner, a campanha cresceu de zero para 700 funcionários (e uma avalanche de voluntários) em apenas um ano. Esse rápido crescimento foi resultado, principalmente, da aplicação da tecnologia das redes existentes na criação de um poderoso esquema de distribuição.

Primeiro, Obama priorizou arrecadar pequenas doações pela internet em vez das grandes contribuições dos doadores ricos e tradicionais do Partido Democrata. Essa prática foi, em parte, uma necessidade, pois sua concorrente pela indicação do partido era Hillary Clinton, vista como a candidata favorita e natural, e bastante ligada aos grandes doadores desde sua passagem pela Casa Branca e pelo Senado. Mas, no final das contas, esse novo modelo de negócios permitiu que Obama levantasse mais recursos que qualquer candidato antes dele: sua campanha arrecadou mais de US$650 milhões em contribuições, quase US$300 milhões a mais que o valor máximo anterior, levantado pelo presidente George W. Bush durante sua campanha pela reeleição, em 2004. Mais da metade das doações foi inferior a US$200; por outro lado, apenas 27% dos recursos levantados durante o ciclo eleitoral de 2004 vieram de pequenos doadores.

Segundo, a campanha de Obama também utilizou a tecnologia para recrutar e mobilizar um exército de voluntários e turbinar a taxa de comparecimento às urnas. Nessa empreitada, a campanha teve uma sorte incrível: pouco antes do anúncio da candidatura, a campanha abordou uma rede social que estava dando seus primeiros passos, o Facebook, para criar uma página oficial. O contato da campanha no Facebook era Chris Hughes, cofundador da empresa, que se empolgou tanto com a possibilidade de Obama ser eleito presidente e mudar o mundo que saiu do Facebook para trabalhar na campanha. Hughes levou sua experiência em uma das principais empresas a aplicarem o blitzscaling e logo começou a adaptar as ferramentas do Vale do Silício para a campanha de Obama.

Hughes e sua equipe criaram três ferramentas essenciais para incrementar os fatores de crescimento e eleger Obama presidente. A primeira era o site my.barackobama.com, o MyBO, uma rede social que utilizava as redes dos partidários de Obama e permitia que eles se conectassem, criassem grupos, planejassem eventos e levantassem recursos. Ao longo da campanha, os voluntários utilizaram o MyBO para criar 2 milhões de perfis, organizar 200 mil eventos e arrecadar US$30 milhões. O segundo recurso era a ferramenta de corpo a corpo Neighbor-to-Neighbor. Quando os usuários do MyBO acessavam a plataforma, o Neighbor-to-Neighbor apresentava uma lista de eleitores indecisos que podiam ser abordados por telefone ou visitados. O Neighbor-to-Neighbor processava bancos de dados online para associar os voluntários a pessoas com quem eles provavelmente teriam afinidade com base em fatores como idade, profissão, idiomas falados e serviço militar. O Neighbor-to-Neighbor gerou cerca de 8 milhões de ligações e um intenso boca a boca.

A última ferramenta era o site Vote for Change, que indicava automaticamente as regras aplicáveis ao registro eleitoral local para ajudar potenciais eleitores de Obama a se cadastrarem corretamente. Os universitários acessavam o site e informavam o local de sua universidade e o de sua residência; o Vote for Change os orientava a se registrarem no estado em que seu voto seria mais útil. Durante a campanha, o Vote for Change ajudou 1 milhão de pessoas com o registro eleitoral, quase o mesmo número a que 2 mil funcionários pagos atenderiam usando o antiquado método das visitas. Na terça-feira, 4 de novembro de 2008, Barack Obama foi eleito o 44º presidente dos Estados Unidos da América. Graças, em parte, às técnicas do blitzscaling, recebeu 69 milhões de votos, um recorde que persiste na história das campanhas presidenciais norte-americanas.

Como se observa nesses exemplos, o blitzscaling é uma ferramenta poderosa para promover impacto e mudança social e para desenvolver uma empresa altamente lucrativa. Não é fácil; você precisará de acesso a um capital expressivo (como observamos na campanha de Obama), da capacidade de atrair contribuições de comunidades e redes já estabelecidas (como no caso da Dress for Success) ou de ambos. Mas, se for possível gerar um crescimento rápido como esse, as lições do blitzscaling o ajudarão a lidar com seus efeitos colaterais e a maximizar o impacto de sua iniciativa no mundo.

A ZONA DE INFLUÊNCIA DO VALE DO SILÍCIO

Um dos desenvolvimentos mais interessantes da última década no mundo corporativo foi a acentuada integração dos outros ecossistemas de alta tecnologia da costa do Pacífico dos EUA com o Vale do Silício. Durante a maior parte do século XX, Seattle, Los Angeles e o Vale do Silício foram polos tecnológicos muito diferentes e diferenciados. Se o Vale do Silício era especializado em computadores, Seattle e Los Angeles tinham uma forte presença nos setores aeroespacial e de defesa; além disso, também lideravam o mercado de café (Seattle) e o setor de entretenimento (Los Angeles). Mas, no século XXI, Seattle e Los Angeles também se tornaram ecossistemas de alta tecnologia cada vez mais integrados ao Vale do Silício.

Em 2017, no artigo "How America's Two Tech Hubs Are Converging" ["Como os Dois Polos de Tecnologia dos EUA Estão Se Aproximando", em tradução livre], a revista Economist indicou que Seattle e o Vale do Silício estavam cada vez mais interligados, apontando que a maioria dos investimentos de capital de risco captados pelas startups de Seattle vinha do Vale do Silício e que cerca de 30 de suas empresas eram sediadas em Seattle para atrair o imenso contingente de cientistas da computação da cidade, enquanto milhares de funcionários da Amazon e da Microsoft, duas blitzscalers dominantes de Seattle, já atuavam no Vale do Silício. Nesse período, o AWS, baseado em Seattle, tornou-se a plataforma de computação em nuvem preferencial das startups e scale-ups do Vale do Silício.

Los Angeles também passou por um crescimento expressivo como polo de startups e scale-ups. Segundo a agência de pesquisa CB Insights, as startups que sedia captaram US$3 bilhões em financiamento em 2016, seis vezes mais do que em 2012. LA, que inclui a área conhecida como Silicon Beach e o litoral do Pacífico, abriga várias empresas importantes, como o Snap e a SpaceX, que valem, cada uma, mais de US$10 bilhões, bem como outras histórias de sucesso, como o Dollar Shave Club. É bom destacar que os fundadores do Snap se conheceram quando estudavam em Stanford, que a SpaceX foi fundada por um ex-morador de San Francisco, Elon Musk, e que a maioria dos investimentos que captaram vieram de empresas de capital de risco, como a Lightspeed, a Founders Fund e a Venrock. Como Seattle, LA é uma base de operações para grandes empresas do Vale do Silício, como o Google. Essas trocas não chegam a surpreender se você pensar que tanto Seattle quanto LA são bastante próximas do Vale do Silício, o que possibilita uma maior interação entre as respectivas redes de capital, talentos e aprendizado: os investidores de capital de risco podem pegar um voo curto (duas horas até Seattle, uma até LA) ou a estrada, seis horas saindo de LA, com uma série de Tesla Superchargers ao longo da rodovia I-5!

Esse fator viabiliza a integração das redes de capital; é fácil para os investidores do Vale do Silício aplicarem recursos em iniciativas de Seattle e Los Angeles porque basta pegar um avião para ir às reuniões dos conselhos. Além disso, também permite a integração das redes de talentos, pois os empreendedores viajam facilmente entre os polos para desenvolver e manter contatos, e compartilhar ideias. A geografia permite que Elon Musk administre a Tesla (Vale do Silício) e a SpaceX (LA) ao mesmo tempo. Seattle e Los Angeles também oferecem uma boa qualidade de vida, uma vez que as duas cidades são importantes centros culturais e destinos turísticos bastante populares; além disso, suas opções imobiliárias saem mais em conta do que no Vale do Silício (mesmo não sendo nada baratas).

Essas ligações ficarão ainda mais intensas se as cidades forem conectadas por outras alternativas de transporte, como trens de alta velocidade, o projeto do Hyperloop, de Elon Musk, e carros autônomos, que reduzirão o custo e o tempo das viagens e deslocamentos de rotina entre essas cidades e o Vale do Silício. Portanto, LA e Seattle são territórios cada vez mais propícios para o empreendedorismo e bons locais para abrir empresas e aplicar o blitzscaling. Será interessante observar se o projeto HQ2 da Amazon, que pretende construir um segundo centro de operações (e planeja gastar US$5 bilhões em um novo campus corporativo com capacidade para 50 mil funcionários), acabará expandindo a região do "Grande Vale do Silício" ainda mais (e mais longe). A agência Moody indicou Austin como a cidade mais provável, enquanto o New York Times, Denver. As duas opções são pontos de expansão lógicos devido ao já antigo padrão de migração do Vale do Silício para o Colorado e aos voos para "ninhos de nerds" que a Southwest opera entre San Jose e Austin.

OUTRAS BOAS REGIÕES PARA O BLITZSCALING

Nos EUA, cidades como Boston e Austin têm se destacado como importantes polos de tecnologia, o que também vem ocorrendo com Boulder, no Colorado, e até mesmo Nova York. Na Europa, Londres, Estocolmo e Berlim (em que a Rocket Internet, dos Samwer, está tentando implementar o blitzscaling em escala industrial, com sucessos e fracassos notáveis) também têm lançado empresas interessantes. Segundo uma pesquisa realizada na Wharton, Estocolmo é a segunda maior produtora de startups "unicórnio" avaliadas em bilhões de dólares, atrás apenas do Vale do Silício. Cerca de 65% de suecos em idade produtiva (18 a 64 anos) acreditam que há boas oportunidades para empreender no país, contra 47% nos EUA.

O Spotify, um gigante do streaming musical baseado em Estocolmo, tem um histórico de blitzscaling que causaria inveja à maioria dos unicórnios do Vale do Silício. Os cofundadores da empresa, Daniel Ek e Martin Lorentzon, são empreendedores em série bastante experientes com o blitzscaling; Ek foi CTO da Stardoll, e Lorentzon foi um dos fundadores do Tradedoubler. O Spotify adota o freemium, um modelo de negócios de eficácia comprovada, oferecendo um serviço básico gratuito e encorajando os usuários a assinarem um pacote com áudio de alta qualidade e sem anúncios. Desde seu lançamento, em 2008, o Spotify vem implementando uma política de investimentos agressiva, captando US$2,5 bilhões de empresas de capital de risco do Vale do Silício, como a Founders Fund, a Accel e a Kleiner Perkins Caufield & Byers, e de investidores globais com experiência em escala, como a Horizons, de Li Kashing, e a Digital Sky Technologies (DST), de Yuri Milner, crescendo de 1 milhão de assinaturas pagas em 2011 para 60 milhões em 2017.

É bom destacar que, apesar do sucesso em Estocolmo, em 2016, Ek e Lorentzon ficaram apreensivos com as restrições e o alto custo da moradia para os imigrantes, e os pesados impostos sobre as ações, que dificultavam a permanência do Spotify no país. Assim, em fevereiro de 2017, eles abriram mais mil vagas na sede, em Nova York, concentrando nos EUA a maior parte da mão de obra.

No Oriente, as projeções são ainda melhores. Já sabemos da China, mas estima-se que a Índia também superará a economia dos EUA neste século. A Flipkart, gigante indiana do e-commerce, captou US$7,3 bilhões de investidores mundiais, como a Accel (Vale do Silício), a Tiger Global (Nova York), a Naspers (África do Sul), a GIC (Singapura) e a SoftBank (Japão). Seus fundadores, Sachin Bansal e Binny Bansal (que, apesar do sobrenome, não são parentes), trabalhavam para a Amazon. A África está na vanguarda dos serviços móveis, como é o caso do sistema de pagamentos móvel M-Pesa, desenvolvido no Reino Unido, administrado pela IBM nos EUA e agora controlado pela Huawei, da China. O M-Pesa realizou US$28 bilhões em transações no Quênia em 2015; em comparação, em 2015, o PIB do Quênia foi de US$63 bilhões. O mercado da América Latina está em expansão, e o espanhol é o idioma predominante na região. Israel, o país com mais startups per capita, é um importante polo para empresas de cibersegurança e abriga uma crescente comunidade de investidores de capital de risco. Até a Austrália tem gerado boas empresas de tecnologia, como a Atlassian.

Em ecossistemas emergentes, o blitzscaling cria diferentes desafios e oportunidades, porque eles não dispõem de muitas das plataformas que ecossistemas consolidados como o Vale do Silício ou, de forma mais abrangente, o mercado dos EUA oferecem; nestes contextos, não há sistemas de pagamento, empresas de frete, prestadores de serviços profissionais (advogados, contadores etc.), executivos experientes nem investidores de capital de risco com postura mais agressiva. Por isso, é mais difícil aplicar o blitzscaling, e suas taxas de crescimento tendem a ser menores. É muito mais fácil utilizar as plataformas disponíveis do que as criar.

Por outro lado, quando você tem sucesso, as plataformas que construiu criam importantes vantagens competitivas cujo valor só tende a aumentar com o tempo, resultando em um crescimento mais rápido em longo prazo. O crescimento do MercadoLibre foi bem mais lento do que o da Amazon nos seus primeiros anos. Na América Latina, menos da metade dos consumidores tem conta bancária. A empresa não tinha acesso a infinitas opções de redes de cartão de crédito e empresas de frete como a Amazon; em vez disso, teve que desenvolver seus próprios sistemas de pagamento e logística.

Hoje, no entanto, a propriedade de plataformas como o Mercado Pago, o principal sistema de pagamentos de e-commerce na América Latina, permite que o MercadoLibre mantenha uma alta taxa de crescimento e crie obstáculos para possíveis concorrentes. Se, no mercado norte-americano, os rivais da Amazon podem iniciar suas atividades e crescer rapidamente graças à Visa e à UPS, um concorrente do MercadoLibre tem que usar suas plataformas de logística e pagamento, o que dificulta bastante a dinâmica.

O MercadoLibre também soube aproveitar as lições aprendidas por blitzscalers de gerações anteriores, como o eBay. Em 2001, o eBay comprou uma empresa francesa chamada iBazar, que tinha uma subsidiária brasileira. Como a prioridade do eBay era a Europa, a empresa fez uma oferta: para assumir a operação da subsidiária brasileira, o MercadoLibre repassaria ao eBay 19,9% de suas ações. O contrato estipulava cláusulas de não concorrência por um período de cinco anos (o MercadoLibre não teria que se preocupar com uma expansão do eBay no mercado da América Latina durante o prazo) e de compartilhamento das melhores práticas. Embora o CEO Marcos Galperin tenha fechado o negócio pelo contrato de não concorrência, durante uma entrevista para o Masters of Scale, admitiu que o elemento mais importante da transação para o MercadoLibre acabou sendo o acordo de compartilhamento das melhores práticas:

> No final das contas, o item mais extraordinário para nós foi o processo bastante intenso de compartilhamento das melhores práticas. Essencialmente, fomos uma subsidiária do eBay por cinco anos! Viajávamos para lá [para a sede do eBay no Vale do Silício] todo trimestre, e os vários setores da nossa empresa faziam um intercâmbio de melhores práticas com os vários setores do eBay. Isso nos ajudou a escalar e a identificar os problemas que o eBay tinha em diferentes locais do mundo e com diferentes concorrentes. Ficamos à vontade para escolher o que queríamos; o eBay tinha ações excelentes, mas achávamos que algumas não se aplicavam à América Latina; então, fazíamos de modo diferente.

Marcos e sua equipe não se limitaram a imitar o eBay. Eles assimilaram as melhores práticas do eBay e as adaptaram às características específicas do seu mercado.

Todos esses novos ecossistemas pelo mundo são oportunidades interessantes e potencialmente diferenciadas, como a China de 15 anos atrás e o Vale do Silício de 25 anos atrás. Boston conquistou uma posição de liderança no setor de saúde devido a seus hospitais e universidades de excelência, enquanto Nova York agora lidera no nicho de empresas de moda, como a Rent the Runway e a Birchbox. Países como a Estônia fizeram de sua dependência em relação aos mercados internacionais um ponto forte; o Skype (fundado pelos programadores estonianos Priit Kasesalu e Jaan Tallinn) provavelmente não teria sido desenvolvido nos EUA, já que ligações internacionais não são tão importantes para o consumidor norte-americano.

CHINA: A TERRA DO BLITZSCALING

Lembre-se da decisão de Pony Ma de lançar e aplicar o blitzscaling ao WeChat, em 2010, apesar dos imensos riscos que o WeChat representava para seu produto de desktop QQ, já desenvolvido, e para os resultados gerais da Tencent. Ao assumir esses riscos, Ma revitalizou sua empresa e a impulsionou para níveis bem mais elevados.

A história do WeChat ilustra por que, por incrível que pareça, a China pode muito bem ser um ecossistema muito mais propício para o blitzscaling do que o Vale do Silício. A China também tem uma cultura de empreendedorismo que encoraja decisões arriscadas, um setor financeiro altamente desenvolvido e disposto a financiar iniciativas de crescimento agressivo, e um contingente de talentos de alto valor para o setor tecnológico. Mas, graças ao seu incrível crescimento, o mercado da China é massivo e está aberto à disrupção.

Há décadas, a economia da China vem registrando um dos crescimentos mais rápidos do mundo, e a PricewaterhouseCoopers estima que ela ultrapassará a dos EUA até 2030. Em muitas áreas, isso já aconteceu. Em 2016, o volume dos pagamentos móveis na

China foi de US$8,6 trilhões. Em comparação, os EUA movimentaram US$112 bilhões. Em outras palavras, o mercado de pagamentos móveis da China era cerca de 77 vezes maior. O Didi Chuxing viabiliza 20 milhões de caronas por dia na China, mais do que o triplo das corridas feitas pela Uber no mundo todo.

A China também tinha grandes vantagens para superar as limitações do crescimento relacionadas à escalabilidade operacional graças a seu mercado de trabalho flexível, analisado em 2012 em um artigo do New York Times sobre as operações de produção da Apple: "Os executivos da Apple estimaram que era necessário contratar cerca de 8.700 engenheiros industriais qualificados para supervisionar e orientar os 200 mil trabalhadores da linha de montagem do iPhone. Os analistas da empresa estimaram 9 meses para que eles fossem encontrados nos EUA. Na China, isso foi feito em 15 dias."

O resultado é um ecossistema no qual as empresas crescem, se separam e recombinam com uma velocidade incrível. "A inovação avança mais rápido aqui", disse Kai-Fu Lee, que dirige a Sinovation Ventures, e foi chefe das operações do Google na China. O mercado chinês entende o crescimento como a primeira, a última e a melhor solução para praticamente qualquer problema. Talvez seja por isso que as startups chinesas tenham uma tendência a se expandir em um ritmo ainda mais rápido do que as empresas do Vale do Silício.

A fabricante de smartphones chinesa Xiaomi demorou menos de cinco anos, desde seu lançamento, para ser eleita a startup mais valiosa do mundo, em 2014. Desde então, ela foi ultrapassada pela Uber e pelo Didi Chuxing, duas empresas que também não dormem no ponto quando o assunto é blitzscaling. Lei Jun fundou a Xiaomi em 2010; em 2015, a empresa já era a terceira maior fabricante de smartphones do mundo, atrás apenas da Samsung e da Apple.

Contudo, assim como as empresas crescem rápido na China, também podem acabar na mesma velocidade. Em 2016, o IDC informou uma queda de 40% nas vendas da Xiaomi ao longo dos anos, atribuída a lapsos em sua estratégia de vendas exclusivas em lojas online e ao aumento da participação no mercado de concorrentes, como a OPPO e a Vivo, que apostaram em lojas físicas. Pelo menos um analista estimou que o valor da Xiaomi cairia mais de 90%.

A resposta da Xiaomi a essa crise demonstra a incisiva competitividade de Lei Jun e o incrível ritmo da China. A empresa atacou seus problemas de distribuição com uma iniciativa rápida e massiva para desenvolver seus canais físicos de vendas, abrindo 100 lojas de varejo Mi Home em apenas um ano e estabelecendo a meta de chegar a duas mil lojas até 2019. No primeiro trimestre de 2017, impressionantes 34% das vendas de smartphones da Xiaomi foram realizadas em suas 100 lojas, que, segundo a empresa, só ficam atrás das Apple Stores. Em 2017, o IDC comunicou uma recuperação de 59% nas vendas da Xiaomi em relação ao ano anterior, e a empresa retomou seu lugar entre as cinco maiores fabricantes de smartphones do mundo. Essa é uma história épica de vitória, fracasso e vitória, comprimida no pequeno intervalo de uma década.

Como fundadores, investidores e autores, temos uma afinidade com o estilo do Vale do Silício; por outro lado, nosso conhecimento sobre a China vem sempre da perspectiva de outsiders. No entanto, é impossível não ficar impressionado com o número de lições que esses dois ecossistemas podem aprender um com o outro.

A velocidade da China demonstra o valor de uma intensa competitividade como fator de motivação. Em uma ocasião, Lei Jun, da Xiaomi, me disse: "Vocês, empreendedores norte-americanos, são preguiçosos. Na minha empresa, quase todos trabalham até 21h aos sábados." De certa maneira, ele está certo. Os blitzscalers chineses trabalham com uma intensidade que poucos no Vale do Silício acompanham. Em vez de seguir o horário comercial padrão, das 9h às 17h, a Xiaomi segue o modelo "996": entrada às 9h da manhã, saída às 9h da noite, 6 dias por semana. Observei o mesmo procedimento no LinkedIn China. Para cumprir um prazo apertado em nosso projeto "Red Horse", o líder da equipe chinesa Derek Shen colocou toda a equipe de desenvolvimento em um hotel durante duas semanas para que os profissionais trabalhassem sem as distrações do cotidiano.

Um subproduto dessa ética de trabalho intensivo é um processo de tomada de decisões bem mais rápido, uma vantagem essencial no blitzscaling. Quando o entrevistei para o Masters of Scale, Andrew Ng, professor de Stanford, um dos fundadores do Coursera e ex-coordenador de importantes iniciativas de aprendizado de máquina no Google e no Baidu (o principal site de busca da China), me disse que, quando ele trabalhava no Baidu, foi questionado sobre um caso de RH durante o jantar. Ele enviou uma mensagem para a chefe do RH às 19h; ela enviou mensagens para a equipe solicitando informações e, por volta das 19h30, Andrew já estava com a resposta. "Se ela tivesse demorado mais de uma hora para responder", disse Andrew: "Eu teria ficado preocupado". Esse tipo de processo rápido aplicado à tomada de decisões pode deixar algumas pessoas pouco à vontade, mas, ao tomarem decisões rápidas de forma consistente, os empreendedores chineses passam a se sentir à vontade com o desconforto e a incerteza e ganham mais velocidade em suas ações.

Outra vantagem consiste no contingente massivo de talentos da China. A extrema abundância de capital humano permite que as empresas chinesas escalem suas organizações mais rapidamente, inclusive por meio da abertura de filiais em várias cidades. A China também pode ensinar uma ou duas lições para o Vale do Silício sobre como aproveitar integralmente o contingente de talentos. Ela vem se revelando um ambiente incrível para empreendedoras. Das 73 bilionárias do mundo que trabalharam para conquistar suas fortunas, 49 (mais de dois terços!) vivem na China. Das 10 mulheres mais ricas do mundo por seus próprios méritos, 8 são chinesas.

Por fim, como sua ascensão ao status de potência industrial é um fenômeno relativamente recente, a China tem muitos setores incipientes, que, por isso, estão disponíveis para quem se habilitar. Se o Vale do Silício conseguiu dominar o mercado de softwares e internet, e marcar uma forte presença no setor de hardware, a China dispõe de empresas que crescem rapidamente em vários setores, de produtos agrícolas a agentes químicos.

No entanto, apesar dessas vantagens impressionantes, a China também pode aprender com o Vale do Silício. Primeiro, seu ritmo, comparativamente menos frenético, permite o desenvolvimento de horizontes temporais mais extensos e tecnologias mais avançadas, como o projeto de Elon Musk para viagens interplanetárias e o célebre investimento de US$750 milhões do Google no Calico para criar uma "cura para a morte". O Vale do Silício ainda está na vanguarda em inovações tecnológicas mais profundas, como inteligência artificial, realidade virtual, voos especiais e energia nuclear.

Embora o Vale do Silício certamente seja marcado por uma competição implacável, sua cultura também encoraja a colaboração entre as empresas, o que estabelece conexões para que elas promovam mais inovações e aumentem a produtividade na região como um todo. Ao disponibilizar o TensorFlow, uma biblioteca de software de código aberto, o Google não só atraiu colaboradores externos para incrementar seus projetos de aprendizado de máquina, como também permitiu que as empresas do Vale do Silício (e do mundo inteiro) também acelerassem seus projetos nessa área.

Além disso, o histórico do Vale do Silício com o blitzscaling o coloca várias décadas à frente da China em matéria de concentração de experiência e conhecimento institucional. Lembre-se que metade das empresas de tecnologia mais valiosas do mundo estão aglomeradas nessa pequena região, cuja população não chega a 4 milhões. Esse número é 10 vezes menor do que a população da zona metropolitana de Guangzhou; 350 vezes menor do que a da China. Por outro lado, as duas empresas chinesas avaliadas em mais de US$100 bilhões, a Alibaba e a Tencent, operam há menos de 20 anos. Quando combinados, esses fatos indicam que, apesar da massiva disponibilidade de mão de obra e do seu incrível contingente de talentos técnicos, a

China não tem a densidade do Vale do Silício e ainda está restrita à qualidade da reserva de executivos de escala disponíveis para gerir as empresas que implementam o blitzscaling.

Por fim, as práticas de gestão e contratação da China, mais autocentradas, podem ser obstáculos para a implementação do blitzscaling. Meu amigo Jerry Yang, cofundador do Yahoo! e o responsável por viabilizar o sábio investimento da empresa no Alibaba (quando Jerry fez sua primeira visita à China, em 1997, o guia indicado pelo governo chinês para acompanhá-lo foi um professor de inglês chamado Jack Ma), aponta que as empresas chinesas tentam desenvolver líderes entre os integrantes da organização. Diferentemente do Vale do Silício, na China, os gerentes seniores raramente vêm de outras empresas; os poucos contratados dessa forma geralmente não se saem bem. Hugo Barra, um ex-executivo do Google de excelente reputação, assumiu o cargo de vice-presidente para assuntos internacionais na Xiaomi, mas se desligou da empresa cerca de dois anos depois para comandar o departamento de realidade virtual do Facebook.

Essa filosofia do endogrupo influencia bastante o blitzscaling; você deve começar a pensar em preencher cargos de liderança com anos de antecedência e desenvolver profissionais o quanto antes. Outra consequência é a pouca mobilidade entre empresas e, portanto, um menor intercâmbio de ideias e inovações. Isso pode estar mudando; Jerry destacou que a primeira geração de startups gigantes da China já iniciou a preparação do terreno para a próxima. Cheng Wei, fundador da gigante dos aplicativos de carona Didi Chuxing, aprendeu a escalar com o Alibaba, em que trabalhou durante oito anos antes de abrir sua empresa. Essa experiência provavelmente ajudou Cheng a escalar o Didi em um ritmo de causar inveja ao Uber. Apesar de ter sido fundado três anos depois da Uber, o Didi viabilizou mais corridas em 2015 do que o número total já processado pela Uber ao longo da sua existência. Além disso, por receber investimentos de empresas da primeira geração como o Alibaba, o Tencent e o

Baidu, o Didi tem acesso em nível gerencial a redes de conhecimento muito úteis para a aplicação do blitzscaling.

Em geral, achamos que os líderes chineses de tecnologia têm aprendido bastante com o Vale do Silício. Quando viajo para palestrar na China, percebo que eles sabem o que está ocorrendo lá. A maioria dos executivos chineses fala e lê inglês, e acompanha as notícias da imprensa anglo-saxã diariamente. Quantos executivos norte-americanos e europeus leem chinês e estão por dentro dos últimos desenvolvimentos na China? Se esperar até que uma inovação seja captada pela imprensa anglo-saxã, talvez só depois de ela ter sido implementada por uma empresa do Vale do Silício, será uma vantagem de um ano para os blitzscalers chineses no mercado global.

Aqui há uma grande oportunidade para o Vale do Silício e a China colaborarem e combinarem seus pontos fortes. Para Andrew Ng, só com a mescla das ideias dos dois lados do Pacífico foi possível desenvolver avanços incríveis no reconhecimento de fala. Empresas do Vale do Silício, como a Nvidia, forneciam as unidades de processamento gráfico (GPUs) necessárias para o funcionamento das redes de aprendizado de máquina; e os avanços ocorreram quando a expertise do Vale do Silício na programação das GPUs se combinou à da China em supercomputação. Até novembro de 2016, o supercomputador mais potente do mundo era o Sunway TaihuLight, localizado no National Supercomputing Center, em Wuxi, na China; o segundo era o Tianhe-2.

O supercomputador mais potente dos EUA, o Titan, localizado no Oak Ridge National Laboratory, no Tennessee, tinha menos de um quinto da potência do Sunway TaihuLight. Não há como prever as riquezas e os avanços que resultarão de uma colaboração entre esses principais inovadores atuando em dois ecossistemas diferentes.

COMO SE DEFENDER DO BLITZSCALING

Até aqui, vimos como você pode usar o blitzscaling para transformar uma startup em uma scale-up e escalar rapidamente um novo produto ou unidade de negócios. Em outras palavras, você aprendeu a usar o blitzscaling para atacar. Mas e quando você está no comando? Como agir quando, em vez de não ter nada a perder, mas tudo a ganhar, o preço é alto demais? Quando seus concorrentes estão tentando aplicar o blitzscaling para riscar sua empresa do mapa, há três opções básicas de defesa: destruí-los, juntar-se a eles ou evitá-los.

1ª OPÇÃO: DESTRUÍ-LOS

Sua primeira opção de defesa contra o blitzscaling é destruir os concorrentes investindo no jogo tradicional. Como vimos, muitas tentativas de aplicar o blitzscaling estão fadadas ao fracasso. Você deve avaliar os fatores e os limitadores de crescimento associados ao modelo de negócios; se parecerem inadequados para sua implementação, evitar uma reação desproporcional é a melhor estratégia.

Os fãs do saudoso Muhammad Ali talvez se lembrem da estratégia "rope-a-dope" utilizada pelo boxeador na luta "Rumble in the Jungle", contra George Foreman. No rope-a-dope, o lutador deixa seu adversário bater até cansar para, quando ele estiver exausto, contra-atacar até levá-lo à lona.

No caso da Webvan, durante o boom das pontocom, os diversos problemas do modelo de negócios (margens baixas, falhas massivas de escalabilidade operacional) indicavam que a tentativa de aplicar o blitzscaling estava condenada desde o início. Os supermercados já estabelecidos recorreram ao rope-a-dope: criaram lojas online fazendo investimentos incrementais, de baixo valor. A Safeway aproveitou o lapso da Webvan, ao permitir que a empresa convencesse os primeiros clientes a fazerem compras online para, em seguida, iniciar o próprio serviço de entrega e atender a essa clientela já fidelizada.

Evidentemente, com a aquisição da Whole Foods pela Amazon, esses supermercados agora têm que encarar um concorrente bem diferente. Essas circunstâncias parecem exigir um outro tipo de postura. A Amazon dificilmente vai cansar de bater!

2ª OPÇÃO: JUNTAR-SE A ELES

Se o mercado estiver pronto para o blitzscaling, a postura óbvia é iniciar um empreendimento e aplicá-lo. O problema dessa atitude, especialmente quando sua empresa já está estabelecida no mercado, é não dispor da tecnologia ou da expertise necessárias para ganhar um confronto direto. Talvez você tenha recursos para comprar a tecnologia e a expertise, mas essa opção está associada a outros riscos.

Primeiro, se o blitzscaling está sendo aplicado, é quase certo que os investidores (públicos ou particulares) estão animados com o mercado a ponto de oferecer capital barato. Isso indica que as aquisições provavelmente serão muito caras. Segundo, como destaquei para Brian Chesky a propósito da compra do Wimdu, uma fusão ou aquisição sempre gera a possibilidade de um conflito entre culturas. As culturas de uma empresa estável e já estabelecida e de uma blitzscaler disposta a correr riscos são como água e vinho.

Na batalha contra a Amazon, o Walmart investiu US$3,3 bilhões na aquisição da Jet.com, um alto preço para uma startup com 13 meses de atividade (esse valor representava o dobro da já generosa avaliação por múltiplo de receita feita pela Amazon). As duas empresas passaram por momentos de choque cultural, como quando o Walmart solicitou que a Jet parasse de promover seus habituais happy hours no escritório, de estocar bebida alcoólica na sede e de permitir que seus funcionários bebessem em suas mesas. Segundo um artigo publicado em 2017, no Wall Street Journal, os executivos da Jet reclamaram, e o Walmart permitiu a retomada dos happy hours.

Por outro lado, as vendas de e-commerce do Walmart foram impulsionadas pela aquisição da Jet, que a conectou aos millennials urbanos, um segmento importante que costumava rejeitar suas lojas tradicionais. Aplicar o blitzscaling é arriscado, mas, quando um concorrente está prestes a ampliar sua escala, ficar parado, também é.

3ª OPÇÃO: EVITÁ-LOS

A última opção, e talvez a mais "bem-sucedida", é ceder o mercado para os blitzscalers e migrar com os ativos disponíveis para um mercado novo e menos vulnerável. Você se lembra da lista das empresas de tecnologia avaliadas em US$100 bilhões ou mais que vimos na Introdução? A integrante mais antiga desse grupo adotou essa estratégia com muito sucesso. A IBM foi uma das primeiras blitzscalers da história da computação. Sua determinação ao investir no crescimento de produtos inovadores como o mainframe System/360 possibilitou que a empresa dominasse o setor por décadas. Sob a liderança de Thomas Watson Jr., a IBM investiu US$5 bilhões para desenvolver e lançar o System/360 (US$30 bilhões em valores de hoje). Mas, em abril de 1993, quando Lou Gerstner assumiu o cargo de CEO, a IBM amargava um prejuízo de US$8 bilhões (a maior perda registrada na história empresarial dos EUA até então) e parecia estar prestes a ser ultrapassada por blitzscalers mais jovens, como a Dell.

Em vez de ignorar o problema ou se arriscar a concorrer diretamente no mercado de PCs criado pela empresa em 1981, Gerstner reformulou a IBM como uma empresa de confiança nas áreas de integração de sistemas e consultoria de tecnologia, voltada para o mundo corporativo norte-americano. Seu escopo de migração fica evidente em duas transações: em 2002, no último ano de Gerstner como CEO, a IBM adquiriu a consultoria da PricewaterhouseCoopers e, em 2005, vendeu sua operação de PCs (inclusive sua célebre marca ThinkPad) para uma nova blitzscaler da China chamada Lenovo (que adquiriu também a estrutura de seus servidores, em 2014).

Outro exemplo extraordinário foi a resiliência das livrarias independentes diante do massacre promovido pela Amazon e sua volta por cima. Nenhuma livraria independente pode competir com ela em matéria de catálogo e preços. Mas, embora a Amazon continue ampliando sua escala, o número de livrarias independentes vem crescendo nos últimos sete anos, pois essas lojas redirecionaram seu foco comercial da venda de livros para as atividades da comunidade literária, sediando eventos culturais, como noites de autógrafos, encontros de clubes de leitura e saraus. As livrarias independentes oferecem algo que a Amazon não pode (por enquanto, mas isso pode mudar): a experiência de estar em uma livraria, em meio ao cheiro de papel, funcionários simpáticos e outros amantes de livros.

Estar na mira de um concorrente adepto do blitzscaling não só pode como deve ser encarado como algo assustador, mas essa não será sua sentença de morte se você fizer a coisa certa. No entanto, decida rapidamente; diante da velocidade do blitzscaling, qualquer deslize será o mesmo que não fazer nada.

PARTE VI

Blitzscaling Responsável

Em um mundo ideal, as empresas de blitzscaling incorporariam todas as virtudes que a sociedade deseja de seus negócios — força de trabalho diversificada e inclusiva, forte senso de responsabilidade para acionistas e partes interessadas, ampla oferta de empregos bem remunerados e executivos que atuam como modelos em termos morais e líderes da sociedade. A infeliz verdade é que, apesar de todas as maravilhas do blitzscaling, as organizações que o adotam podem ser culpadas dos mesmos pecados cometidos por outros tipos de empresas e enfrentar alguns desafios inerentes, mesmo quando tentam se comportar de maneira responsável. As empresas de blitzscaling quase sempre atuam em mercados altamente competitivos, em que, para sobreviver e prosperar, precisam superar seus concorrentes. Na melhor das hipóteses, elas conseguem isso se concentrando incansavelmente na construção do negócio e, ao mesmo tempo, tentando alcançar objetivos sociais mais amplos. Na pior das hipóteses, tentam promover a aceleração por qualquer meio possível.

Essas pressões são agravadas pelo fato de que as empresas de blitzscaling crescem tão rapidamente que muitas vezes se tornam agentes cruciais da sociedade antes de terem tempo de amadurecer. Isso resulta em culturas corporativas problemáticas, relacionamentos contraditórios com as autoridades reguladoras e processo de tomada de decisões questionável.

Esses desafios são reais, mas não devem nos desencorajar a implementar o blitzscaling. Sua magia reside em casar responsabilidade e velocidade, de modo que consigamos captar com sucesso a vantagem do precursor enquanto ainda desenvolvemos e aderimos a uma sólida orientação moral.

Os céticos tendem a argumentar que o tipo de escalabilidade que o blitzscaling produz é inerentemente ruim, e que a sociedade deve simplesmente impedir que as empresas se expandam muito. Em depoimento perante o Congresso, em 1911, o então futuro juiz da Suprema Corte Louis Brandeis argumentou: "Acho que estamos em uma situação, após a experiência dos últimos 20 anos, de fazer duas afirmações: em primeiro lugar, que uma corporação pode ser muito grande para funcionar como o instrumento mais eficiente de produção e distribuição e, em segundo lugar, se ultrapassou o ponto de maior eficiência econômica ou não, pode ser grande demais para ser tolerada entre as pessoas que desejam ser livres."

Discordamos dessa postura sobre a nocividade da escalabilidade no mundo de hoje. Primeiro, Brandeis falava durante a Era das "Trusts", quando figuras como J. P. Morgan consolidaram a indústria norte-americana em poderosas e gigantescas empresas, como a U.S. Steel. Mas acreditamos que os blitzscalers de hoje são qualitativamente diferentes daqueles da Era Dourada das trusts. Elas mantinham monopólios virtuais sobre o fornecimento de recursos físicos essenciais, como aço e petróleo. Os consumidores não tinham alternativas e eram forçados a fazer negócios com elas. Por outro lado, empresas como a Apple e a Amazon precisam conquistar seus clientes todos os dias e, se não o fizerem, eles simplesmente comprarão notebooks na Dell e pedirão livros na Barnes & Noble.

Segundo, acreditamos que, embora a ideia de uma empresa grande às vezes seja ruim, também pode ser excelente. A escalabilidade gera empresas dominantes, mas também produz valores sem precedentes. Os smartphones que amamos são eletrônicos de consumo de massa que dependem de economias de escala. Embora Brandeis esteja certo de que a sociedade precisa impedir monopólios que bloqueiam a tecnologia ou a inovação empresarial, da mesma forma que o antigo monopólio da AT&T suprimiu o progresso das telecomunicações, as maiores empresas de hoje possibilitaram a inovação e a criação de ainda mais valor ao fornecer plataformas para tudo, de software de produtividade comercial (Slack) a entretenimento (Netflix). Nem a concentração de capital que a escalabilidade acarretou é de todo ruim; ela permitiu aos blitzscalers lidar com "utopias", como viagens espaciais (SpaceX) e veículos autônomos (Waymo, do Google), que melhoram drasticamente nossas vidas.

Em vez de instintivamente exigir a dissolução das grandes empresas, a melhor abordagem para minimizar os potenciais abusos da escalabilidade é impulsionar os princípios para um ordenamento saudável, que James Madison expôs em "Federalist N°. 10" ["Federalista n° 10", em tradução livre]. Madison lidava com os perigos das "facções", isto é, grupos específicos que atuam contra os interesses de toda a comunidade. Madison argumenta que as facções são uma consequência natural da liberdade e, para se proteger delas, a melhor estratégia é criar uma sociedade diversificada, na qual nenhuma facção em particular consiga imperar. Madison escreveu: "Amplie as esferas e você terá uma variedade maior de partidos e interesses; o que torna menos provável que a maioria tenha um motivo comum para reprimir os direitos de outros cidadãos; ou, se existir esse motivo comum, será mais difícil para todos os que se identificam com ele descobrir a própria força e agir em consonância com os outros." Acreditamos que a mesma abordagem se aplica à economia e à política; em outras palavras, que uma variedade maior de companhias poderosas — se forem impedidas de conspirar — equilibra eventuais objetivos maldosos ou egoístas de uma entidade em particular.

É verdade que, como acontece com tudo na vida, o blitzscaling produz vencedores e perdedores. As startups podem, e irão, fracassar, e todas as empresas empreendedoras criam riscos para seus fundadores, colaboradores e investidores. Ao mesmo tempo, elas também possibilitam novos negócios, empregos e inovações. Mas o erro das sociedades modernas mais bem-sucedidas é priorizar a liberdade em detrimento da proibição de todos os riscos, o que, em geral, nos deixa em melhor situação, porque, com isso, permitimos que os empresários assumam esses riscos.

É também tentador acreditar que a maneira mais fácil de garantir um comportamento responsável é legislar sobre ele. O problema é que vivemos em um mercado globalmente competitivo. Um governo que retarda o crescimento das empresas dentro de suas fronteiras, sobrecarregando-as com uma legislação inflexível, acaba facilitando que os blitzscalers irresponsáveis, de fora dessas fronteiras, dominem os setores emergentes.

Pegue como exemplo o alvoroço decorrente da denúncia de que o Facebook e o Twitter foram sondados por partidos — estrangeiros e nacionais — para hackear o processo eleitoral norte-americano. Isso é obviamente ruim, e medidas devem ser tomadas para entender e abordar as vulnerabilidades que expuseram os dados dos usuários. Entretanto, imagine que todos esses usuários tivessem adotado uma plataforma de mídia social sob a jurisdição de algum outro governo. Muito provavelmente, o público norte-americano não teria conhecimento sobre essa descoberta, muito menos, a capacidade de remediá-la.

Como o Facebook é uma rede global, é muito fácil que os usuários se conectem com pessoas de todo o mundo. Não há, por exemplo, um "Facebook do Reino Unido". Mas o Facebook está sob a jurisdição dos Estados Unidos, não do Reino Unido, o que significa que quando os dados dos usuários britânicos foram comprometidos, e um membro do Parlamento enviou uma carta a Mark Zuckerberg solicitando que comparecesse perante uma comissão parlamentar, ele não tinha a obrigação de fazê-lo. Tais são as limitações da regulamentação de empresas em um mundo globalizado.

BLITZSCALING NA SOCIEDADE

O blitzscaling responsável é importante porque os blitzscalers de sucesso muitas vezes chegam a um ponto em que são mais que apenas um negócio; eles realmente influenciam a estrutura da sociedade em que atuam. Mídias sociais, como o Facebook e o Twitter, mudaram a forma como consumimos informações e nos comunicamos. Comércios como o Alibaba e o eBay oferecem oportunidades econômicas — alguns vendedores dedicados até baseiam sua subsistência neles. Compartilhar serviços de economia, como o Airbnb, gera mais turismo e diversidade para as cidades nas quais eles atuam. E a Amazon tem transformado todo o setor de varejo, o que afeta a todos. Como o Tio Ben, do Homem-Aranha, ensina, com grandes poderes vêm grandes responsabilidades.

Acreditamos que as responsabilidades dos blitzscalers vão além de simplesmente maximizar o valor dos acionistas pautando-se pela lei; eles também são responsáveis pelo modo como as ações de sua empresa afetam a sociedade como um todo. No entanto, não só pelos imperativos morais, o blitzscaling responsável é uma boa estratégia de negócios. A sociedade fornece o ecossistema em que você vive e no qual sua empresa atua, o que significa que ela pode reivindicar, com razão, a responsabilidade pelo seu sucesso. Em outras palavras, seu sucesso depende de um bom funcionamento da sociedade. No Vale do Silício, alguns fantasiam com cidades flutuantes em águas internacionais, mas o fato é que as empresas de blitzscaling dependem do estado de direito, de mercados financeiros substanciais e de um sistema educacional que produza colaboradores talentosos e um mercado saudável de consumidores. Parafraseando Warren Buffett, ganhamos a "loteria do ovário" quando nascemos em ecossistemas de blitzscaling.

Além disso, o blitzscaling responsável realmente o protege de legislações que ameaçam limitar suas fronteiras de crescimento. Normalmente, a regulamentação surge quando o governo acredita que um setor não tem se comportado de maneira responsável. Os Estados Unidos (e muitas outras nações) têm regulamentações ambientais porque as empresas estavam poluindo displicentemente e causando danos aos cidadãos e à natureza. Blitzscalers inteligentes percebem que a autorregulação pode de fato atrasar ou antecipar a regulamentação do governo. Os empreendedores frequentemente reclamam que as autoridades reguladoras escrevem políticas ruins, porque não entendem os meandros do negócio; a autorregulação permite que as empresas apliquem seus conhecimentos para encontrar as formas mais eficazes em termos de custos para alcançar objetivos sociais.

ESTRUTURA DO BLITZSCALING RESPONSÁVEL

O segredo para pôr o blitzscaling responsável em prática sem sacrificar o ritmo de crescimento é desenvolver a capacidade de distinguir entre as várias formas de risco. A estrutura que sugerimos para essa avaliação considera dois eixos separados: Conhecido versus Desconhecido e Sistêmico versus Não Sistêmico.

	Conhecido	Desconhecido
Sistêmico	Conhecido/Sistêmico	Desconhecido/Sistêmico
Não Sistêmico	Conhecido/Não Sistêmico	Desconhecido/Não Sistêmico

A incerteza por si só não é um risco; ela simplesmente produz o desconhecido, e o desconhecido não é intrinsecamente negativo. Como qualquer um que já tenha lido um romance de suspense, viajado para uma cidade que não conhecia ou aprendido uma nova língua pode atestar, uma das grandes alegrias da vida é a jornada da descoberta, de transformar o desconhecido em conhecido.

No entanto, quando você combina a incerteza e a possibilidade de um resultado negativo, produz risco. Sua magnitude é uma função da probabilidade e da gravidade desse potencial resultado negativo. O blitzscaling sempre envolve riscos, mas nenhum risco é igual. É por isso que você precisa distinguir entre o risco sistêmico e o não sistêmico.

O risco não sistêmico é localizado e, no máximo, afeta uma parte do sistema. O sistêmico afeta, ou mesmo destrói, todo o sistema, diretamente ou como resultado de problemas em cascata. A possibilidade de uma guerra nuclear é um exemplo claro de risco sistêmico — até mesmo de extinção. Ainda que não acreditemos que possamos eliminar totalmente esse risco, sua magnitude faz com que valha a pena dedicar muitos esforços para reduzir a probabilidade de que ocorra.

A implementação dessa análise mostra que vários receios comuns sobre o blitzscaling são, na verdade, riscos não sistêmicos. Um temor comum é o de que ele acarrete uma oligarquia de poderosos executivos da tecnologia com poder desmedido sobre nosso governo e sociedade. Porém, mesmo hoje, com as empresas de tecnologia encabeçando a classificação das empresas mais valiosas do mundo, os magnatas tradicionais, como Rupert Murdoch e os irmãos Koch, ainda têm uma influência muito maior sobre a política pública do que os líderes tecnológicos, como Jeff Bezos, Larry Page e Mark Zuckerberg.

Um medo complementar, que tem ganhado voz, é o de a mídia social (em grande parte, um produto de empresas de blitzscaling) ser uma tecnologia exclusiva perigosa que prejudica o consumidor — especialmente o jovem —, viciando e consumindo toda a sua atenção. É certamente verdade que algumas pessoas gastam mais tempo produzindo e consumindo mídia social do que o ideal para sua saúde e produtividade. Mas isso é realmente um risco sistêmico? Em 2010, um artigo da Slate intitulado "Don't Touch That Dial!" ["Não Toque Neste Botão!", em tradução livre] enumerou as muitas vezes na história em que os críticos argumentaram que novos meios para consumir informações arruinariam a sociedade. Sócrates advertiu contra os efeitos perniciosos da palavra escrita, que ele acreditava que prejudicaria a memória.

No século XVI, Conrad Gessner tentou compilar uma lista de todos os livros, um esforço que o levou a concluir que a nova imprensa havia resultado em uma superabundância de dados "confusos e prejudiciais" para a mente. O estadista francês Guillaume-Chrétien de Lamoignon, de Malesherbes, escreveu que os jornais isolavam socialmente seus leitores, que, de outra forma, receberiam notícias através dos púlpitos de suas igrejas. Apesar desses avisos, a palavra escrita, a imprensa e os jornais trouxeram enormes benefícios para a humanidade. É possível, mas improvável, que as mídias sociais tenham um impacto qualitativamente diferente de qualquer forma de mídia anterior; mas descobrimos que, quando as pessoas falam: "Desta vez é diferente", geralmente não é.

Novas tecnologias sempre tiveram o potencial de gerar novos problemas. Os jornais levaram ao demagógico "jornalismo amarelo". A publicidade deu campo para os vendedores de gato por lebre. A resposta não foi proibir essas mídias, mas criar políticas e instituições que mitigassem os riscos decorrentes. É por isso que temos leis voltadas à informação e órgãos regulamentadores como o CONAR. E, com o tempo, até os públicos ficam mais perspicazes e desenvolvem a própria "resposta imune".

Os críticos das mídias sociais estão corretos quando apontam o efeito nocivo que elas tiveram tanto na civilidade do discurso político quanto no ideal de objetividade, baseada em evidências. Esses são problemas reais, o que significa que precisam ser solucionados. As mídias sociais devem ser mais transparentes, como informar quem paga pelos anúncios, e exigir na publicidade os mesmos padrões de verdade necessários a todos os outros meios.

Por outro lado, existem tecnologias emergentes de empresas de blitzscaling que representam problemas reais e sistêmicos (ainda que recebam pouca atenção das mídias). A biologia sintética, impulsionada pela edição do gene CRISPR-Cas9, produz enormes benefícios para a medicina e o agronegócio, mas carrega o risco sistêmico de que agentes mal-intencionados espalhem pandemias globais. As mudanças e os desenvolvimentos da área são tão rápidos que dificultam que os governos criem regimes regulatórios estratégicos que gerenciem esses riscos sistêmicos. Os blitzscalers responsáveis precisam avaliá-los seriamente e envolver inúmeras partes interessadas nessas considerações, em vez de desafiar ou atrapalhar as autoridades reguladoras. Por outro lado, as autoridades reguladoras não devem presumir que entendem melhor uma atividade do que o setor que a promove e tomar decisões unilaterais. Uma boa colaboração, aliada à transparência e à comunicação franca, é a melhor maneira de identificar os riscos sistêmicos e descobrir as intervenções mais acessíveis para reduzi-los, além de acelerar as inovações.

A distinção sistêmico/não sistêmico é dinâmica, e os blitzscalers devem estar preparados para adaptar sua abordagem. O Facebook tem sido amplamente criticado por seu papel nas eleições presidenciais de 2016, por disseminar conteúdo enganoso (também conhecido como "fake news") e por não proteger os dados pessoais de seus usuários, que acabaram sendo explorados por empresas de consultoria política, como a Cambridge Analytica. Ambas as questões são preocupações legítimas, uma vez que ambas corroem a confiança que os usuários do Facebook depositam no conteúdo que lá encontram e na própria rede social.

A dimensão que o Facebook tomou o tornou detentor de amplas coleções de dados de mais de 200 milhões de norte-americanos, bem como a principal mídia informativa pela qual a maioria dos norte-americanos lê notícias e as compartilha com seus amigos. Isso significa que as questões de privacidade e de conteúdo duvidoso não afetam apenas o Facebook e seus usuários, mas o próprio tecido social. Se o

Facebook ainda fosse uma rede social de nicho para universitários da Ivy League, teria um efeito local; mas, quando se supõe que essas questões influenciam o resultado de uma eleição presidencial, isso representa, sem dúvida, um impacto generalizado.

Em situações desse tipo, as empresas responsáveis precisam trabalhar junto ao governo para resolver um problema sério. Em casos de tais proporções, a tendência típica é exigir a criação de uma nova agência regulamentadora, já que as normas governamentais se mostraram deficientes em acompanhar as rápidas mudanças do blitzscaling. Ao mesmo tempo, uma simples autorregulamentação não é suficiente. O que é necessário é uma parceria público-privada dinâmica e solidária.

Como consequência, após o burburinho sobre as informações corrompidas que se espalharam pelas redes sociais terem comprometido o resultado das eleições, a resposta dos meios de comunicação tradicionais, como o *New York Times* e o *Washington Post*, foi pedir ao Facebook que contratasse editores humanos para monitorar as "fake news". Esse é um exemplo clássico da metáfora: "Para quem só sabe usar martelo, todo problema é um prego." Você não pode simplesmente aplicar os processos editoriais tradicionais, pensados para funcionar em uma redação com 50 pessoas, a uma plataforma com bilhões de supostos "críticos" escrevendo bilhões de "artigos" por dia. Em vez de tentar mimetizar uma solução, o Facebook precisa apresentar as próprias ideias sobre como resolver o problema e, em seguida, encontrar formas escaláveis de implementá-las. Essas soluções não precisam ser perfeitas; só precisam ser melhores do que as anteriores e, o mais importante, continuar se aprimorando ao longo do tempo. Isso é um desafio, mas não nos surpreenderia se as soluções acabassem produzindo um resultado ainda melhor do que o do sistema antigo, incorporando mais vozes, transparência na verificação de fatos e prova social.

O ESPECTRO DE RESPOSTA

Depois de categorizar um risco com base na estrutura conhecido versus desconhecido e sistêmico versus não sistêmico, você precisa decidir como responder a ele. Acreditamos que as possíveis respostas se encaixam em quatro categorias amplas.

1º: DECIDA AGORA.

Os riscos sistêmicos demandam reação imediata: "Pare as prensas". Em 2011, uma anfitriã do Airbnb, de São Francisco, descobriu que uma hóspede havia destruído sua casa e roubado seus pertences, incluindo as joias de sua avó. A reação imediata do Airbnb — reportar o ocorrido à polícia e indenizar o anfitrião, mas enfatizando que tais incidentes são resolvidos caso a caso — pode ter sido legalmente justa, mas não abordou a questão sistêmica: uma situação dessas faz os anfitriões perderem a confiança no Airbnb.

Depois que percebeu a dimensão do problema, Brian Chesky tomou uma atitude categórica. Primeiro, assumiu toda a responsabilidade, por escrito, no blog oficial do Airbnb: "Nós decepcionamos nossa cliente EJ, e por isso lamentamos muito. Deveríamos ter respondido mais rapidamente, nos comunicado com mais sensibilidade e agido de forma mais categórica para fazê-la se sentir segura e protegida. Mas não estávamos preparados para esse tipo de situação e acabamos a negligenciando." Segundo, ele anunciou a Garantia do Airbnb, segundo a qual a empresa protegeria os anfitriões contra até US$50 mil em danos materiais. Essas ações foram absolutamente necessárias, dado o escopo e o impacto potencial da crise, não apenas para o Airbnb, mas para todo o setor. (Você encontra a resposta de Brian na íntegra, "Our Commitment to Trust and Safety" ["Nosso Compromisso com Confiança e Segurança", em tradução livre], no blog oficial do Airbnb — conteúdo em inglês.)

2º: TOME ATITUDES URGENTES AGORA E ADIE AS DE LONGO PRAZO.

Mesmo que um risco seja sistêmico, é possível empregar soluções interinas que posteriormente serão substituídas por um ajuste definitivo. No PayPal, a fraude em cartões de crédito era definitivamente uma questão sistêmica e constitutiva. Afinal, um sistema de pagamentos em que os usuários não confiam não tem valor. Mas não tivemos uma solução imediata para impedir essas fraudes. Então, nossa reação foi arcar com os custos para que nossos usuários não fossem afetados. Sabíamos que essa era uma solução temporária, mas nos deu o tempo necessário para criar uma detecção de fraude no produto mais sólida.

3º: NOTE O PROBLEMA AGORA, AJA DEPOIS.

Se o risco é administrável agora, mas se tornará sistêmico no futuro, você não pode simplesmente ignorá-lo. Mesmo que não tome nenhuma atitude imediata, deve considerá-la para o futuro, afim de que, quando o risco se tornar sistêmico, você não seja pego de surpresa. Nos primórdios do PayPal, além do problema da fraude dos cartões de crédito, também enfrentamos a questão das transações ilegais. Obviamente, não queríamos que as pessoas usassem o PayPal para comprar e vender drogas ou financiar criminosos e terroristas, o que representa um risco sistêmico. Por outro lado, não tínhamos colaboradores internos com conhecimento em perícia contábil ou na área criminal. Como nosso volume de transações ainda era baixo, e como julgávamos a possibilidade de fazerem transações ilegais muito baixas, adiamos trabalhar no problema, mas também nos comprometemos a construir a expertise e a infraestrutura necessárias para conseguir lidar com ele mais tarde.

4º: DEIXE ACONTECER.

Quando você enfrenta um risco desconhecido/não sistêmico, dificilmente o esforço para analisá-lo vale a pena. Provavelmente, trata-se de uma situação de baixo risco, então a deixe acontecer.

ADÉQUE RESPONSABILIDADE E VELOCIDADE ÀS FASES DA EMPRESA

Equilibrar as prioridades de responsabilidade e velocidade é uma dança complicada, que pode parecer muito diferente em cada estágio de crescimento. Observamos alguns padrões gerais que se aplicam à maioria das empresas.

Logo no início, durante os estágios Família e Tribo, fazer um blitzscaling responsável significa definir claramente a missão da empresa e lançar as bases para uma cultura focada em ser uma parte responsável da sociedade como um todo. Para fazer isso, você deve projetar um futuro no qual a empresa se torne uma gigante global e, em seguida, avaliar o provável impacto desse sucesso não só em seus principais interessados, mas na sociedade.

As transações de sua empresa geram efeitos negativos que repercutem em seus clientes? John D. Rockefeller pode não ter imaginado o impacto que a Standard Oil teria no clima global, mas seus descendentes parecem ter entendido, já que em 2016 o Rockefeller Family Fund anunciou que desinvestiria imediatamente suas participações na Exxon-Mobil... o maior descendente corporativo da Standard Oil. Em um cenário ideal, você conseguiria prever esses efeitos externos no início, enquanto ainda é possível reformular radicalmente o modelo de negócios ou simplesmente trocar o ramo de atividade, pois é mais fácil instituir uma mudança radical ou abandonar completamente um projeto no começo.

Nesse estágio, você precisa tomar atitudes que antecipem os efeitos internos do crescimento. As empresas adeptas do blitzscaling precisam contratar de forma tão rápida que muitas vezes dependem dos contatos pessoais para procurar candidatos. Utilizada de forma impensada, essa técnica resulta em uma cultura homogênea e não inclusiva. Mas se você construir uma rede diversificada e inclusiva antes de começar a escalabilidade, a contratação não terá tantos desafios no que diz respeito à diversidade posteriormente.

À medida que a empresa alcança o sucesso e avança até o estágio Aldeia, você deve se perguntar: "Quais pontos, se eu não consertar agora, serão funcionalmente impossíveis de ajustar ao escalarmos?" É particularmente difícil encontrar o equilíbrio entre ética e velocidade durante esse estágio, porque a empresa provavelmente está atirando para todos os lados e buscando um crescimento exponencial; e, se você parar ou desacelerar para corrigir as falhas, um concorrente pode aproveitar a vantagem do precursor que aparece bem debaixo de seu nariz. É por isso que a questão é saber o que é "impossível", e não apenas o que é "difícil".

Você nunca deve parar de considerar o potencial impacto negativo de seu sucesso. Nos estágios iniciais, você apenas especulava sobre o futuro; no estágio Aldeia, já conseguiu dados suficientes para avançar para o futuro com uma precisão razoável. Você ainda corre o risco de cometer erros; mas, se não fizer esse exercício, se cobrará por ter sido negligente se o pior dos cenários se concretizar.

Quando sua empresa atingir o estágio Cidade ou Nação, precisará assumir as responsabilidades de um detentor, que são muito diferentes das de um desafiante. Lembra-se de quando você se perguntou quais problemas poderia consertar depois? Bem, o "depois" acabou de chegar. Se você ignorou anteriormente questões como diversidade, conformidade legal ou justiça social, é necessário entender que todos os olhares estão voltados para você, e espera-se que você seja um cidadão responsável e um exemplo a ser seguido.

Além disso, se não lidar com essas responsabilidades de maneira proativa, terá que enfrentá-las de forma reativa — o que certamente será mais caro e mais doloroso. Goste ou não, quando sua empresa é uma Cidade ou uma Nação, você precisa começar a pensar como prefeito, ou presidente, e estabelecer regras para o bem-estar da humanidade como um todo, não apenas se concentrar no melhor para seus lucros.

CONCLUSÃO

Nas últimas décadas, o blitzscaling redefiniu inúmeros setores e ajudou a definir quase todas as partes de nossas vidas. A todo o tempo, você provavelmente utiliza vários produtos de empresas que passaram por blitzscaling ou que ainda estão no processo.

Mas e se a Era do Blitzscaling estiver apenas começando? Até agora, ele se concentrou em softwares e internet, mas é provável que reformule nossa infraestrutura física e até mesmo nossos corpos no futuro. A inteligência artificial em breve será onipresente, graças aos veículos autônomos e a um aprendizado de máquina mais eficiente. As inovações tecnológicas nas ciências da vida, como a edição de genes CRISPR, podem mudar até a estrutura da própria vida. Criptomoedas e tecnologia blockchain podem mudar o papel dos governos e corporações em finanças e comércio globais.

Novas tecnologias estão surgindo rapidamente e prometem mudar tudo — de novo. Elas possibilitarão novos modelos de negócios, que por sua vez criarão novos setores. Na história da alta tecnologia, as mudanças de plataforma, como a de mainframes para o client-server ou a transposição da web para o mobile, representaram grandes oportunidades. Hoje, várias plataformas estão surgindo ou mudando simultaneamente, gerando maior complexidade — e ainda maiores recompensas pela velocidade.

Enquanto isso, mercados e investidores estão cada vez mais dispostos a financiar apostas agressivas em blitzscaling. Como os investidores privados estão dispostos a financiar o crescimento, as empresas permanecem privadas por mais tempo para poder continuar investindo em blitzscaling, o que os mercados públicos talvez desaprovem. Empresas como Airbnb e Xiaomi são avaliadas nas dezenas de *bilhões*, o que as torna mais valiosas (no papel) do que a maioria das empresas de capital aberto. Como os investidores dos mercados públicos não são capazes de lucrar tanto com o blitzscaling pós-IPO, eles procuram investir em empresas de capital fechado, o que deixa ainda mais dinheiro disponível para financiar o blitzscaling!

Neste livro, tentamos ajudar os vários interessados na sociedade a entender melhor o fenômeno do blitzscaling, como está mudando o mundo e como reagir a ele.

Os empreendedores devem estar cientes de que o blitzscaling é o principal padrão por meio do qual as principais novas tecnologias, os ecossistemas corporativos e as empresas se estabelecem e substituem seus predecessores. Com o conhecimento obtido neste livro, os empreendedores aplicarão melhor seus métodos aos próprios negócios, estarão mais conscientes de como seus concorrentes podem empregar as mesmas técnicas para mudar o campo de atuação e mais bem preparados para responder a essas ameaças competitivas. Eles também entenderão melhor como fazer blitzscaling de forma responsável e construir empresas que melhorem a sociedade e das quais se orgulhem.

Executivos e líderes empresariais precisam reconhecer que o blitzscaling provavelmente afetará seus setores e negócios mais cedo ou mais tarde. Como a tecnologia está se tornando essencial para todas as atividades — lembre-se, todas as empresas estão se tornando empresas de tecnologia —, a velocidade da mudança tecnológica aumenta a velocidade da mudança geral, para todos os negócios.

O entendimento do blitzscaling permite que as empresas já estabelecidas se antecipem e adaptem melhor às mudanças no cenário do mercado. Algumas mudanças podem ser transitórias. Mas outras mudarão tudo e exigirão que todos se adaptem, até mesmo os líderes de mercado. Adequar-se raramente é fácil para grandes empresas; tudo, desde a estrutura de capital até os incentivos organizacionais, torna mais difícil para elas assumirem grandes riscos. Entretanto, os líderes de mercado que usarem as lições deste livro para se defender do blitzscaling dos concorrentes e ao mesmo tempo investirem no blitzscaling de seus próprios negócios permanecerão como líderes no futuro.

Governos, políticos e autoridades reguladoras devem tentar entender como o blitzscaling *ajuda* em vez de prejudicar a sociedade. A rápida mudança que ele promove pode ser perturbadora e, portanto, aterrorizante. O impulso natural é tentar desacelerar o blitzscaling, seja por meio de impostos ou regulamentos. O problema de ceder a esse instinto compreensível é que a mudança vai acontecer, seja originada em seu quintal ou não. Desacelerar as coisas pode fazer você se sentir mais confortável, mas o custo é permitir que os concorrentes de outras áreas ganhem um domínio duradouro do mercado global. O blitzscaling atrai capital de investimento e cria grandes novos setores; como comunidades ou nações, você precisa de mais empresas adeptas do blitzscaling, não menos.

Uma melhor compreensão dos pontos positivos e negativos do blitzscaling ajudará os governos não apenas a fazer os ajustes apropriados para incentivá-lo, mas também a melhorar as chances de alcançar resultados sociais adequados.

A reforma econômica e o crescimento da China nos últimos 30 anos tiraram 800 milhões de pessoas da pobreza — mais do que qualquer outra política ou programa durante esse período. Apesar do legítimo impacto social e ambiental desse crescimento, o mundo está muito melhor. O blitzscaling também melhora a mobilidade social. Em comparação com uma criança nascida de pais que se encontram nos 20% mais pobres de Detroit, uma criança nascida em São Francisco, nas mesmas condições estatísticas, tem o dobro de chance de chegar aos 20% mais ricos quando adulta. Acreditamos que o blitzscaling pode levar esse tipo de milagre econômico para outras áreas do mundo, e que os blitzscalers versados terão maior probabilidade de cumprir suas obrigações éticas de lutar por um impacto social positivo.

Considere o impacto positivo que o serviço bancário móvel M-Pesa teve na África desde seu início, em 2007. Ele ampliou a renda, impulsionou o crescimento econômico e fortaleceu financeiramente as mulheres. Quando Alexander Hamilton propôs um sistema bancário nacional para os Estados Unidos, na década de 1790, levou quase um século para que sua visão fosse concretizada. Graças ao blitzscaling, a M-Pesa fez isso em vários países em apenas dez anos.

O progresso ocorre quando novas ideias surgem e se espalham. Às vezes essas ideias tomam a forma de tecnologias, como a imprensa e o smartphone, e outras vezes permanecem abstratas, como a democracia e o capitalismo. O blitzscaling pode ser um conceito abstrato, mas já teve um impacto bem concreto no mundo. Sua simbologia começou no Vale do Silício, criou raízes na China e tem se espalhado rapidamente — da única maneira que o blitzscaling sabe. À medida que se espalha, também atua como um catalisador, ajudando a acelerar o impacto de outras ideias. Nós gostaríamos de ver este livro ajudar a transformar todas as regiões — África, Oriente Médio, Europa, América Latina, América do Norte e Ásia (onde os Estados Unidos e a China abriram o caminho).

Eis o que todos precisamos perceber sobre a Era do Blitzscaling:

Velocidade e incerteza são a nova constante.

A única maneira de prosperar neste mundo em rápida transformação é aceitar a inevitabilidade da mudança. Tire vantagem dela, esteja você voltado para questões individuais ou coletivas.

Este livro é, na verdade, o terceiro de uma série que abrange a adaptação à Era das Redes. O livro *Comece por Você* concentra-se em como os indivíduos podem adaptar suas carreiras a um mundo de rápidas transformações permanecendo em um estado de "Permanent

Beta". (Visite thestartupofyou.com para encontrar mais recursos e se inspirar — conteúdo em inglês.) *The Alliance* analisa como as empresas e os gerentes devem adaptar suas estratégias de gestão de talentos para construir relacionamentos mais fortes com os colaboradores, apesar de um futuro incerto. (Visite alliedtalent.com para obter ajuda sobre como introduzir essas estruturas em sua organização — conteúdo em inglês.) Esta terceira obra é tanto um prólogo quanto uma continuação; explica como o blitzscaling ajudou a formar a Era das Redes e como empresários, líderes, empresas e governos podem direcionar as transformações que estão por vir.

Primeiro, seja um eterno aprendiz. Hoje, a melhor e a pior característica do ritmo acelerado das transformações é que não há especialistas com mais de dez anos de experiência em nenhum fenômeno emergente. Se você é capaz de subir na curva de aprendizagem mais rapidamente do que os outros, tem a oportunidade de criar um enorme valor com base nisso. Embora desejássemos escrever uma lista simples e abrangente de regras que garantam seu sucesso, não é possível alguém descrever uma estratégia aplicável a todas as possíveis mudanças que ocorrerão nos próximos anos, sem falar nas décadas. O cenário está sempre mudando, e você se adapta a ele aprendendo.

Segundo, saia na frente. À medida que surgem novas tecnologias e tendências, a incerteza sobre o rumo que tomarão paralisa muitas pessoas e as impede de agir. Aqueles que estão dispostos a agir — e a fazer isso rapidamente —, apesar da incerteza, terão uma vantagem desproporcional. Procure empresas e mercados de blitzscaling; neles, você encontrará maiores oportunidades e crescimento.

Por fim, e um tanto paradoxalmente, seja uma fonte de estabilidade. Em um mundo de constantes mudanças e incertezas, as pessoas precisam de confiança e apoio. Oferecer estabilidade e paz no meio da tempestade, enquanto os outros estão no olho do furacão, torna você um líder natural.

Esse conselho parece assustador, mas acreditamos que é perfeito para essa era de concorrência intensa. Ela é desafiadora para os indivíduos e as empresas, mas é boa para a coletividade. À medida que mais regiões e ecossistemas promoverem o blitzscaling, mais valor líquido será criado. Similar a uma biodiversidade, essa "blitzdiversidade" apoia diferentes tipos de crescimento e viabiliza a aplicação do blitzscaling a um conjunto mais amplo de problemas cruciais. O blitzscaling também evita a estagnação e a complacência, porque propicia que novos domínios surjam e cresçam rapidamente, forçando os responsáveis a se adaptar.

Se você acredita que o futuro será melhor que o passado, o blitzscaling é extasiante, porque, com ele, vamos chegar lá de modo mais rápido. Se você acredita que o futuro será pior que o passado, o blitzscaling é aterrorizante, porque anula mais rapidamente a ordem já existente.

Particularmente, é assim que nos sentimos sobre o blitzscaling:

Acreditamos que o futuro pode e deve ser melhor que o passado, e que vale a pena tolerar o desconforto que sentimos quando usamos o blitzscaling para chegar ao futuro o mais rápido que pudermos.

Esperamos ver o blitzscaling viabilizar, para mais empreendedores, a formação de empresas transformadoras e o sucesso em grande escala.

Esperamos ver empresas mais estabelecidas aproveitarem as lições do blitzscaling para se tornarem mais adaptáveis e mais bem preparadas para enfrentar os desafios do futuro.

Esperamos ver ativistas e governos usarem as ferramentas do blitzscaling para mudar o mundo para melhor.

As empresas que escolhem o blitzscaling em breve definirão o ritmo do progresso em todos os setores. Você decide se vai liderar essa mudança — para você, para sua empresa e para a sociedade como um todo.

Atire-se no futuro.

AGRADECIMENTOS

Obrigado a nossas famílias pelo apoio e paciência durante esse longo processo — Michelle, Alisha, Jason e Marissa. Obrigado à nossa editora, Talia Krohn, e seus colegas da Currency, por oferecem um lar a nossas ideias. Lisa DiMona, Megan Casey, David Sanford, Saida Sapieva, Brett Bolkowy e Ian Alas, em nossa equipe, nos deram um apoio crítico durante toda essa jornada.

Mehran Sahami patrocinou nossa aula CS183C em Stanford, na qual ensinamos com nossos amigos e colegas instrutores Allen Blue e John Lilly. Obrigado também aos convidados que compartilharam suas histórias com a classe, muitos dos quais entraram no livro, incluindo Sam Altman, Brian Chesky, Patrick Collison, Michael Deering, Diane Greene, Reed Hastings, Marissa Mayer, Shishir Mehrotra, Ann Miura-Ko, Mariam Naficy, Jennifer Pahlka, Eric Schmidt, Selina Tobaccowala, Nirav Tolia e Jeff Weiner.

Muito obrigado a todos da Greylock Partners, por seu apoio a este projeto, incluindo Joseph Ansanelli, Jerry Chen, Josh Elman, Chris McCann, Stacey Ngo, Simon Rothman e Elisa Schreiber.

Devemos muito a June Cohen, Deron Triff e ao restante da equipe do WaitWhat, que produzem o podcast *Masters os Scale*. Muitas das histórias neste livro vêm dos convidados que apareceram na

1ª e na 2ª temporada, incluindo Aneel Bhusri, Sara Blakely, Stewart Butterfield, Barry Diller, John Elkann, Caterina Fake, Tim Ferriss, Payal Kadakia, Nancy Lublin e Mark Pincus, Linda Rottenberg, Sheryl Sandberg, Howard Schultz, Peter Thiel, Tristan Walker, Ev Williams e Mark Zuckerberg.

Obrigado também àqueles que participaram desses episódios, incluindo Umber Ahmad, Dominique Ansel, Greg Baldwin, Alexa Christon, Paulette Mae Cole, Chris Costa, Lisa Curtis, Susan Danziger, Angela Duckworth, Kara Goldin, Natasha Hastings, Margaret Heffernan, Drew Houston, Joi Ito, Leila Janah, Daniel Kahneman, Cheryl Kellond, Dara Khosrowshahi, Josh Kopelman, Omid Kordestani, Michelle Lee, Tim Lefler, Kristen Marhaver, Kathryn Minshew, Andrew Ng, Aubrie Pagano, Hadi Partovi, Robert Pasin, Juliana Rotich, Andrés Ruzo, Dick Stockton, Tony Tjan, Yossi Vardi e Darryl Woodson.

Os autores do Silicon Guild forneceram valiosos comentários sobre rascunhos anteriores, incluindo Peter Sims, Jennifer Aaker, Nancy Duarte, Morten Hansen, Frans Johansson, Charlene Li, Tina Seelig, Chris Shipley, Anne-Marie Slaughter e Caroline Webb.

Tantos outros nos ajudaram ao longo do caminho, incluindo Ben CasNocha, Elad Gil, Bing Gordon, Fred Kofman, Dmitri Mehlhorn, Marte Mickos, Christopher Schroeder, Mike Volpi e Pat Wadors.

E obrigado a Bill Gates, por generosamente dedicar um tempo para contribuir com o prefácio deste livro.

APÊNDICE A: TRANSPARÊNCIA

Como empresário e investidor, Reid Hoffman, ou a Greylock Partners, empresa de capital de risco de que é sócio, tem as seguintes parcerias com as empresas mencionadas neste livro:

Airbnb: integrante do portfólio da Greylock; investidor e participante das reuniões do conselho

Cloudera: integrante do portfólio da Greylock

Dropbox: integrante do portfólio da Greylock

Facebook: integrante do portfólio da Greylock; investimento pessoal

Friendster: investimento pessoal

Gladly: integrante do portfólio da Greylock

Greylock Partners: sócio-geral

Groupon: integrante do portfólio da Greylock

Instagram: integrante do portfólio da Greylock

LinkedIn: integrante do portfólio da Greylock; cofundador

Medium: integrante do portfólio da Greylock

Microsoft: membro do conselho

Mozilla: ex-membro do conselho

Nextdoor: integrante do portfólio da Greylock

Pandora: integrante do portfólio da Greylock

PayPal: membro do conselho fundador e executivo

Pure Storage: integrante do portfólio da Greylock

Red Hat: integrante do portfólio da Greylock

SocialNet: cofundador

Tumblr: integrante do portfólio da Greylock

Zynga: ex-membro do conselho; investimento pessoal

APÊNDICE B: OS BLITZSCALERS

Ao longo deste livro, contamos as histórias de vários blitzscalers. Este apêndice inclui perfis curtos, para contextualizar o leitor curioso.

AIRBNB

Airbnb.com

O Airbnb é um comércio online de hospedagem, que permite às pessoas disponibilizarem ou alugarem suas casas de veraneio, apartamentos, quartos de sua casa, de hotel e albergues por períodos curtos. Foi fundado em agosto de 2008, em São Francisco, CA.

ALIBABA

Alibaba.com

O Alibaba Group é um conglomerado de e-commerce, varejo e tecnologia que fornece serviços de consumidor para consumidor, de empresa para consumidor e de empresa para empresa, incluindo pagamentos eletrônicos e computação em nuvem. Foi fundado em abril de 1999, em Hangzhou, China.

AMAZON

Amazon.com

A Amazon é uma empresa de e-commerce que também produz eletrônicos de consumo, como o Kindle e a Echo, e é a maior fornecedora mundial de serviços de computação em nuvem. Foi fundada em julho de 1994, em Seattle, WA.

APPLE

Apple.com

A Apple projeta, desenvolve e vende produtos eletrônicos de consumo, softwares e serviços online, como o iPhone, o iOS e os PCs Mac. Foi fundada em abril de 1976, em Los Altos, CA.

CHARITY: WATER

Charitywater.org

A Charity: Water é uma organização sem fins lucrativos que fornece água potável limpa e segura para pessoas em países em desenvolvimento. Foi fundada no verão de 2006, em Nova York, NY.

CHESAPEAKE ENERGY

Chk.com

A Chesapeake Energy explora e produz petróleo e gás natural. Foi fundada em maio de 1989, em Oklahoma City, OK.

CLASSPASS

ClassPass.com

A ClassPass oferece um serviço de assinatura mensal, a uma taxa fixa, para os assinantes participarem de aulas de ginástica de suas parceiras em todo o mundo. Foi fundada em junho de 2013, em Nova York, NY.

DRESS FOR SUCCESS

Dressforsuccess.org

A Dress for Success é uma organização sem fins lucrativos que fornece uma rede de apoio, trajes profissionais e ferramentas de desenvolvimento para ajudar as mulheres a prosperarem no trabalho e na vida. Foi fundada em 1997, em Nova York, NY.

DROPBOX

Dropbox.com

O Dropbox é um serviço de hospedagem de arquivos que oferece armazenamento em nuvem, sincronização de arquivos, nuvem pessoal e software cliente. Foi fundado em 2007, em Mountaain View, CA.

FACEBOOK

Facebook.com

O Facebook possui produtos como Facebook, Instagram e WhatsApp, que permitem que as pessoas se conectem, compartilhem, encontrem e comuniquem. Foi fundado em fevereiro de 2004, Cambridge, MA.

FLIPKART

Flipkart.com

O Flipkart é uma empresa de e-commerce que se concentra em servir ao mercado da Índia. Foi fundado em outubro de 2007, em Bangalore, Índia.

GOOGLE

Google.com

A Alphabet Inc. é uma holding que inclui o Google (seus principais negócios de internet), bem como empresas de outros setores, como Calico, Verily, Waymo, X e Nest Labs. Neste livro, referimo-nos à empresa como Google, porque é o nome pelo qual a maioria das pessoas a conhece e porque nosso foco é sua atuação no setor de internet. Foi fundada em setembro de 1998, em Palo Alto, CA.

GROUPON

Groupon.com

O Groupon é um e-commerce que conecta seus assinantes a ofertas de comerciantes locais. Seu principal foco são atividades, viagens, bens e serviços. Foi fundado em janeiro de 2008, em Chicago, IL.

KHAN ACADEMY

Khanacademy.org

A missão da Khan Academy é fornecer educação gratuita a nível mundial para qualquer pessoa, em qualquer lugar. Ela faz isso por meio de exercícios online práticos e vídeos instrutivos. Foi fundada em outubro de 2006, em Mountain View, CA.

LINKEDIN

LinkedIn.com

O LinkedIn é a maior rede profissional do mundo, que conecta profissionais a nível global para torná-los mais produtivos e bem-sucedidos. Foi fundado em dezembro de 2002, em Mountain View, CA.

MERCADOLIBRE

MercadoLibre.com

O MercadoLibre possibilita a pessoas físicas e empresas comprar, vender, anunciar e pagar por mercadorias online. Foi fundado em maio de 1999, em Buenos Aires, Argentina/Stanford, CA.

MICROSOFT

Microsoft.com

A Microsoft desenvolve, fabrica, licencia, oferece suporte e vende softwares para computador, eletrônicos de consumo, computadores pessoais e serviços. Quanto à receita, é a maior produtora de software de computadores do mundo. Foi fundada em abril de 1975, em Albuquerque, NM.

M-PESA

vodafone.com/content/index/what/m-pesa.html

O M-Pesa é um serviço de transferência de dinheiro, financiamento e microfinanciamento com base em telefonia móvel lançado no Quênia, mas que atende a mercados de todo o mundo. Foi fundado em março de 2007, em Nairobi, Quênia.

NETFLIX

Netflix.com

A Netflix é um serviço de entretenimento online que oferece a seus membros séries originais, documentários e filmes. Seus assinantes podem assistir o quanto quiserem, a qualquer hora, em qualquer lugar, sem interrupções comerciais. Foi fundada em agosto de 1997, em Scotts Valley, CA.

PAYPAL

PayPal.com

O PayPal opera um sistema mundial de pagamentos online que suporta transferências de dinheiro e serve como uma alternativa eletrônica aos métodos tradicionais de papel, como cheques e ordens de pagamento. Foi fundado em dezembro de 1998, em Palo Alto, CA.

PRICELINE

Priceline.com

O Priceline fornece viagens online e serviços voltados aos consumidores e parceiros locais. Suas principais marcas são Booking.com, priceline.com, agoda.com, KAYAK, Rentalcars.com e OpenTable. Foi fundado em 1997, em Stamford, CT.

ROCKET MORTGAGE

RocketMortgage.com

Pelo site ou app da Rocket Mortgage, seus usuários podem fazer upload de dados financeiros e obter financiamentos em questão de minutos. A Quicken Loans lançou a Rocket Mortgage em novembro de 2015, em Detroit, MI.

SALESFORCE.COM

Salesforce.com

A salesforce.com fornece aplicativos baseados em nuvem para vendas, serviços e marketing, além de permitir que os parceiros ofereçam e executem as próprias soluções em sua plataforma. Foi fundada em fevereiro de 1999, em São Francisco, CA.

SLACK

Slack.com

A Slack possui ferramentas e serviços em nuvem que conectam equipes a apps, serviços e recursos de que precisam para trabalhar. Foi fundada em 2009, em Vancouver, British Columbia, Canadá.

SPOTIFY

Spotify.com

O Spotify é um serviço de streaming de música e podcast que permite aos usuários criar e ouvir listas de reprodução, bem como faixas isoladas. Foi fundado em abril de 2006, em Estocolmo, Suécia.

STRIPE

Stripe.com

O Stripe ajuda as empresas a receber pagamentos online e em apps. Foi fundado em 2010, em Palo Alto, CA.

TENCENT

Tencent.com

A Tencent é uma holding cujas subsidiárias fornecem serviços, tecnologias e produtos de internet, a nível global. Os principais são QQ e WeChat. Foi fundada em novembro de 1998, em Shenzhen, China.

TESLA

Tesla.com

A Tesla é uma montadora, empresa de armazenamento de energia e fabricante de painéis solares. Foi fundada em julho de 2003, em São Carlos, CA.

TWITTER

Twitter.com

O Twitter é um serviço de rede social e notícias online em que os usuários fazem postagens e trocam mensagens chamadas tuítes. Foi fundado em março de 2006, em São Francisco, CA.

UBER

Uber.com

A Uber é uma empresa de tecnologia de transporte. Desenvolve, comercializa e opera os apps Uber para transporte por meio de carros particulares e entrega de alimentos. Foi fundada em março de 2009, em São Francisco, CA.

XIAOMI

Mi.com

A Xiaomi é uma empresa de software e eletrônicos, que projeta, desenvolve e vende smartphones, apps, laptops e produtos eletrônicos de consumo. Foi fundada em abril de 2010, em Pequim, China.

ZARA

Zara.com

A Zara (e sua holding, Inditex) é a maior varejista de roupas e moda do mundo. Foi fundada em maio de 1974, em Arteixo, Espanha.

APÊNDICE C: ARTIGOS DO CS183C

Uma das táticas que utilizamos para desenvolver o material deste livro foi ministrar aulas na Universidade de Stanford, no outono de 2015. O *CS183C: Curso de Tecnologia Blitzscaling* nos ajudou a refinar nossas ideias e propiciou a produção de conteúdo na forma de citação dos vários convidados ilustres que foram a nossas aulas.

Durante o curso, pedimos aos alunos que escrevessem dois artigos e uma reflexão final. Incluímos os links dos melhores artigos e uma amostra das reflexões, tanto para recompensar nossos alunos por seu trabalho árduo quanto para apresentar ao leitor perspectivas adicionais sobre o blitzscaling. Assim, disponibilizamos os links abaixo e no site Blitzscaling.com [conteúdo em inglês].

O MELHOR PRIMEIRO ARTIGO

medium.com/cs183c-blitzscaling-class-collection/featured-essays-for-assignment-1-f8b34938e5e2

>Oguzhan Atay
>Robert Chun
>Jorge Cueto

Axel Ericsson

Jocelyn Neff

O MELHOR SEGUNDO ARTIGO

medium.com/cs183c-blitzscaling-class-collection/featured-essays-for-assignment-2-c620149f8eb5

Jorge Cueto

Skylar Dorosin

Aaron Kalb

Jocelyn Neff

UMA AMOSTRA DAS REFLEXÕES FINAIS

Chaitanya Asawa: medium.com/@casawa/ride-of-your-life-678bea009d3f

Christina Chen: medium.com/@christina.chen/teachers-open-the-door-you-enter-by-yourself-c9135aadef92

Jorge Cueto: medium.com/@jcueto/taking-the-leap-399ec46cf3a5

Maxine Cunningham: medium.com/@mmcunnin/blitzscaling-with-reid-hoffman-co-final-assignment-62e921ba2bf3

Skylar Dorosin: medium.com/@sdorosin/from-household-to-nation-final-musings-on-blitzscaling-2b8b6e27a3ce

Axel Ericsson: medium.com/@ericsson_axel/lightning-fast-final-essay-on-blitzscaling-612d12fc2139

Andre Esteva: medium.com/@andreesteva/cs-183c-final-essay-blitzscaling-a-foundation-for-rapid-company-growth-e59043d63292

Vijay Goel: medium.com/@vijaygoel/blitzscaling-knowing-when-it-s-time-to-go-all-in-55f4cad85aaa

Marcus Gomez: medium.com/@mvgomez/final-lessons-6ac03fdb1397

Rish Gupta: medium.com/@rish_says/what-i-learnt-from-reid-hoffman-brian-chesky-marissa-mayer-elizabeth-holmes-jeff-weiner-on-1e66bf61a23a

Kurt Heinrich: medium.com/@kurtjheinrich/cs183c-blitzscaling-takeaways-final-essay-10609b080562

Brandon Hill: medium.com/@brandon_hill/how-and-when-to-blitzscale-f54c31f2a4fd

Teddy Jungreis: medium.com/@teddyjungreis/blitzscaling-for-dummies-c3b48272acec

Aaron Kalb: medium.com/@kalb/blitzscaling-retrospective-b8e72bf81229

Daniel Kharitonov: medium.com/@volkfox/cs183c-final-essay-1a3242eca9f

Charles Lu: medium.com/@charleslu/like-lightning-638c9051beb8

Ryan McKinney: medium.com/@ryanmckinney/blitzscaling-the-future-8c9c27c1e1e7

Joann McMaster: medium.com/@joannmacmaster/99c620beaa8a

Jocelyn Neff: medium.com/cs183c-blitzscaling-student-collection/blitzscaling-a-chemical-reaction-bf9e318fe903

Nirmit Parikh: medium.com/@Nirmit_Parikh/cs-183c-blitzscaling-168d208532aa

Veeral Patel: medium.com/@vral/2ab47a57a162

Dayne Rathbone: medium.com/@daynerathbone/blitzscaling-takeaways-73570800f84b

Shikhar Shrestha: medium.com/@shikharshrestha/final-reflections-on-blitzscaling-a8eb5aacba96

Jason Weeks: medium.com/@Weeksy_J/cs183c-final-assignment-9be1b4af8087

Índice

A

adaptação cultural, 236
AdWords, 131
África, 266
Airbnb, x–12
   Belinda Johnson, 236
   Our Commitment to Trust and Safety, 292
Aldeia, 39
Alibaba, 67
Allen Zhang, 7
   Zhang Xiaolong, 7
Amancio Ortega, 242
Amazon, 23–42
   Amazon Web Services, 64
Amos Tversky, 222
Andrew Mason, 1
Android, 185
AOL, 52
API, 60

Apple, 31
   Apple II, 31
   Applenecência, 235
   iMac, 31
   iPad, 144
   iPhone, 31
   iPod, 31
   iTunes, 144
   Macintosh, 31
aprendizado de máquina, 127
aprisionamento tecnológico, 68
assinatura, 89–90
átomos, 26

B

Baidu, 271
banda larga, 127
Barack Obama, 256
Barnes & Noble, 282

Benchmark Capital, 56
Bill Gates, ix
Bing, 53
Binny Bansal, 266
biologia sintética, 289
   CRISPR-Cas9, 289
Bitcoin, 183
bits, 26
bits eletrônicos, 83–84
blitzdiversidade, 302
blitzfalha, 123
blitzscaling responsável, 286–291
   Conhecido, 286
   Desconhecido, 286
   Não Sistêmico, 286
   Sistêmico, 286
Blockbuster, 94
blockchain, 297
Blogger, 170
Brian Chesky, 1
brogrammer, 238

Burguer King, 65
burn rate, 122

C

campanha presidencial, 260-262
capitalistas de risco, 56
CD, 125
Charles Dickens, 172
chefe de pessoal, 196
Chesapeake, 245
China, 34
churn, 168
Cidade, 39
ClassPass, 131
    Payal Kadakia, 131
Coca-Cola Company, 67
commodities, 126
compras coletivas, 135
CONAR, 289
content farms, 61
    fazendas de conteúdo, 61
Craigslist, 53
crescimento extremo, 45
criptomoeda, 183
curva de aprendizagem, 127-129
curva S, 30

D

Daniel Ek, 265
Daniel Kahneman, 222
Dan Portillo, 160
Dara Khosrowshahi, 187
David Filo, 53
David Sanford, 196
Deep Nishar, 179
Dell, 278
desenvolvimento rápido, 33
design thinking, 211
dial-up, 127
Didi Chuxing, 269
Disneylândia, 46
distribuição, 99-106
diversidade, 235-239
dívida com a diversidade, 237
Doug Bowman, 80
Dress for Success, 259-260
Drew Houston, 194
Dropbox, 23-42
    Drew Houston, 23
    dropboxer, 231

E

eBay, 3
e-commerce, 124
economia de escala, 125
economia unitária, 70
efeito de rede, 11
    compatibilidade e padrões, 69
    diretos, 69
    economias de escala em função da demanda, 68
efeito superlinear, 68
externalidades positivas, 68
    indiretos, 69
    locais, 69
    multilaterais, 69
Elon Musk, 197
    X.com, 220
Emil Michael, 187
empresas de grande porte
    desvantagens, 251-253
    vantagens, 247-250
Era das Redes, 11
Era das "Trusts", 282
Era do Blitzscaling, 12
Eric Ries, 170
    métricas de vaidade, 170
Eric Schmidt, 233
escalabilidade operacional, 77-81
escalar a si mesmo, 194
    aprimoramento, 194-199
    delegação, 194-195
    expansão, 194-196
Estados Unidos, 124
Ev Williams, 170
ExxonMobil, 67

F

Facebook, 116-119
    Sheryl Sandberg, 31
fake news, 290-291
Família, 39

fastscaling, 28
fatores de crescimento, 55–74
   boas margens brutas, 63–65
   distribuição, 58–63
   efeitos de rede, 66–74
   tamanho do mercado, 55–58
FedEx, 124
feed de notícias, 91–92
Flipkart, 266
flywheel, 108
Foxconn, 73
freemium, 63
Friendster, 79
fundador, 142–146

G

Garantia do Airbnb, 292
General Electric, 24
genes CRISPR, 297
George W. Bush, 261
gestão de inovação, 49–50
Gmail, 114
Google, 110–115
   Ad Words, 88
   Analytics, 171
   Android, 111
   Google Docs, 113
   Google Drive, 174
   Hangouts, 163
   Maps, 111
   Project Platypus, 174

YouTube, 111
Gordon Moore, 93
gratuito, 86–87
Greyball, 187
Greylock Partners, ix
Groupon, 1
   Andrew Mason, 135
Guia Michelin, 136

H

hack, 254–255
Henry Ford, 98
Hewlett-Packard, 228
   Estilo de Vida HP, 229
Hillary Clinton, 260
hipercrescimento, 49
Hollywood, 128
   Adam Sandler, 128
   Shonda Rhimes, 128
Hotmail, 53
Huawei, 65
Hugo Barra, 274
Hulu, 128

I

IA, ix
IBM, 255
IMDb, 53
Índia, 266
inovação estratégica, 45–49
inovação tecnológica, 52
Instagram, 39
Intel, 93

Santíssima Trindade, 228
inteligência artificial, 297
inteligência de negócios, 171
inteligência de rede, 76
Internet Explorer, 52
Intuit, 235
   Intuitividade, 235
IPO, 51
irmãos Samwer, 3

J

Jaan Tallinn, 268
Jack Ma, 124
Jamie Templeton, 202
Jeff Bezos, 25
Jerry Chen, 58
Jerry Yang, 53
Jet, 277
Joe Gebbia, 1
Johan Huizinga, 235
John Lilly, 159
Jonathan Abrams, 79
Jonathan Rosenberg, 173
jornalismo amarelo, 289

K

Kai-Fu Lee, 270
Kindle, 255
Kinnevik, 3

L

Larry Page, 41
líder, 301
limitador do crescimento, 75-81
LINE, 90
LinkedIn, 101-105
    Minna King, 204
    Plaxo, 133
LinkedIn China, 271
Linux, 82
loteria do ovário, 286
low-tech, 26
Lublin, 260
Luke Nosek, 148

M

Marc Andreessen, 75
Mariam Naficy, 169
marketplace, 87-88
Mark Pincus, 60
Mark Zuckerberg, 31
Marshall Goldsmith, 37
Martin Lorentzon, 265
Matt Cohler, 152
Max Levchin, 148
McClendon, 246
McDonald's, 65
Medium, 170
MercadoLibre, 126
    Marcos Galperin, 126
Mercado Pago, 267
metodologia enxuta, 76
Microsoft, 29-47
    Microsoft Office, 240

Minted, 169
modelo de negócios, 54-120
    inovação, 43
    padrões, 82-92
momentos agora f$#@&, 206
monopólio, 283
Mozilla, 258
MSN, 51
mudança, 220
MyBO, 261
MySpace, 80

N

Nação, 39
Nancy Lublin, 259
NASDAQ, 51
Nathan Blecharcyzk, 1
navio de Teseu, 232-235
Netflix, 13
    Netflix Culture Deck, 234
    Reed Hastings, 127
    Ted Sarandos, 128
Netscape, 11
    JavaScript, 52
    SSL, 52
New York Times, 290
Nokia, 47
NTT, 67
número de Dunbar, 165
Nvidia, 275

O

ONGs, 257
OODA, 208
Oracle Corporation, 37
Organização para Cooperação e Desenvolvimento Econômico, 124
organizações sem fins lucrativos, 257

P

Patty McCord, 234
Paul Graham, 138
PayPal, 44
    Confinity, 148
peer-to-peer, 11
Permanent Beta, 301
Peter Drucker, 54
Peter Thiel, 44
pino de boliche, 71
Pinterest, 35
Pixar, 97
planejamento ABZ, 201
    Plano A, 201
    Plano B, 201
    Plano Z, 201
    similar possível, 201
plataformas, 84-85
PlayStation, 255
Plutarco, 234
poder da modularidade, 81
pontocom, 51
ponto crítico, 70

Pony Ma, 7
    Ma Huateng, 7
Priceline, 36
Priit Kasesalu, 268
princípio subjacente, 93-101
    adaptação, 98
    automação, 97-98
    Lei de Moore, 93-97
product/market fit, 28
    carência, 75-77
produto mínimo viável, 209
    Eric Ries, 209
    Steve Blank, 209
produtos digitais, 90
prova social, 291

R

rede de contatos, 59-60
Reed Hastings, 94
regras controversas, 200-240
    caos, 200-201
    capital, 221-224
    cliente, 219-221
    contratação, 202-205
    cultura corporativa, 224-239
    deixar acontecer, 213-217
    gestão, 205-208
    produto, 208-213
    trabalho provisório, 217-222
Rocket Internet, 3

ROI, 28
rotatividade, 168
Royal Dutch Shell, 67

S

Sachin Bansal, 266
Salesforce, 88
Sam Altman, 57
Samsung, 47
Saturday Night Live, 128
Satya Nadella, ix
scale-up, 29-40
    crescimento clássico, 28
Selina Tobaccowala, 214
Sergey Brin, 41
Sheryl Sandberg, 158
Shishir Mehrotra, 123
Sinovation Ventures, 270
Skype, 268
Slack, 10
smartphone, 7-22
Snapchat, 59
SocialNet, 44
sociedade, 285-286
SoftBank, 179
software, 26-27
software como serviço, 64
    SaaS, 64
Sony, 255
Southwest Airlines, 227
SpaceX, 283
Spotify, 265

startup, 17
    crescimento clássico, 27
Steve Jobs, 31
    provérbios do presidente Jobs, 180
Stranger Things, 128
streaming, 127
SurveyMonkey, 214
Sybase, 37

T

TAM, 55
Tencent, 7
TensorFlow, 273
Tesla, 26
The French Laundry, 136
    Thomas Keller, 136
Thomas Hobbes, 234
Time Warner, 51
transições críticas, 49
transições decisivas, 147-199
    abordagem difusa, 173-179
    dados, 167-174
    diálogo e difusão, 162-166
    equipe, 147-151
    especialistas, 151-155
    fundador e líder, 193-199
    gerente e executivo, 155-162
    tática, 180-195

transparência, 291
Travis Kalanick, 190
Tribo, 39
Tumblr, 35
Twitter, 3
   Dick Costolo, 136
   Ev Williams, 136
   Jack Dorsey, 136

U

Uber, x
   Bill Gurley, 46
   Didi Chuxing, 186
   Susan Fowler, 187
   tarifa dinâmica, 189
   UberX, 42
   Wild Ride, 190
unicórnio, 265

V

Vale do Silício, 15
vantagem competitiva, 20
vantagem do precursor, 34–36
velocidade, 140
viralização, 61–63

W

Wall Street, 24–46
Walmart, 52
Walt Disney, 46
Warren Buffett, 179
Washington Post, 129
Watson, 255
Waymo, 283
WeChat, 8
WhatsApp, 67
   Brian Acton, 78
   Jan Koum, 78
Wikipédia, 53
Wimdu, 3
Windows, 52
Windows Phone, 48

X

Xangai, 240
Xbox 360, 249
Xbox One, 249
Xiaomi, 65

Y

Yahoo!, 52
Y Combinator, 1
YouTube, 3

Z

Zalando, 3
Zara, 66
   fast fashion, 242
Zynga, 60
   Mark Pincus, 171